Flor de santidad

Letras Hispánicas

Ramón del Valle-Inclán

Flor de santidad

Edición de María Paz Díez Taboada

CATEDRA

LETRAS HISPANICAS

© Herederos de Valle-Inclán
Ediciones Cátedra, S. A., 1993
Telémaco, 43. 28027-Madrid
Depósito legal: M.20.561-1993
I.S.B.N.: 84-376-1174-1
Printed in Spain
Impreso en Lavel
Los Llanos, nave 6. Humanes (Madrid)

Índice

Introducción

En memoria de mi abuela materna,
Concha Goday de Taboada,
nacida en Vilanova de Arousa
y compañera de juegos de Ramón del Valle-Inclán.

Ramón del Valle-Inclán. Caricatura de Leal de Cámara

Thank you for shopping at

Schoenhof's

Customer 80-0000000

BOSTON POS

9788437611747-VALLE INCLAN,R: FLOR

      1 @   11.95   11.95

VALLE INCLAN,R: FLOR DE SANTIDAD

Boston   0.75

Boston   0.75

Boston   0.75

Amount Due   12.70

Cash for Chicago and I   13.00

Cash for Chicago and I   13.00

Cash for Chicago and I   13.00

Change Due   0.30

Thank You   Sale

0249770   07/17/2014

7193   12:43:00PM

Return Policy

1. PREHISTORIA DE UNA NOVELA

Flor de santidad vio la luz en el otoño de 1904. Fue
la cuarta novela original de Ramón del Valle-Inclán, después de las tres *Sonatas de otoño* (1902), *de estío* (1903)
y *de primavera* (1904). Nuestro autor había publicado,
sobre todo, artículos y cuentos en diarios y revistas de la
época[1], y también algunos libros de cuentos y/o novelas
cortas aparecidos anteriormente en la prensa; por ejemplo, *Femeninas* (1895), *Epitalamio* (1897), *Jardín umbrío* (primera edición) y *Corte de amor: florilegio de honestas y nobles damas* (ambos en 1903).

Valle-Inclán era un escritor perfeccionista que elabo-
raba y reelaboraba sus obras en un continuo tejer y des-
tejer: trasladaba personajes de unas obras a otras, pasajes y descripciones de unos relatos a otros y asuntos y
motivos que habían sido secundarios en alguna obra anterior, pasaban a ser de capital importancia o centrales
en obras posteriores; además, corregía sin descanso las
sucesivas versiones y ediciones y consideraba que nada
estaba definitivamente escrito. En una carta que desde
Aranjuez escribió Valle a Torcuato Ulloa, declara que

---

[1] En periódicos y revistas de Pontevedra, Méjico, Barcelona y Madrid; algunas, publicaciones efímeras, como *Germinal, Revista Nueva*
o *Electra,* pero otras de larga vida y buena salud, como *Blanco y Negro, El Imparcial* o *Heraldo de Madrid*. V. Éliane Lavaud-Fage, *La singladura narrativa de Valle-Inclán (1888-1915),* La Coruña, Fundación "Pedro Barrié de la Maza, conde de Fenosa", 1991.

11

desde diez años antes (1894) estaba gestándose *Flor de santidad*:

> Hace algunos días recibí una carta de usted aquí, en este retiro de Aranjuez, adonde me vine a escribir una novela, de la cual tenía desde hace *diez años* hecho cinco capítulos. La he terminado en veinte días, en los cuales escribí seiscientas cuartillas. Si he de serle a usted franco, ésta es la única vez en que estoy un poco satisfecho de mi obra. Se titula *Flor de santidad*. Es una novela que en el estilo, en el ambiente y en el asunto se diferencia totalmente de la moderna manera de novelar. Más que a los libros de hoy se parece a los libros de la Biblia: otras veces es homérica, y otras gaélica. En fin, usted la verá[2].

Cuando en 1904 se publica *Flor de santidad*, Valle-Inclán remata el que fue el más largo proceso de composición de una obra suya, pues desde fines de 1896 aparecen en la prensa (y uno, además, en su libro de cuentos *Jardín umbrío)* hasta once relatos que, con las modificaciones pertinentes, aprovechó más tarde en la composición de la novela[3]:

1º. El más antiguo es *Lluvia*[4], donde se rememoran los trágicos sucesos del crudo invierno de 1853, "aquel malhadado año de hambre". Aunque escrito en primera persona y como recuerdo de infancia, Valle reelabora aquí la información que sobre aquel invierno da Manuel Murguía en su obra *Los Precursores*[5]; pero Valle-Inclán,

---

[2] Publicada en *Índice [de artes y letras]*, Madrid, IX, núm. 74-75, 1954 (abril-mayo).

[3] La investigación más completa sobre la "prehistoria" de la novela la ha llevado a cabo Lavaud-Fage, en la obra antes citada, págs. 341-360.

[4] En *Almanaque de Don Quijote*, Madrid, 1897, págs. 10-12. Incorporado a la novela en el cap. 3 de la Primera Estancia.

[5] Manuel Murguía, el conocido prócer de las letras gallegas, fue marido de Rosalía Castro y amigo de don Ramón Valle y Bermúdez, padre de nuestro autor, a quien prologó su primer libro, *Femeninas. Seis historias amorosas* (Pontevedra, Imp. Andrés Landín, 1895), pró-

como muchos otros gallegos, pudo tener noticias orales y directas de los sucesos de aquel desgraciado invierno, porque su triste recuerdo quedó grabado con intensidad en la memoria colectiva y era referencia común en las conversaciones familiares.

2º. Le sigue *Ádega (cuento bizantino)*[6], donde, por primera vez, aparecen la pastora Ádega[7], crédula e inocente, y el peregrino.

3º. *Ádega (Historia milenaria)*[8], formada por cuatro partes, es una versión más extensa y compleja del cuento precedente y el relato más largo de todos los del ciclo. En este cuento aparece por primera vez el subtítulo "historia milenaria" que se mantendrá también en la novela.

4º. *Ádega (historia milenaria)*[9] es una nueva versión, breve y con algunas variantes, de los episodios I y III del cuento anterior.

5º. *Flor de santidad*[10] es un cuento breve, con el mismo título que, más tarde, habría de ser el definitivo de la novela; pero su protagonista se llama Minia y no Ádega.

---

logo que fue publicado, también, en *Diario de Pontevedra,* el 22-XI-1894. La obra de Murguía era diez años anterior (La Coruña, La Voz de Galicia, 1885).

[6] En *Germinal,* Madrid, núm. 5 (4-VI-1897), págs. 9-10. Corresponde a los caps. 1 y 2 de la Primera Estancia.

[7] Águeda; como en castellano, es palabra esdrújula —Ádega—; si se pronuncia como llana —adega—, el significado es "bodega".

[8] En *Revista Nueva,* Madrid: I, núm. 6 (5-IV-1899), págs. 255-259; II, con una pequeña variante en el adjetivo del subtítulo —"milenaria"—, núm. 7 (15-IV), págs. 305-310; III, con la misma variante antedicha, núm. 8 (25-IV), págs. 343-347, y IV, núm. 9 (5-V), págs. 425-428. Las partes I, II y III corresponden en la novela a la Primera Estancia y la IV, al cap. 1 de la Segunda. *Revista Nueva* fue fundada (15-II-1899) y dirigida por Luis Ruiz Contreras.

[9] En *Electra,* Madrid, núm. 5 (13-IV-1901), págs. 151-153. Se corresponde en la novela con los caps. 1, 2 y 4 de la Primera Estancia.

[10] En *Los Lunes de El Imparcial,* Madrid, 3-VI-1901. Incorporado a la novela en los caps. 1 y 2 de la Tercera Estancia. "Minia" es nombre típico y popular en Galicia —aunque, hoy día, no demasiado frecuente. *Los Lunes* era la sección literaria de dicho periódico, que había fundado y dirigía José Ortega Munilla, padre de José Ortega y Gasset.

6º. *Égloga*[11] relata la visita de una madre y su hija, con su rebaño de ovejas enfermas, a un saludador.

7º. *¡Malpocado!*[12] es una tierna evocación de la triste vida de aquellos niños gallegos que, huérfanos y pobres, se veían obligados a mendigar o a servir en trabajos penosos sólo por el techo y la comida.

8º. *Año de hambre (Recuerdo infantil)*[13] es una nueva versión del cuento *Lluvia* y de la primera parte del episodio II de *Ádega (Historia milenaria):* evocación del tristemente famoso Año y, según reza su subtítulo, "recuerdo de infancia", escrito con lenguaje distanciante y de intencionada imprecisión cronológica.

9º. *Geórgicas*[14] relata la marcha de una abuela a casa de un viejo tejedor, con las doce madejas del lino espadado con la ayuda de sus siete nietas y que había hilado durante todo un invierno, pero él ha dejado de tejer y sus nietos juegan con el telar, destrozándolo.

---

[11] En *Los Lunes de El Imparcial,* 10-II-1902. Posteriormente, también en la primera ed. de *Jardín novelesco: Historias de santos, de almas en pena, de duendes y ladrones* (Barcelona, Maucci, 1908), ampliación, con cinco cuentos más, de la colección homónima publicada en 1905 (Madrid, Tip. de la Revista de Archivos y Museos); no se publicó, sin embargo, en la segunda ed. de *Jardín umbrío* (Madrid, J. Izquierdo, 1914 —Opera Omnia, XI—), que recoge casi todos los cuentos de la segunda ed. de *Jardín novelesco.* Incorporado a la novela en los caps. 2 y 3 de la Segunda Estancia, en síntesis con *Geórgicas,* cuento posterior que presenta algunos pasajes comunes con éste.

[12] En *El Liberal,* Madrid, 30-XI-1902, como segundo premio (el primero fue declarado desierto) del concurso de cuentos convocado por dicho periódico; se publica también en *La Correspondencia Gallega,* Pontevedra, el 3-XII-1902. Aparece en la primera ed. de *Jardín umbrío* (1903) y en *Jardín novelesco* de 1905 y 1908; pero ya no en *Jardín umbrío* de 1914 y 1920. Fue incorporado a *Flor de santidad* en los tres primeros caps. de la Cuarta Estancia, con variantes notables —sobre todo, de estructura— y algunos pasajes aparecen en el cap. 1 de la Segunda.

[13] En *Heraldo de Madrid,* 28-XI-1903. Se incorpora a la novela en el cap. 3 de la Primera Estancia.

[14] En *Los Lunes de El Imparcial,* 15-VIII-1904. Apareció en *Jardín novelesco* (1905 y 1908), pero no en *Jardín umbrío* (1914 y 1920). Se encuentra en *Flor de santidad,* con pasajes comunes con el cuento *Égloga,* en los caps. 2 y 3 de la Segunda Estancia.

10º. *Un cuento de pastores*[15] es una deliciosa escena pastoril sobre una antigua creencia gallega que se ha plasmado en múltiples cuentos y leyendas y que es común también a otros pueblos del norte de España: la de la *moura*, habitadora de ríos y fuentes o de cuevas y espeluncas, donde guarda fabulosos tesoros.

11º. Por último, *Santa Baya de Cristamilde*[16] narra, como si fuera un recuerdo de mocedad, la peregrinación con una tía abuela suya, entre endemoniadas, enfermos y mendigos, a oír la "misa de medianoche" y al rito de la recepción de las *siete olas* mágicas, en el Santuario de Santa Baya de Cristamilde.

Estos once relatos sobre cuatro asuntos diferentes constituyen otros tantos ciclos narrativos: 1) la historia de la pastora Ádega y el peregrino, formada por los tres cuentos titulados *Ádega* y *Flor de santidad*, es la base temática de la novela; 2) la rememoración del Año del Hambre (*Lluvia* y *Año de hambre*), tratamiento personalizado de un asunto histórico de profunda resonancia en el agro gallego; 3) creencias y leyendas gallegas (*Égloga* y *Un cuento de pastores*) y 4) costumbres —oficios, ferias, romerías— de la Galicia que Valle conoció en su infancia y ya a punto de dejar de ser, vista con una cierta melancolía (*¡Malpocado!*, *Geórgicas* y *Santa Baya de Cristamilde*). Así, pues, el primer ciclo se enriquece con la incorporación de los otros relatos y la *historia de Ádega* pasa de núcleo único y caso aislado a ser el hilo conductor en la visión de las otras vidas que, entrecruzándose con la de Ádega, constituyen el cosmos gallego que es *Flor de santidad*.

Por fin, subtitulada *Historia milenaria*, con la dedicatoria *Para una muy amada hija espiritual* —que al-

---

15 En *Los Lunes de El Imparcial*, 19-IX-1904. Incorporado a *Flor de santidad* en el cap. 6 de la Tercera Estancia.

16 En *Los Lunes de El Imparcial*, 26-IX-1904. La parte II de este cuento constituye lo básico del cap. 4 y de un pasaje del primero de la Quinta Estancia.

gunos estudiosos identifican como su mujer, Josefina Blanco— y fechada en "Agosto 1904. Real Sitio de Aranjuez"[17], sale a la luz *Flor de santidad*, en Madrid, de la Imprenta de Antonio Marzo y en octubre del mismo año. En 1913 (30 de marzo) se publica la segunda edición, con bastantes variantes, formando el tomo II de la colección "Opera Omnia" (que recoge el conjunto de las obras de Valle-Inclán), precedida del conocido soneto en alejandrinos de Antonio Machado ("Esta leyenda en sabio romance campesino...") y que, desde entonces, es prólogo poético obligado en todas las ediciones de la novela. La tercera edición, en octubre de 1920, será la última publicada en vida del autor. En marzo de 1936 —dos meses después de muerto Valle-Inclán— se publica en *Flores de almendro*[18] con el título *Ádega*.

El mayor y más significativo conjunto de variantes se encuentra en la edición de 1913 respecto de la de 1904. En primer lugar, fue suprimida la dedicatoria y el que era cap. 6 de la Cuarta Estancia pasó a ser el 1 de la Quinta, lo que regularizó simétricamente el número de capítulos en cada una de las cinco grandes partes o *estancias* que componen la obra: I [5], II [5], III [6], IV [5] y V [5]. Se perciben, además, ciertos cambios en la puntuación (por ejemplo, la reducción del uso de los dos puntos), pero que no alteran el sentido del texto. Más importante es la tendencia arcaizante que presenta esta nueva versión[19]; la mayoría de los arcaísmos aparece en

---

[17] Obsérvese que los cuentos *Geórgicas, Un cuento de pastores* y *Santa Baya de Cristamilde* fueron publicados en fechas posteriores a ésta, por lo que se duda si previamente habían sido incorporados a la novela o si, por el contrario, Valle-Inclán dio forma de cuentos independientes a ciertos episodios de la obra.

[18] Recopilación que hizo Juan B. Bergua de todas las novelas cortas y cuentos publicados en libro y que fue también edición autorizada por Valle-Inclán.

[19] Por ejemplo, ortográficamente, "hierba" se escribe siempre "yerba" y así se mantendrá en ediciones posteriores; en cambio se eliminan algunas formas ortográficas arcaizantes, como, por ejemplo, "obscuro" que desde 1913 será siempre "oscuro".

el habla de los personajes y suelen ser galleguismos que, a veces, Valle-Inclán rehace, más o menos, a la antigua manera castellana[20]. También se observa la supresión de algunos adjetivos o de frases excesivamente prolijas o digresivas, como, por ejemplo, ciertas referencias a supersticiones populares. Algunas correcciones intensifican el entramado de recurrencias, paralelismos y contrastes que caracterizan la estructura de la obra y son especialmente cuidadas y abundantes las de los comienzos[21] y finales de varios capítulos[22].

A pesar de ser una obra bellísima, *Flor de santidad* no ha recibido la misma atención que otras de su autor. Sender criticó duramente esta falta de olfato de estudiosos, traductores y editores, pero es comprensible si se tiene en cuenta que es una muy particular obra épico-lírica, sin afán crítico ni burlesco, ni, por supuesto, esperpéntico —aunque sí, con sutil y aguda ironía— y, además, lo español que aquí se presenta es difícilmente homologable con el abigarramiento del "ruedo ibérico". Desde la memoria[23], Valle-Inclán presenta una visión de la Galicia ancestral, rural y milagrera, mítica —la del Camino de Santiago—, en la que sitúa la aparentemente simple pero sorprendente *historia de Ádega,* pobre pastora huérfana y visionaria.

---

[20] Los cambios los indicamos a pie de página en su lugar correspondiente y, además, v. el apartado 7 de esta Introducción.

[21] Sobre todo, el diálogo con que se inicia en 1913 el cap. 6 de la Tercera Estancia introduce el tema de la maternidad de Ádega —que es el eje de la acción en la segunda parte de la obra—, refuerza el leit motiv de las palabras mágicas y anuncia el del Libro de San Cidrián.

[22] A este respecto Díaz-Plaja hizo notar que "se percibe en varios de ellos la frase brillante, final, que queda temblando en el aire..." (v. *Las estéticas de Valle-Inclán,* Madrid, Gredos, 1965, pág. 158).

[23] Como escribió años después en *La lámpara maravillosa* (1916) —en "El quietismo estético", publicado primero en *La Esfera,* núm. 66, I-1915—, "sólo la memoria alcanza a encender un cirio en las tinieblas del Tiempo"; v. Don Ramón del Valle-Inclán, *Obras escogidas,* t. I., pról. Ramón Gómez de la Serna, 5ª. ed., Madrid, Aguilar, 1976, pág. 570.

2. UNA HISTORIA SENCILLA Y MISTERIOSA

En *Flor de santidad* se narra una historia breve y sencilla como si fuera una misteriosa leyenda hagiográfica de tiempos remotos —"historia milenaria"— o un antiguo cuento folclórico. Hasta Ádega, una jovencísima y pobre pastora huérfana, que sirve en una venta situada en un recóndito camino de la Galicia interior, llega, en una desabrida tarde invernal, un misterioso y siniestro peregrino santiaguero que, al no recibir acogida, maldice la venta. La pastora, movida por la piedad, lo acoge en el establo donde ella pasa las noches y donde se le entrega, seducida por el aspecto religioso del peregrino, coincidente con la imagen de Cristo en la iconografía tradicional.

Al día siguiente, el rebaño enferma. Ádega le da a su ama una explicación acorde con la leyenda que mil veces ha debido de oír contar a los pastores y campesinos de su tierra: aquel peregrino era Nuestro Señor que, caminante de nuevo por el mundo, anda a ver dónde hay caridad. La ventera y la pastora van a visitar, pues, al saludador, quien prescribe el rito necesario para romper el supuesto embrujo. El rito se realiza, pero, tras un segundo encuentro de Ádega con el caminante, vuelve a manifestarse la enfermedad. Un mozo lugareño que reposa en la venta sugiere otro posible remedio: al anochecer se enciende una pira y se entrega a las llamas la res enferma; la primera persona extraña que se aproxime, ésa es la causante del hechizo. Así lo hacen los venteros y la presencia del peregrino se percibe entre las sombras.

Aquella misma noche Ádega sueña que el peregrino se aleja de ella. Al amanecer y guiada por su sueño, la pastora llega a una fuente junto a la que encuentra el cuerpo del peregrino. Allí, de rodillas, le hace el planto: él era Nuestro Señor y durmió con ella. Las mujeres que

18

acuden a llenar sus cántaros y oyen sus gritos lastimeros, sentencian: la rapaza tiene el *ramo o mal cativo,* o sea, la posesión diabólica.

Desde entonces, Ádega ya no volverá a la venta, puesto que allí habitan, según ella, los "verdugos de Jerusalén"; y anda por los caminos y entre los pastores, mendigando y publicando su creencia y su esperanza en que ha de tener un hijo de Nuestro Señor. Con una abuela y su nieto marcha a la villa, al mercado de los criados, en busca de amo; allí el ciego Electus le encuentra acomodo en el caritativo Pazo de Brandeso.

Los rumores del *mal cativo* de Ádega llegan a oídos de la Señora del Pazo, quien hace venir al Abad para exorcizarla; pero, a la noche, Ádega sueña con que el Maligno quiere poseerla. Se decide, pues, que vaya al Santuario de la taumatúrgica Santa Baya de Cristamilde. A medianoche, Ádega asiste, llorosa y aterrada, a la *misa de las endemoniadas* y después es conducida a la playa, donde recibe las *siete olas* purificadoras.

A la mañana, en el camino de vuelta al Pazo, la dueña que la acompaña comenta con un criado: "La verdad, odiaría condenarme por una calumnia, pero paréceme que la rapaza está preñada...".

3. UNA CONSTRUCCIÓN SINFÓNICA

Flor de santidad está organizada en cinco *estancias,* como una moderna égloga, y, como hemos visto, cada una de ellas consta de cinco *capítulos,* excepto la Tercera que tiene seis. Esta pentapartición sugiere, como ya señaló Gómez de la Serna[24], las cinco jornadas o actos del teatro clásico y los capítulos de cada Estancia son otras tantas complejas escenas, en las que las descripcio-

---

[24] V. pról. a ed. cit., pág. XXIV.

nes de paisaje y ambiente funcionan como elementos escenográficos o telón de fondo y, al mismo tiempo, como acotaciones dramáticas de gran fuerza lírica y de una intensa plasticidad.

En la novela se articulan, recurrentemente entrelazados, algunos temas principales que son importantes parámetros estructuradores de la *historia de Ádega:* primero, en su relación con el peregrino; luego, respecto a su próxima maternidad; y, también e *in crescendo,* en la paulatina integración de dicha historia en la del pueblo gallego. Cada uno de estos grandes temas, desarrollados en escenas, explícitamente narradas unas y otras hábilmente sugeridas, está conectado, por anticipación o consecuencia, en paralelo o en contrapunto, con otros temas menores y con diversos motivos que, a su vez, se interrelacionan entre sí, de tal manera que configuran una construcción sinfónica o poliédrica[25], en la que cada faceta —tema o motivo— que elijamos como objeto de observación guarda una relación —intensificadora o relativizadora, coincidente o divergente— con todas las demás. En *Flor de santidad* nada sucede una sola vez, todo se repite tres, cinco o más veces; sin duda, en la composición de esta novela son el tres y el cinco los números-clave, pero también el seis (3 + 3), el nueve (3 x 3), el siete (3 + 4) y el doce (3 x 4)[26]. Varios temas se inician en un motivo precedente, se desarrollan en un doble plano —en el presente de la ficción, en las visiones o palabras de Ádega y aun en el pasado—, tienen su correlato, en paralelo o contraste, en una escena posterior y, en varios casos, aún resuena su eco mucho después.

---

[25] "Narración rapsódica" la denomina Sender; v. *Valle-Inclán y la dificultad de la tragedia,* Madrid, Gredos, 1965, pág. 100.

[26] V. A. Bugliani, "Nota sulla struttura di *Flor de santidad", Romanische Forschungen,* LXXXVII, 1975, págs. 97-100, y Lavaud, *op. cit.,* págs. 361-367.

3.1. *Llegadas y encuentros del peregrino*

La *llegada del peregrino* es el primer suceso no sólo importante —el factor desencadenante—, sino el primero absolutamente de la obra. Una rica y cuidada descripción de un borrascoso atardecer —la más larga de toda la novela— y la presentación de la misteriosa figura del caminante presagian el mal que acecha a la pobre pastora y sitúan al lector en espera del más inquietante suceso.

Hay, por supuesto, una *segunda llegada:* también un atardecer —si el primero era lluvioso, ahora se habla del "tibio halago del sol poniente"—, se acerca el peregrino a la pastora, que, como la primera vez, está hilando, sentada entre sus ovejas, ya no "al abrigo de unas piedras célticas, doradas por líquenes milenarios", sino en el atrio de San Clodio. Esta segunda llegada —segundo encuentro— se ha anunciado en una visión anterior, pero no se cumple ninguna de las circunstancias previstas y sólo permanece la esperanza de la pobre zagala en que se hagan realidad sus sueños, y también su bondad, pues, de nuevo, da muestra de su hospitalidad: ordeña una oveja para darle de beber y ella misma, arrobada, bebe agua en el cuenco en que él ha tomado la leche[27]. Y lo despide devotamente cuando se aleja por el camino.

Y aún una *tercera llegada:* la figura del peregrino se adivina entre las sombras de la noche, más allá del resplandor de la hoguera en que es sacrificado el corderillo enfermo (III, 4); pero, esta vez, el encuentro de ambos protagonistas no llega a producirse. A la mañana siguiente, Ádega le halla muerto junto a una fuente —tercer encuentro.

---

[27] Lavaud señala que el cuenco de leche que Ádega ofrece al peregrino tiene su correlato en el cuenco de caldo que la moza Rosalva ofrece a la pastora en la cocina de Brandeso (IV, 5). V. *op. cit.*, pág. 366.

3.2. *La muerte*

La muerte del peregrino —tercera muerte— constituye el clímax narrativo y el centro geométrico de la obra. Como una frontera interna, divide la novela en dos grandes partes principales —antes y después—, formada cada una de ellas por dos estancias y media[28].

En el amanecer que sigue a la noche de la seducción, se manifiesta por primera vez la enfermedad del rebaño: "Las ovejas iban saliendo una a una, y la ventera las contaba en voz baja. La última cayó muerta en el umbral" (II, 1). Si el triste atardecer invernal del comienzo de la novela era la escenografía adecuada para la presentación del siniestro peregrino y, al mismo tiempo, ambiente y personaje presagiaban los sucesos de la noche, la muerte de la oveja blanca e intacta es símbolo de la seducción de Ádega, virginal víctima inocente de las pasiones humanas: "Era blanca y nacida aquel año, tenía el vellón intonso, el albo y virginal vellón de una oveja eucarística" (II, 1).

La del cordero enfermo es la segunda muerte, en sacrificio ritual y textualmente explícita (III, 4), que se anuncia en la conversación entre el hijo de la ventera y un mozo cazador de lobos, pero, a su vez, anticipa simbólicamente la del peregrino, también violenta. Esta tercera muerte no narrada, sólo sugerida, se anuncia también al final de la estancia anterior con la alusión a "la matanza de la cabra machorra", el rito ígneo y el sueño admonitorio de Ádega:

> Iba caminando guiada por el claro de luna que temblaba milagroso ante sus zuecos de aldeana. Sen-

---

[28] Primera parte (5 + 5 + 3 = 13 caps.) y segunda (3 + 5 + 5 = 13 caps.).

tíase el rumor de una fuente rodeada por árboles llenos de cuervos. El peregrino se alejaba bajo la sombra de aquellos ramajes. Las conchas de su esclavina resplandecían como estrellas en la negrura del camino. Una manada de lobos rabiosos, arredrados por aquella luz, iba detrás (III, 4).

Valle señala los límites inicial y final de este meollo sustantivo de la acción, con dos enfoques dinámicos de la protagonista; así, en su vuelta a casa en el atardecer anterior, tras su segundo encuentro con el peregrino en el atrio de San Clodio, "Ádega recorría el camino de la venta cargada con el cordero, que lanzaba su doliente balido en la paz de la tarde" (III, 3); pero, en la alta noche, tras su sueño y al ver que "la hoz que tenía al hombro [el hijo de la ventera] brillaba en la noche con extraña ferocidad", Ádega, "pavorida se lanzó al campo, y corrió, guiada del presentimiento, bajo la luna blanca, en la noche del monte sagrada de terrores" (III, 4).

Si el cordero enfermo podría ser considerado símbolo de Ádega, sacrificada también en la hoguera de la lujuria del peregrino, al situar las dos muertes en contigüidad —la del cordero, explícita, e implícita la del peregrino— y, entre ambas, el sueño de Ádega como supravisión de la segunda que, precisamente, se elide, Valle resalta la ambigüedad del símbolo propuesto y, sutilmente, sugiere que también el peregrino es víctima inocente de la maldad y superstición del hijo de la ventera; aunque, en una segunda lectura, puede considerarse la muerte del peregrino como el justo castigo por su mala acción, en cuyo caso el victimario —y amo cruel de la pastora— vendría a ser también, irónicamente, el vengador del "honor" de Ádega.

3.3. *Las moradas*

Los sucesos de cada una de las dos partes están en relación con las *dos moradas* en las que habita Ádega antes de la muerte del peregrino y en la segunda parte de la novela. La primera es *la venta*. Situada en un lugar apartado e inhóspito, es, como dice el peregrino en su maldición (I, 4), la "casa sin caridad", donde Ádega sirve, casi como una esclava, a unos amos "déspotas, blasfemos y crueles" (I, 3) que la maltratan a ella y asesinan a los huéspedes. El carácter maléfico de la venta se anuncia tres veces: primero, en la descripción de su exterior[29], en la caracterización de sus visitantes[30] y en la alusión a lo que contaban los pastores: "historias de caminantes que se hospedaban una noche en la venta y desaparecían" (II, 4); y se confirma en la imagen del hijo de la ventera "con los brazos desnudos, llenos de sangre" y su "reír torcido" (II, 5) y, sobre todo, con la muerte del peregrino; por eso, según Ádega, en ella habitan los "verdugos de Jerusalén". Es, por tanto, la casa maldita, la casa del mal. Tras deambular por el monte y los caminos, la zagala marcha a la villa y de allí, casi final de la novela (IV , 5 y V, entera), a la segunda morada, al Pazo de Brandeso que, como explícitamente dicen Ádega, la abuela y el buscador de tesoros, es la casa hospitalaria y caritativa, la casa bendita.

En ambas casas se ubican, lógicamente, las escenas

---

[29] "Aquel portalón color de sangre y aquellos frisos azules y amarillos de la fachada, ya borrosos por la perenne lluvia del invierno, producían indefinible sensación de antipatía y de terror" (I, 1).

[30] "Sólo subían hacia la venta hombres de mala catadura. Lañeros encorvados y sudorosos que apuraban un vaso de vino y continuaban su ruta hacia la aldea, y mendigos que mostraban al descubierto una llaga sangrienta, y caldereros negruzcos que cabalgaban jacos de áspero pelaje y tenían en el blanco de los ojos una extraña ferocidad" (III, 4).

de interior: establo y cocina, en la primera, y cocina y alcoba, en la segunda. En *el establo* de la venta tiene lugar la escena nocturna de la seducción (I, 4) y, recurrentemente, vuelve a aparecer tres veces más: primero, al despertar Ádega a la mañana siguiente ("el peregrino había desaparecido, y sólo quedaba el santo hoyo de su cuerpo en la montaña de heno" II, 1); segundo, en los sueños de la pastora, en los que el peregrino, transfigurado, retornaba para liberarla de su triste vida ("dormida en el establo sobre el oloroso monte de heno, suspiraba viéndole llegar en su sueño" II, 4) y, tercera vez, en la noche del holocausto, al referirse al miedo de Ádega, aterrorizada por la crueldad de sus amos: "Ádega sintió miedo, y toda estremecida cerró los ojos. Permaneció así mucho tiempo. Le parecía que estuviese atada sobre el monte de heno" (III, 4). Frente al establo, la alcoba del Pazo: si en el primero tuvo lugar la seducción, en la alcoba la posesión del Maligno.

El segundo interior es *la cocina*. En primer lugar, la de la venta. Allí reposan "hombres siniestros, de mala catadura", a los que "Ádega, acurrucada en la cocina cerca del fuego, les oía disputar y amenazarse sin que nadie pusiese paz entre ellos" (II, 4); es donde —segunda vez— dormita la pastora, esperando la medianoche en que ha de realizarse el rito lustral: "Ádega, que dormitaba sentada al pie del fuego, incorporóse con sobresalto oyendo a la dueña que le daba voces" (II, 5); y, por último, en la cocina de la venta —tercera vez— es, como ya hemos visto, en donde se prepara el sacrificio del cordero enfermo (III, 3).

Frente a esta cocina de la casa sin caridad, la del Pazo de Brandeso. En ella se encuentran, en buena convivencia, los criados y la dueña, que tratan con piedad a la pobre pastora, y en ella se reúnen los aldeanos de los contornos para una batida de lobos. Esta cocina, cálida y bien abastecida de cecina, de caldo —que Rosalva les ofrece a la abuela de Malpocado y a Ádega— y de vino de la Arnela, es el contrapunto de la otra, en donde sólo hay vino peleón para hombres extraños que van y vienen —no hay ni una sola referencia a la comida— y donde el fuego, rojo y violento, lo enseñorea todo.

El Santuario de Santa Baya de Cristamilde será la tercera morada: la casa ritual, el templo.

3.4. *Las noches*

Todo suceso decisivo en la *historia de Ádega* ocurre de noche. Seis escenas nocturnas se narran en *Flor de santidad*: una noche en cada una de las tres primeras estancias y, desde la muerte del peregrino, ya no habrá más hasta el último capítulo de la Cuarta —en la que casi toda la acción sucede de día—, a partir del cual se concentran otras tres en la Quinta Estancia. Cada noche anticipa algún nocturno posterior y, en consonancia o disonancia, tiene en él su correlato.

En la *primera noche* sucede la seducción y posesión de Ádega, quien, ante la negativa de la ventera de acoger al peregrino, le ha dado refugio en el establo donde ella duerme, compadecida y también fascinada por su apariencia religiosa[31]. En la escena, sólo iniciada, resalta la falsa religiosidad del caminante y la pasiva entrega de la pastora: "Y se desabrochaba el corpiño, y descubría la cándida garganta, como una virgen mártir que se dispusiese a morir decapitada" (I, 4)[32]. Es la noche de la transgresión o del pecado, la noche del mal, la más

---

[31] Ya antes Valle nos ha puesto en antecedentes de la condición religiosa de Ádega: "Era muy devota, con devoción sombría, montañesa y arcaica. Llevaba en el justillo cruces y medallas, amuletos de azabache y faltriqueras de velludo que contenían brotes de olivo y hojas de misal" (I, 2).

[32] Veremos que también la posesión tiene su segunda y aún tercera vez en el sueño de Ádega en Brandeso y en el rito de las *siete olas* en Santa Baya de Cristamilde.

negra noche[33]; pero, al mismo tiempo, el encuentro sexual entre Ádega y el que ella cree Jesucristo origina una nueva vida, la del hijo que la pastora espera; es, por tanto y también, la noche original: la que abre la historia y, en Ádega, la esperanza.

La *segunda* es la del rito lustral en la fuente próxima al Santuario de San Gundián (II, 5) y está en correlación con la del segundo rito —esta vez ígneo, también al exterior y bajo la luz blanca de la luna— de la *tercera noche* (III, 4), que, como la anterior, acaba con una conversación entre la ventera y su hijo. Como ya hemos dicho, esta noche ocupa el centro, no sólo de la *estancia,* sino también de toda la novela y constituye el clímax narrativo.

La *cuarta noche,* en el Pazo de Brandeso, es la más larga. Comienza en el cap. 5 de la Cuarta Estancia, pero, a partir de 1913, Valle-Inclán decidió organizar la obra con simetría estricta y, aunque la escena se continúa en el cap. 1 de la Quinta, al ser en el que, por primera vez, se hace alusión a Santa Baya de Cristamilde, sirve de pórtico a esta Estancia cuyo episodio más importante es la visita de Ádega a dicho Santuario.

Y también en el Pazo, en la *quinta noche* y en correlación con la primera —la de la seducción—, Ádega sueña que es poseída por el Maligno. La *sexta* y última transcurre en Santa Baya de Cristamilde, episodio en que, como veremos, se anudan todos los temas de la obra.

3.5. *Visiones y sueños*

Las visiones y sueños de Ádega[34] caracterizan su condición visionaria y explican la arrobada pasividad de su

---

33 Resulta difícil considerar que ésta sea la "noche feliz" de Ádega, como dice Lavaud, ni siquiera teniendo en cuenta sus esperanzas y la posterior idealización que la pastora hace del peregrino.

34 Cinco se narran explícitamente y a dos visiones del hijo hará referencia la pastora: en total, siete.

entrega al peregrino y aun de todos sus actos; pero, al mismo tiempo, anuncian y anticipan otros sucesos de la acción y, sobre todo, configuran el ambiente de transrealidad y de alucinación generalizada que predomina en toda la obra. Ya al comienzo de la novela, al presentar a la pastora, Valle nos ha advertido de su acendrada y temerosa fe y, tras la posesión[35], se evocan sus anteriores ensoñaciones religiosas: "Esperaba llena de fe ingenua que la azul inmensidad se rasgase dejándole entrever la Gloria" (I, 5). Casi una niña de doce o trece años, sus visiones tenían en aquel entonces impreciso un carácter infantil y un referente localista, casi costumbrista: visiones de una realidad celestial a la manera pastoril y campesina, que idealizaban las fiestas religiosas de las aldeas gallegas, en las que, rodeados de flores y luces, se sacan en procesión múltiples santos de ingenua imagen sonrosada, entre el repicar alegre de las campanas; visiones de gran belleza plástica, inocentemente intensas, como las de las viejas estampas hagiográficas (I, 5).

La zagala es extremadamente coherente en sus alucinaciones: persuadida de que el peregrino es Nuestro Señor caminante por el mundo, espera que, puesto que ella le ha dado acogida, él regrese para librarla de su dura y triste vida —tal y como dicen las viejas leyendas en que ella cree firmemente. La imagen transfigurada del siniestro personaje ocupa la totalidad de sus sueños y es coincidente con la de Cristo caminante en la iconografía tradicional:

> Nimbo de luceros circundaba su cabeza penitente, apoyábase en un bordón de plata y eran áureas las conchas de su esclavina... Las espinas desgarraban sus pies descalzos, y en cada gota de sangre florecía un lirio... (II, 4).

---

[35] En el cuento *Ádega (Historia milenaria),* publicado en *Revista Nueva,* IV/V-1899, las ensoñaciones preceden a la escena de la seducción.

Según Phillips[36], las visiones de Ádega son cada vez más alucinadas; no lo creemos así, sino que, por el contrario, van aproximándose paulatinamente a la realidad. Si en su pasado Ádega creía ver la gloria celestial y al mismo Dios, tras el holocausto, sueña lo que realmente está ocurriendo en aquellos momentos —la muerte del peregrino— y, aunque el pueblo la cree endemoniada porque ella ha proclamado que el peregrino era Nuestro Señor y que va a tener un hijo suyo, en la fuente del jardín de Brandeso, donde "aquella zagala... volvía a vivir en perpetuo ensueño", Ádega tiene la visión del hijo que lleva en su vientre y, al final de la obra y por boca de la dueña, sabremos que es verdad: va a tener un hijo.

La escena de la posesión en el Pazo es contrapunto de la también nocturna de la seducción; y Ádega, que entonces creyó ver en el peregrino a Nuestro Señor, lo ve ahora convertido en el Maligno y revive con horror, como acción demoníaca, la posesión sexual que Valle, hábilmente, vela al comienzo para dárnosla al final transmutada en visión de pesadilla. Aunque sea ésta la mayor alucinación de todas, también puede considerarse que con ella comienza la liberación del subconsciente de la pastora de la obsesión del peregrino, que definitivamente se evade: "Con las primeras luces del alba... huyó el Malo" (V, 3).

El episodio en Santa Baya de Cristamilde excede en aspectos sobrecogedores a las anteriores visiones de la pastora y en él se yuxtaponen realidad y visión, borrándose la frontera entre ambas.

3.6. *El tema popular y coral*

Desde el comienzo de la obra Valle-Inclán integra la *historia de Ádega* en el contexto general de la Galicia

---

[36] V. *"Flor de santidad, novela poemática"*, *Temas del modernismo hispánico y otros estudios*, Madrid, Gredos, 1974, págs. 94-98.

ancestral, la de los viejos mitos y leyendas, y en la vida cotidiana del pueblo, aunque siempre vista desde la distancia. Como tal colectividad, el pueblo gallego se presenta en escenas de dos tipos. En primer lugar y de inconfundible matiz dramático, siete grandes escenas en las que vemos a Ádega entre las gentes, acompañada de diversos personajes que hablan entre sí y/o con ella, y que son los hitos que marcan, *in crescendo,* la integración de la rapaza en la vida de su pueblo. Y, en segundo lugar, coros menores o parciales formados por diversos tipos populares: un friso de ojos y de voces que observan escrutadoramente a la pobre zagala alucinada, hacen sus comentarios sobre ella y, al mismo tiempo, manifiestan la realidad colectiva de esta Galicia mítica y lejana a la que Ádega pertenece.

La magnífica rememoración del Año del Hambre (I, 3) nos pone en antecedentes del pasado de Ádega: aquel terrible invierno murieron sus padres, lo que explica el desvalimiento y el carácter medroso y visionario de la pastora, marcada desde su infancia por el sufrimiento y las privaciones; pero, también, al estar situado inmediatamente detrás de la presentación de los protagonistas, en el centro de la Primera Estancia, fija la atención del lector, desde el comienzo de la obra, en la pobreza que domina a las gentes que desfilan por la novela e inicia así el tema popular y coral: el del pueblo gallego, religioso y paciente —ambos caracteres quizá en demasía—, sometido a la tiranía del hambre.

Al final de este primer gran coral ambientador, se encuentran dos coros menores o parciales entrelazados. Las "mujerucas del casal", que se compadecían de Ádega al verla realizar penosos trabajos ("¡Pobre rapaza, sin padres!..." —frase que remata el capítulo—), es, además del primer coro femenino, el primero absolutamente que presenta a la pastora como objeto de contemplación y compasión de las gentes. Pero en el pasado no sólo las mujeres, sino todo el pueblo —segundo coro popular— creía firmemente en la pastora que había visto a Dios Nuestro Señor en la Gloria Celestial, y a ella acudían para preguntarle por sus difuntos:

> Eran muchos los que la tenían en olor de saludadora. Al verla desde lejos..., las gentes que trabajaban los campos dejaban la labor y pausadamente venían a esperarla en el lindar de la vereda... Oyendo a la pastora las mujeres se hacían cruces y los abuelos de blancas guedejas la bendecían con amor (I, 5)[37].

Los aldeanos esperando la barca (II, 2) es la primera escena coral en la que se narra, explícitamente y en presente, el encuentro de Ádega con el mundo. En ella aparece como corifeo, también por primera vez, el ciego Electus con sus dicharachos y "añejos decires". Ádega, en silencio, oye y contempla al ciego, a la ventera y a los aldeanos que conversan entre sí, como en otro tiempo —se nos dirá más adelante—, acurrucada junto al fuego en la cocina de la venta, era mudo y temeroso testigo de las disputas y repartos "a hurto" de los "hombres de mala catadura" que subían a la venta —primer coro del mal (II, 4).

El tema pastoril se desarrolla sólo en las tres primeras Estancias, mientras Ádega es "la rapaza del ganado" y cuando se echa al camino, y desaparece casi totalmente a partir de la marcha de la zagala a la villa. Se anuncia ya desde el comienzo de la obra: las ovejas vuelven al establo, la propia Ádega se presenta como pastora hilando entre el hato y continuamente se oyen y se ven pasar los rebaños por los caminos. Pero las voces pastoriles comienzan en la Segunda Estancia, con las alusiones a los rumores malignos que sobre el hijo de la ventera corrían entre los pastores —primer coro pastoril— y al viejo pastor de las tres cabras negras y sus historias —voz de la memoria colectiva. En una segunda escena

---

37 Los mismos "abuelos de blancas guedejas" que aparecían en el Año del Hambre (I, 3).

coral, Ádega, al anochecer, de retorno a la venta y con un corderillo en brazos, se encuentra con otros pastores —segundo coro pastoril— que también retornan con sus rebaños; la zagala conversa con un viejo pastor sobre la enfermedad del ganado y, al quedarse sola en el camino, manifiesta un fuerte temor, premonición de los terribles sucesos de aquella noche (III, 3).

En la tercera escena coral, Ádega encuentra el cuerpo yacente del peregrino junto a la fuente a la que acuden las mujeres que son testigos de su dolor y de sus voces de alucinada. Este segundo coro femenino es también el segundo del mal por los comentarios que parecían "de brujas"[38], porque las mujeres hablan mal del peregrino ya muerto y porque ellas son las primeras en sentenciar unánimemente: "la rapaza tiene el mal cativo", o sea, la posesión diabólica (III, 5).

La cuarta escena coral presenta a Ádega en el monte con los pastores —tercero y último coro pastoril—; el ya anunciado viejo pastor de las tres cabras negras narra el viejo cuento de la "reina mora" y es quien, ante las palabras alucinadas de la zagala[39], le aconseja: "¡Ay, rapaza, busca un abade que te diga retorneada la oración de San Cidrán!"; así, pues, también para los pastores, la zagala visionaria es ahora la poseída. Y, por último, también los campesinos —tercer coro popular— expresaban su compasión por la zagala, a la que oían "clamar sus voces" por los caminos:

> Los aldeanos que trabajaban los campos, al divisarla desde lejos, abandonaban su labor y pausadamente venían a escucharla desde el lindar de los caminos...
> —¡Pobre rapaza, tiene el mal cativo! (III, 6).

---

[38] "Las mujerucas hablaban reunidas en torno de la fuente, sus rostros se espejaban temblorosos en el cristal y su coloquio parecía tener el misterio de un cuento de brujas".

[39] "¡Será un lindo infante, lindo como un sol! ¡Ya una vez lo tuve en mis brazos! ¡La Virgen María me lo puso en ellos! ¡Rendidos me quedaron de lo bailar!" (III, 6).

En la segunda parte de la obra, en la feria de los criados —quinta escena coral—, Ádega, silenciosa y expectante, mira a las gentes que pasan y escucha sus conversaciones: las viejas oficiosas, los aldeanos ricos, los hidalgos y los clérigos que buscan criado entre los mozos y mozas; y en medio de ellos, el sagaz Electus va y viene, también aquí y ahora, figura central y "voz cantante" (IV, 2).

En el Pazo de Brandeso, de noche y en la cocina, se desarrolla la sexta escena coral: Ádega sale de su mutismo habitual y habla con la abuela, con la dueña, con Rosalva, y, "acurrucada junto al fuego" —tercera vez, como ya antes y por dos veces en la cocina de la venta—, se queda dormida, mientras conversan los criados y cazadores que se citan allí para una batida de lobos. Y, en el jardín de Brandeso, las espadadoras del lino —tercer coro femenino— cantan y juegan alegremente, en torno de la figura silenciosa de Ádega.

Y, séptima gran escena coral, la noche en Santa Baya de Cristamilde.

3.7. *Santa Baya de Cristamilde*

La noche en Santa Baya de Cristamilde (V, 4) —auténtica noche de Walpurgis— constituye el *último movimiento* de esta sinfonía que remata en la *coda final* de la vuelta a Brandeso. Esta magnífica séptima escena y último gran coral, "de una grandiosidad wagneriana"[40], es el compendio de todos los temas de la obra, que aquí se anudan y sintetizan. De camino, primero, Ádega se encuentra una fila de mendigos y pobres lisiados: de nuevo, el cortejo del hambre, semejante al de aquel trágico invierno (I, 3), y el de la enfermedad —como la de las ovejas que en fila salían del establo (II, 1)—: "Unos

---

[40] V. Díaz-Plaja, *op. cit.*, pág. 177.

son ciegos, otros tullidos, otros lazarados". Luego, en el santuario —tercera morada: la casa ritual, el templo—, Ádega asiste a la misa de las endemoniadas —cuarto rito y, por quinta vez, la posesión diabólica— y, ahora como otras veces, también confundida entre las gentes. Muda y temblorosa, escucha los rugidos e insultos de las endemoniadas —terrible cuarto coro femenino y tercero del mal: "¡Santa tiñosa, arráncale los ojos al frade! / ¡Santa Baya, tienes un can rabioso que te visita en la cama!"—, como en las noches de la venta oía las disputas de los visitantes y, al despertar de su sueño, "tenaces ladridos y trotar de caballos" (II, 4). Más tarde, la zagala ve salir la procesión de Santa Baya, sexta visión, ahora real y verdadera, en todo semejante a las que ella tuvo en otro tiempo: "La Santa sale en sus andas procesionales, y el manto bordado de oro, y la corona de reina, y las ajorcas de muradana resplandecen bajo las estrellas"[41].

El posterior rito de las siete olas —el quinto— que Ádega recibe conjuntamente con las endemoniadas —rebaño de ovejas descarriadas—, es correlato del rito lustral (II, 5) y el mar, como la muerte, es a donde conducen todos los caminos y el agua última y total en donde desembocan todas las aguas —todas las vidas. En la contigüidad de los dos ritos —el uno lleva al otro—, se anudan las dos formas de religiosidad que, trenzadas y en convivencia —casi, en connivencia—, han aparecido a lo largo de la novela; por una parte, los conjuros, ensalmos y ritos que, restos de antiguas creencias, se practicaban, y aún hoy se practican, en Galicia; y, por otra, misa, procesión y exorcismo, manifestaciones del cristianismo católico, religión más moderna y oficialmente impuesta.

Si la *historia de Ádega* tenía su clímax en la Tercera Estancia —rito ígneo, sueño admonitorio y muerte del

---

[41] La imagen de la Santa, con corona de reina y ajorcas, evoca la de la "reina mora", también resplandeciente entre sus joyas.

peregrino—, el tema popular y coral, que se inicia en la rememoración del Año del Hambre (I, 3), alcanza aquí su culmen. Como lo estará bajo las rugientes olas del mar, Ádega queda sumida y envuelta en las fluyentes vidas de las gentes de esta Galicia lejana y actual, eterna.

Todo el episodio es sobrecogedor. Con una técnica tremendista, en la que predomina el claro-oscuro, Valle-Inclán describe un mar imponente, dantesco, mítico, que es símbolo de muerte y resurrección, de vida y eternidad:

> El mar se estrella en las restingas, y de tiempo en tiempo, una ola gigante pasa sobre el lomo deforme de los peñascos que la resaca deja en seco. El mar vuelve a retirarse broando, y allá en el confín, vuelve a erguirse negro y apocalíptico, crestado de vellones blancos... La ola negra y bordeada de espumas se levanta para tragarlas y sube por la playa, y se despeña sobre aquellas cabezas greñudas... La ola se retira dejando en seco las peñas, y allá en el confín vuelve a encresparse cavernosa y rugiente (V, 4).

Este mar bramador que se yergue en la sombra lejana y, creciéndose, avanza hasta caer sobre la lívida desnudez de las endemoniadas, sugiere una cósmica posesión sexual —la tercera[42]. Lejano, escondido y amenazante como los lobos, se le ha oído "tumbar" y rugir durante toda la novela, pero ahora, como un lobo revestido con el vellón de los corderos[43], su presencia es la de una masculinidad total y escatológica que posee y devora a las mujeres, aunque, sumiéndolas en sus aguas, las purifica y vivifica, porque "guarda en su flujo el ritmo potente y misterioso del mundo".

---

[42] V. R. Gullón, *La novela lírica,* Madrid, Cátedra, 1984, págs. 69-77.

[43] Como el lobuno caminante, vestido de peregrino, o como el Demonio, transmutado en murciélago, roedor volante con falsas alas.

4. UN TIEMPO INTEMPORAL

Flor de santidad presenta una narración lineal, fluida, tan sólo interrumpida en la primera parte por dos
saltos atrás o *flash-back:* primero, a la rememoración de
los sucesos del Año del Hambre y, segundo, a los en-
sueños religiosos de Ádega en un pasado inmediato anterior. Desde el atardecer en que el peregrino camina
hacia la venta hasta el amanecer de vuelta a Brandeso,
transcurren unos seis o siete meses[44] y en total se narran
explícitamente doce fechas[45].

La época es imprecisa[46], intencionalmente alejada del
presente por diversos recursos distanciadores que nos

---

[44] La primera tarde de la novela es un "atardecer invernal" (enero o
febrero) y el rito de las *siete olas* en Santa Baya es trasunto literario del
de las *nueve olas,* que se celebraba a finales de agosto en la gran playa próxima a la ermita de Nosa Señora da Lanzada.

[45] *Primera fecha.*– Atardecer: presentación y encuentro de los dos
protagonistas (I, 1 y 2). [Vuelta atrás: el Año del Hambre —distancia
temporal imprecisa: unos tres años— (I, 3)]. La misma tarde anterior:
rechazo del peregrino —maldición de la venta—; la seducción (I, 4).
[Segunda vuelta atrás: pasadas visiones —sin precisión en cuanto a
distancia temporal— (I, 5)]. *Segunda.*– Día siguiente: marcha y visita a
casa del saludador (II, 1, 2 y 3). [Avance narrativo: sin precisión temporal (II, 4)]. *Tercera.*– Noche ritual en la fuente de San Gundián (II, 5).
Cuarta.– Tarde y noche: Segundo encuentro con el peregrino; enfermedad y holocausto del cordero, sueño de Ádega y muerte del peregrino (III, 1, 2, 3 y 4). *Quinta.*– Amanecer del día siguiente: planto por
el peregrino muerto, con las mujeres en la fuente (III, 5). *Sexta.*– Atardecer: Ádega y los pastores [tiempo posterior impreciso: primera visión del hijo y cuento de la *reina mora* (III, 6)]. *Séptima.*– Un día
entero: hacia y en la villa, hasta la primera noche en el Pazo (IV). *Octa-
va.*– La misma noche (V, 1). *Novena.*– Tarde posterior: visión en el jardín (V, 2). *Décima.*– Tarde del exorcismo y noche de la posesión (V, 3).
Undécima.– Atardecer y noche en Santa Baya de Cristamilde (V, 4) y
Duodécima.– Amanecer del día siguiente, de vuelta a Brandeso.

[46] "Valle no precisa nunca la época, ni le interesa hacerlo, porque
quiere dar a su narración una nota de atemporalidad. No mide distancias, sino que confiere una cualidad mítica y eterna a la acción novelesca"; v. Phillips, loc. cit., pág. 90.

sitúan en el ayer indeterminado de las leyendas y los cuentos populares, una época tan remota que puede ser compendio y resumen de todos los tiempos. El horizonte de lectura está alejado de toda referencia a la actualidad, al momento presente, a lo que el lector pueda identificar como común y cotidiano. Entre los aspectos de la Galicia de su época, Valle-Inclán selecciona únicamente lo que tiene un carácter antiguo y tradicional: las gentes viajan a pie o a caballo, las distancias se miden en leguas y no hay carreteras —todo lo más, camino real—, la medición del tiempo es imprecisa y con un referente religioso[47]; las mujeres hilan el lino que ellas mismas espadan y apenas hay referencias a los enseres de las casas, ni ningún aspecto social, comercial o industrial moderno, sino que solamente aparece lo que tanto pudiera ser del momento como de quinientos años antes[48].

Destaca el uso de los pretéritos verbales —imperfecto, indefinido—; sin embargo, en ciertos momentos, Valle salta al presente, súbitamente y sin aparente justificación. Sender juzga estos saltos como "descuidos"[49], pero más bien parece que, en esta historia lejana, Valle maneja sabiamente ese *zoom estilístico* que es el presente verbal, para resaltar aquellos momentos o aspectos que le interesa acercar a la pupila de sus lectores. Véanse como

---

[47] "No llevaba cuenta del tiempo, mas cuidaba que en el mes de San Juan se remataban tres años" (I, 2); "—¿Qué años tienes, rapaz? / —No le podré decir, pero paréceme que han de ser doce" o "¿Qué tiempo tiene? / —El tiempo de ganarlo. Nueve años hizo por el mes de Santiago" (IV, 2).

[48] También los nombres de las joyas que lucía la *reina mora* (III, 6) son antiguos y típicos de los viejos cuentos infantiles y folclóricos.

[49] "Este descuido de la forma de la acción que se produce con mucha frecuencia en un autor en quien tanto cuenta el estilo parece indicar también que en Valle-Inclán la forma era espontánea y fluida"; v. loc. cit., pág. 106. Por otra parte, no es cierto que, como dice el mismo autor un poco antes del párrafo transcrito, "ese descuido que en las *Sonatas* es poco frecuente,...en *Flor de santidad* es constante".

muestras, aunque un poco extensas, un pasaje del encuentro de los dos protagonistas:

> Después continuaron en silencio hasta las puertas de la venta. Y mientras la zagala *encierra* el ganado y *previene* en los pesebres recado de húmeda y olorosa yerba, el peregrino *salmodia* padrenuestros ante el umbral del hospedaje. Ádega, cada vez que *entra* o *sale* en los establos, *se detiene* un momento a contemplarle. El sayal andrajoso del peregrino encendía en su corazón la llama de cristianos sentimientos (I, 2);

o cómo subraya Valle-Inclán, en la narración de las pasadas ensoñaciones de Ádega, los aspectos pastoriles y las creencias tradicionales, o sea, el contexto social y cultural de la zagala:

> Precedidas [las procesiones celestiales] del tamboril y de la gaita... desfilaban por fragantes senderos alfombrados con los pétalos de las rosas litúrgicas que ante el trono del Altísimo *deshojan* día y noche los serafines. Mil y mil campanas prorrumpían en repique alegre, bautismal, campesino. Un repique de amanecer, cuando el gallo *canta* y *balan* en el establo las ovejas... ¡En aquellas regiones azules no había lobos, los que allí pacían eran los rebaños del Niño Dios!... Y tras montañas de fantástica cumbre, que *marcan* el límite de la otra vida, el sol, la luna y las estrellas *se ponen* en un ocaso que *dura* eternidades. Blancos y luengos rosarios de ánimas en pena *giran* en torno, por los siglos de los siglos. Cuando el Señor se digna mirarlas, purificadas, felices, triunfantes, *ascienden* a la gloria por misteriosos rayos de luminoso, viviente polvo (I, 5).

Tres episodios en presente se corresponden con algunos de los cuentos que, ya así narrados, Valle incorporó a la novela: la marcha y la visita de la ventera y Ádega a casa del saludador (II, 2 y 3, síntesis de *Égloga* y *Geórgicas),* la marcha de Malpocado y su abuela hacia la villa y posterior encuentro con el ciego de San Clodio (IV, 1 y 3, procedentes de *¡Malpocado!)* y el episodio en

Santa Baya de Cristamilde (procedente de la parte II del cuento homónimo). Valle cambió ciertos datos y elementos precisos para lograr la coherencia textual, pero, con gran sabiduría, dejó tal cual las coordenadas temporales y, así, estos pasajes funcionan como cuadros o escenas próximas y de nítido relieve en el retablo de lejanías que es la *historia de Ádega*. Sin embargo, también la noche en la cocina del Pazo (IV, 5, y V, 1) está en presente, aunque es original de la novela. Los cuatro episodios corresponden a lo que hemos llamado "tema popular y coral", en los que la vida de Ádega se aproxima y converge con la de las gentes y en las que destacan ambientes y costumbres tradicionales del pueblo gallego. Sin duda, Valle mantiene el presente para dar relieve a la Galicia tradicional que, fijada en su discurso, es ya, por tanto, intemporal.

Otro importante recurso distanciador es el demostrativo "aquel/aquella" que se encuentra esparcido por toda la novela —"aquel mendicante" (I, 1), "aquella zagala" (I, 2), "aquellas visiones" (II, 4), "aquellos relatos" (III, 6), "aquellas viejas parletanas" (IV, 2), "aquellas viejas campanas" (V, 5)—, pero, de manera casi obsesiva, en la evocación del Año del Hambre, la frase "¡Qué invierno aquél..." inicia tres párrafos de los cuatro que forman el capítulo y, también, al rememorar a los pobres campesinos: "aquellos abuelos de blancas guedejas", "aquellos zagales...", "aquellas mujeres...", "aquellas viejas...".

Y, además del registro arcaizante en que está escrita la obra, la abundancia de calificativos como *milenario* —"historia milenaria"—, *primitivo, remoto, arcaico, secular, antiguo, viejo, añejo,* etc..., las referencias a remotas épocas históricas —"piedras célticas", "mendicante bizantino", "romance visigodo", etc.—, a los peregrinos del Camino de Santiago, a "la vieja Cristiandad", a los dichos de los viejos, al tiempo de los bisabuelos, a "aquel buen tiempo lejano"..., hacen que la historia sea percibida como algo que remotamente ocurrió, pero que, como en los *ejemplos* y las fábulas, fue en un tiempo impreciso y dudoso, un tiempo quimérico, como agudamente apunta Doménech[50], porque todo está visto desde muy lejos, como se ve a través de los velos de la memoria:

> La Mayorazga del Pazo era una evocación de otra edad, de otro sentido familiar y cristiano, de otra relación con los cuidados del mundo (V, 2).

5. GALICIA: UN CAMINO, UN MUNDO

Como una muestra más del distanciamiento al que sometió toda la obra, Valle-Inclán ubica la acción en una indeterminada comarca de la Galicia del interior —*la montaña*—, una Galicia pastoril, remota y campesina, desde la que se oye el mar[51].

Aunque aparecen varios topónimos y la mayor parte son reales, sin embargo, de ellos no se puede colegir ninguna referencia a una comarca concreta, porque unas veces son muy comunes (por ejemplo, Cela o Andrade) y otras, se refieren a lugares muy distantes entre sí (Brandeso, Céltigos, Gondomar, Lestrove, etc.) o bien son denominaciones generalizadas, como Lugar de Condes[52], Agros de..., Atrio de..., etc. Se nombran, además, distintos santuarios o iglesias, como el que está próximo a la venta, San Clodio Mártir, y los de San Gundián,

---

[50] V. su excelente edición de *Flor de santidad,* Barcelona, Círculo de Lectores, 1991, pág. 27.

[51] Sobre Galicia como espacio novelesco de *Flor de santidad,* v. Lavaud-Fage, *op. cit.,* págs. 383-403, y W.J. Smither, *El mundo gallego de Valle-Inclán,* Sada (A Coruña), Ediciós do Castro, 1986, pág. 36 y passim.

[52] Lugar de Condes aparece también en *El embrujado* (1913), *La lámpara maravillosa* —"La piedra del sabio"— (1916) y *Divinas palabras* (1920) —Jornada II, esc. I.

Santa Baya de Brandeso, San Berísimo de Céltigos, Santa Minia o San Electus[53]; pero en unos casos no coincide la advocación con el topónimo —Santa Baya de Brandeso, San Berísimo de Céltigos— o llevan el nombre —Clodio, Gundián, Baya— de algunos santos venerados en diversos lugares de Galicia.

La villa no recibe ningún nombre, pero la alusión a "la Puerta del Deán" parece recuerdo de La Puebla del Deán, colindante con El Caramiñal; al expandirse ambas poblaciones y unirse, se ha formado La Puebla del Caramiñal, villa marinera de la vertiente noroeste de la ría de Arousa, donde estudió Valle-Inclán en su adolescencia, en la que más tarde vivió y a la que siempre tuvo afecto. Ocupa un papel importante en la novela, como en otras obras suyas (en *Sonatas, Comedias bárbaras* y en varios cuentos), el Pazo de Brandeso, con su Señora Mayorazga, y también se hace referencia a la feria y al Abad, que, como el Prior de Brandeso en el cuento *El miedo,* se presenta escoltado por dos perros —aquí, "dos galgos viejos".

A pesar de la abundancia toponímica, Valle-Inclán, con sus habituales juegos de precisiones imprecisas, pasa su pluma y borra las referencias concretas a una comarca determinada; pero tampoco elimina totalmente las pistas y, así, en el episodio de Santa Baya de Cristamilde, único topónimo que es creación del autor —aunque de inconfundible raigambre gallega[54]—, se puede reconocer la ermita románica de Nosa Señora da Lanzada, encaramada en un acantilado, próximo a la inmensa playa del mismo nombre, y enfrentada a un mar imponente: "Santa Baya de Cristamilde está al otro

---

[53] Clodio es Claudio y Baya, Eulalia. Gundián, Minia y Electus son santos bastante extraños que se veneran en distintas aldeas gallegas, como San Verísimo, cuyo nombre Valle-Inclán escribe siempre así: Berísimo.

[54] Díaz-Plaja lo identifica con "Cristimil, junto a Villagarcía de Arosa"; v. *op. cit.,* pág. 27.

lado del monte, allá en los arenales donde el mar brama" (V, 4)[55].

La crítica es unánime hoy día al afirmar que esta novela, como otras de su *ciclo galaico,* la ambientó Valle-Inclán en el interior de su comarca natal, la Tierra de Salnés, valle del curso bajo del río Umia, que vierte sus aguas en la ría de Arousa, y al que cierra por el sureste el monte Castrove —donde se encuentra el monasterio de Armenteira[56].

Díaz-Plaja observa que "las notaciones de paisaje en *Flor de santidad* son curiosamente escasas"[57]; exceptuando la primera descripción de un atardecer invernal, las demás son solamente breves notas, aunque no pocas; pero lo más destacado de este paisaje es su carácter animado en un doble sentido: por una parte, las gentes que pasan por los caminos y las muestras de la presencia del hombre, como el humo de las casas, los Santuarios y el repique de sus campanas, no sólo forman parte del paisaje, sino que son lo esencial de él; pero, también y no menos importante, el propio paisaje es un personaje más, múltiple y colectivo, animado —paisaje con alma—, en el que todo, luces y sombras, sol y luna, mañanas, tardes y noches, cielo y tierra, vegetales y animales, está en estrecha relación entre sí y con los hombres. Toda la Naturaleza es actante y testigo de la *historia de*

---

[55] Basándose en la grandiosidad del paisaje que describe Valle y, sobre todo, en la frase "el tejado es de losas, y bien pudiera ser de oro si la Santa quisiera", paráfrasis del cantar: "Nosa Señora da Barca / ten o tellado de pedra; / ben o poidera ter d'ouro / miña Virxe, si quisera", E. González López lo ubicó en Muxía, en el Santuario de dicha Virgen, sobre las rocas que baña el impresionante mar de la Costa da Morte; v. "Valle-Inclán y Curros Enríquez", *Revista Hispánica Moderna,* Nueva York, XI, 1945, pág. 225.

[56] "Versos en loor de un santo ermitaño" alusión a San Ero de Armenteira es el subtítulo de *Aromas de leyenda* (1907), obra lírica que presenta abundantes concomitancias con esta novela; v. Mª.A. Sanz Cuadrado, *"Flor de santidad* y *Aromas de leyenda",* Cuadernos de *Literatura Contemporánea,* núm. 18, págs. 510-521.

[57] V. *op. cit.,* págs. 176-177.

Ádega y de los otros personajes y, al mismo tiempo, su eco y prolongación, porque, como ha observado Phillips, las descripciones de paisaje tienen un valor simbólico y son trasunto y/o contrapunto de los personajes principales de la novela y de lo que en ella sucede[58].

La mayor parte de las escenas son exteriores —"todo en esta novela sucede en la adusta intemperie de los dioses antiguos"[59]— y, sobre todo, de camino. La novela entera es un relato de caminos entrecruzados que, como en un laberinto, es un solo y único camino. Las gentes más diversas, en un azacaneo continuo, van y vienen, de día y de noche, por los caminos interiores de una Galicia rural, caminos de monte, caminos pastoriles, caminos rurales, verdes y olorosos. Valle hace hincapié, recurrentemente, en que estos caminos han sido labrados por el paso del hombre y de sus rebaños y sus bestias de carga, por todo un pueblo en continua marcha, desde tiempos inmemoriales. El camino de la venta —"un sendero entre tojos trillado por los zuecos de los pastores" (I, 2)— es por donde llega el peregrino ("un sendero trillado por los rebaños y los zuecos de los pastores" II, 1); la zagala esperaba, en sus sueños, que "volvería a subir aquel sendero trillado por los pastores" y ya le veía caminar "por aquel sendero entre tojos" (II, 4). Y tras el segundo encuentro, el peregrino se aleja "por... un camino llano y polvoriento entre maizales" (III, 2). Del camino por el que la ventera y la pastora van a casa del saludador, se dice que, "fragante con sus setos verdes y goteantes, se despierta bajo el campanilleo de las esquilas" y, a continuación: "El camino es húmedo, tortuoso y rústico como viejo camino de sementeras y vendimias" (II, 2); y cuando otro amanecer posterior Ádega marche hacia la villa, "aquel camino de verdes orillas, triste y

---

58 "El paisaje muchas veces acompaña y se ajusta a la acción misma"; v. loc. cit., pág. 99.

59 V. Sender, *op. cit.*, pág. 108.

desierto, se despierta como viejo camino de sementeras y de vendimias" (IV, 1). Pasan los rebaños "por un sendero de verdes orillas, largo y desierto, que allá en la lontananza aparecía envuelto en el rosado vapor de la puesta solar" (III, 3). Y en la noche, la ventera "vigilaba el camino que se desenvolvía bajo la luna, blanquecino y desierto" (III, 4).

El caminar de Ádega y el de todos los demás personajes es el *leitmotiv* más destacado de *Flor de santidad*, relato del camino o *discurso del discurso*[60]. Ejemplo de la vida humana, el camino —uno y todos— es el verdadero espacio narrativo de la historia; la pobre vida de la pastora describe una trayectoria que se cruza permanentemente con las de los demás y con ellas converge en un continuo andar y desandar, en un ir y venir constante, hasta tal punto que parece que la pastora y todos se movieran en un laberinto esférico. Vidas jóvenes y ancianas, humildes y poderosas, bondadosas y malvadas, todas están en el camino, todas son *camino*.

Valle-Inclán da múltiples señales y referencias de Galicia, pero ninguna que pueda relacionarse con la tópica galleguista difundida por un costumbrismo mostrenco. Como dice Lavaud, "no hay ni ría ni crucero ni hórreo en *Flor de santidad*"[61], porque esta Galicia está vista desde la lejanía espacial y temporal, cuando nuestro autor ya vivía en Madrid[62]. Desde la memoria y con una insuperable elaboración artística, Valle consigue una visión de su tierra distante, extraña, casi exótica, en la que no hay el detallismo falsamente realista de la fotografía o la tarjeta postal, sino la visión superadora de lo real y concreto, idealizada —que no idealista— y por ello más certera y profunda.

---

[60] Sin duda, eco cervantino, como señala Doménech (v. ed. cit., págs. 33-34).

[61] V. *op. cit.,* pág. 386.

[62] V. R. Carballo Calero, "A temática galega na obra de Valle Inclán", *Grial*, 1964 (enero-marzo).

Galicia es aquí mucho más que el espacio de la acción novelesca y más aún que la hermosura de su paisaje —con ser esto mucho—; es, sobre todo, la cultura de un pueblo, sus usos y costumbres. Por ejemplo, la vestimenta: el capotillo mariñán de Ádega, la capa de juncos de Malpocado y la parda anguarina del buscador de tesoros[63], los dengues y mantelos de las mujeres, la montera y el calzón de pana de los hombres, madreñas, zuecos, paraguas; la vivienda: la vida en la cocina, en torno al fuego permanentemente encendido (por eso el humo caracteriza el paisaje), el "patín" de la casa del saludador, el Pazo; las costumbres y actividades cotidianas: descalzarse los zuecos para no desgastarlos, vender la leche llevando la vaca de puerta en puerta, pedir los aguinaldos por haber matado un lobo, llevándolo a cuestas, ir por agua a la fuente, la siega de la hierba, el espadeo del lino, la molienda de trigo, maíz y centeno, las ferias (de ganado y de los criados) y las batidas de lobos. Pero, también y sobre todo, los mitos y creencias[64].

Desde el comienzo y al presentarnos al peregrino, Valle-Inclán sitúa la novela en relación con el Camino de Santiago[65]:

---

[63] Dos términos distintos para una misma prenda de lluvia, típico antiguo "impermeable" del campesinado gallego; y obsérvese que "capa pluvial" (la de San Cristóbal, con la que se metaforiza sinestésicamente la luz de la mañana en II, 1) significa literalmente "capa para la lluvia".

[64] Sobre temas folklóricos y ocultistas en Valle-Inclán, v., entre otros, R. Seeleman, "Folkloric Elements in Valle-Inclán", *Hispanic Review*, III (1935), págs. 103-118; R. Posse, "Notas sobre el folklore gallego en Valle-Inclán", *Cuadernos Hispanoamericanos,* núm. 199-200, 1966 (abril-julio), págs. 493-520 y E.S. Speratti-Piñero, *El ocultismo en Valle-Inclán,* Londres, Tamesis, 1974.

[65] Además, cuatro veces se hace alusión a Santiago: a la ciudad (el caminante "va en peregrinación a Santiago de Galicia", I, 2), al mes —julio— ("nueve años hizo [Malpocado] por el mes de Santiago", IV, 2) y al Santo (el peregrino agradece la leche diciendo: "¡El Apóstol Santiago te lo recompense!" y Ádega le despide: "¡El Santo Apóstol le acompañe!", III, 2).

Aquel mendicante desgreñado y bizantino, con su esclavina adornada de conchas, y el bordón de los caminantes en la diestra, parecía resucitar la devoción penitente del tiempo antiguo, cuando toda la Cristiandad creyó ver en la celeste altura el Camino de Santiago. ¡Aquella ruta poblada de riesgos y trabajos, que la sandalia del peregrino iba labrando piadosa en el polvo de la tierra! (I, 1).

Y al gran mito de la España medieval y cristiana —y de todo el occidente europeo— se refiere de nuevo al describir el arrobo religioso de Ádega ante la segunda llegada del peregrino:

Sobre su frente batía... la oración ardiente de la vieja Cristiandad, cuando los peregrinos iban en los amaneceres cantando por los senderos florecidos de la montaña (III, 1)[66].

Hay, además, otras referencias a antiguos mitos y leyendas que también están en relación con el camino. En primer lugar y por su importancia, el mito que subyace como presupuesto religioso-cultural en la *historia de Ádega* y en el que tanto la pastora como la ventera creen firmemente: es la vieja leyenda de Cristo, solo o acompañado de San Pedro, caminante por el mundo (II, 1). Tiene precedentes muy antiguos en la literatura occidental y como tal leyenda la presenta ya Ovidio en su "fábula de Baucis y Filemón"[67]. En ella cuenta el poeta latino

---

[66] La frase confirma y subraya la integración de la *historia de Ádega* en el contexto mítico del Camino, pero el contraste es evidente, porque la evocación de aquellos legendarios peregrinos queda irónicamente desmentida por la presencia del farsante personaje.

[67] P. Ovidio Nasón, *Metamorfosis* (Liber VIII), ed. A. Ruiz de Elvira, Barcelona, Alma Mater, 1969, t. II, págs. 120-125. La referencia al avatar de los dioses como caminantes mendigos aparece en el canto XVII de *La Odisea:* "Pues los dioses, haciéndose iguales a gente extranjera y adoptando diversas figuras, recorren ciudades para reconocer la

que, yendo Júpiter y Mercurio, disfrazados de mortales caminantes, por tierras de Frigia o Bitinia, son rechazados en todas las casas en las que piden hospitalidad, menos en la choza de una pobre pareja de ancianos que les reciben y obsequian con toda solicitud; los *celestes* les premian, concediéndoles morir a un mismo tiempo y ser metamorfoseados en dos árboles, guardianes del templo de Júpiter; pero, en castigo, la ciudad es sepultada en las aguas. La leyenda —ya en Ovidio en relación con el mito del Diluvio— está muy extendida por toda Galicia y por otras tierras del noroeste español —la Gallaecia romana— y en sus diferentes versiones se amalgaman, sincréticamente, motivos druídicos, cristianos, islámicos y jacobeos y también de los ciclos épicos artúrico y carolingio[68]. Posible derivación de este ciclo legendario es el motivo novelesco, de origen popular, de la seducción de una niña por un impostor, quien le hace creer que "él es Dios o su emisario[69] (el ángel Gabriel, el quinto evangelista, un ángel que debe engendrar un futuro papa o el Mesías, o cualquier otro ángel)" y del

---

insolencia o justicia del hombre" (v. Homero, *Obras. Ilíada. Odisea,* ed. J. Alsina, trad. F. Gutiérrez, 2ª. ed., Barcelona, Planeta, 1973) y además a este pasaje alude Platón en el Libro III de *La República o El Estado.*

[68] V. J. Ojea, *Célticos. Cuentos y leyendas de Galicia,* Madrid, Mariano Murillo, 1882; L. Carré Alvarellos, *Contos populares da Galiza,* Museu de Etnografía e Historia, Junta Distrital de Porto, 1968 y *Leyendas tradicionales gallegas,* Madrid, Espasa-Calpe, 1977; X.M. González Reboredo, *Lendas Galegas de tradición oral,* Vigo, Galaxia, 1983; P. de Frutos García, *Leyendas gallegas,* I y II, Madrid, Tres-Catorce-Diecisiete, 1981, etc.; además, L.L. Cortés y Vázquez, "La leyenda del Lago de Sanabria", *Revista de Dialectología y Tradiciones Populares* (RDTP), IV (1948), págs. 94-114, o nuestro artículo "Tema y leyenda en *El lago de Carucedo* de Enrique Gil y Carrasco", RDTP, XLIII (1988), págs. 230-231.

[69] Este es el tema del cuento *Satanás (Nuestro Tiempo,* III, 1903) que aparece con el título *Beatriz* en *Corte de amor. Florilegio de honestas y nobles damas* (Madrid, Imp. de Antonio Marzo, 1903), en *Historias perversas* (Barcelona, Maucci, 1907) y en *Jardín umbrío* (Madrid, J. Izquierdo, 1914).

que hay distintas versiones en Boccaccio, Masuccio, Bandello, etc.[70]

También guardan relación con los caminos las historias y leyendas que contaban los pastores: "eran historias de caminantes que se hospedaban una noche en la venta y desaparecían, y de iglesias asaltadas, y de muertos que amanecían en los caminos" (II, 4); el viejo pastor de las tres cabras negras narra explícitamente la de la *reina mora* que en otro tiempo se le apareció en el camino del monte: "El camino iba muy desviado, y la dama, dejándose el peine de oro preso en los cabellos, me llamó..." (III, 6)[71]. Sin duda, esta *reina mora* está emparentada con las *lamias* greco-latinas, las *xanas o janas* astur-leonesas, las *anjanas o injanas* cántabras, las *lamiñak* vascas, las *dones d'aigua* catalanas, etc. y también con la centroeuropea Lorelei y con el ciclo de romances de "la infantina encantada"[72].

Y, aun por tercera vez, el camino es eje y clave de otro de los temas legendarios de la novela, el de *los tesoros ocultos* que está relacionado con la leyenda anterior, pues a la *moura* la tienen encantada y prisionera los *mouros,* seres míticos que habitan las entrañas de la tierra donde custodian sus espléndidos tesoros[73]. Para

---

[70] V. D. McGrady, "Elementos folklóricos en tres obras de Valle-Inclán", *Thesaurus. Boletín del Instituto Caro y Cuervo,* t. XXV, número 1, 1970 (enero-abril), págs. 55-57.

[71] Enmarcando esta leyenda, se hará referencia dos veces más a las historias que contaban los pastores: "Historias de ermitaños, de tesoros ocultos, de princesas encantadas, de santas apariciones" y "Eran siempre las viejas historias de los tesoros ocultos en el monte, de los lobos rabiosos, del santo ermitaño por quien al morir habían doblado solas las campanas de San Gundián".

[72] V. R. Posse, loc. cit., págs. 505-508, y J. Caro Baroja, "Las lamias vascas y otros mitos", en *Algunos mitos españoles,* 3ª. ed., Madrid, Ediciones del Centro, 1974, págs. 33-72; además, v. los repertorios de leyendas gallegas indicados en n. 68.

[73] Según la creencia popular, estos genios telúricos, como los europeos nibelungos, gnomos, etc., esconden sus tesoros entre dos montes y atravesados en un camino; v. Posse, loc. cit., págs. 511-514.

encontrarlos, entre otros medios, puede uno valerse de las patas de las ovejas y, también, de las indicaciones del *Libro de San Cripriano* —recetario de hechicerías conocido popularmente como *El Ciprianillo*[74]. Cuando Ádega y la abuela de Malpocado ven al buscador de tesoros en lo alto de una de las lomas que flanquean el camino hacia Brandeso, hablan de la vieja creencia; la abuela dice que el infolio en que lee el buscador es el "Libro de San Cidrián"[75] y se manifiesta escéptica, pero la pastora, con fe, recita una especie de cantar: "Entre los penedos y el camino que va por bajo, hay dinero para siete reinados, y días de un rey habrán de llegar en que las ovejas, escarbando, los descubrirán" (IV, 4).

Otros muchos temas míticos y folklóricos, muy arraigados en la mentalidad de las gentes gallegas, aparecen en *Flor de santidad*; por ejemplo, el ancestral culto a los muertos se pone de manifiesto en los aldeanos que se acercaban a Ádega para preguntarle por sus difuntos (I, 5); ella misma, que en sus ensoñaciones había visto a las ánimas subiendo hasta el trono de Dios (I, 5), tanto en el establo como en la alcoba del Pazo (V, 3), se acostaba amendrentada por el recuerdo de sus muertos y contesta a la pregunta de la moza Rosalva sobre si es de San Clodio: "De allí soy, y allí tengo todos mis difuntos"[76].

---

[74] Lavaud da noticia de una edición en castellano conservada en el Museo de Pontevedra, procedente del legado de Víctor Said Armesto, amigo de Valle-Inclán: *El libro mágico de San Cipriano. Tesoro del hechicero. Misterios de la hechicería antigua. Unas fórmulas de magia celeste e infernal,* Leipzig, 1907; v. *op. cit.,* pág. 370.

[75] Cidrán, Cidrián, Ciprián, Cibrián o Cebrián son derivaciones del nombre de Cipriano.

[76] También la devoción a las Ánimas Benditas y la creencia en que éstas penan en los quicios —por eso, a veces, las puertas chirrían y se cierran solas— aparece en un párrafo de la ed. de 1904 (III, 4) que Valle suprimió en 1913: "Ádega tenía fijos los ojos en el camino, mientras cerraba la puerta con lento cuidado, temerosa de hacer daño a las ánimas que muchas veces penan sus culpas en los quiciales".

Tienen poderes purificadores las aguas y el fuego —y también el aire, la brisa, el rocío—; las plantas, por supuesto, tienen poderes curativos conocidos tradicionalmente: en la fuente de San Clodio "una mendiga sabia y curandera ponía a serenar el hinojo tierno con la malva de olor" (III, 2), y sirven de escudo contra el mal algunos objetos religiosos, como, por ejemplo, las cruces y rosarios que se zarandeaban sobre el pecho del peregrino o los que llevaba Ádega (I, 2).

Pero existen los *trasgos* —en el Año del Hambre, "en la chimenea el trasgo moría de tedio" (I, 3)— y las *brujas,* cuyo vuelo conocen las campanas y también el buscador de tesoros, brujas como la del Año del Hambre[77] o como la que, según el saludador, secó los robles de las fuentes de los Agros de Brandeso y del Atrio de Cela (II, 2); la misma ventera es una de ellas, que "asomó por encima de la cerca su cabeza de bruja" y que miraba a Ádega "con ojos llenos de brujería" (II, 1). Y hay cuentos de brujas: lo parecía el coloquio de las mujeres en la fuente (III, 5) y el murmurio de "las aguas verdeantes de la fuente de San Gundián" (II, 5). El viento del Año del Hambre "era un aliento embrujado" y lo está el rebaño porque le han hecho *mal de ojo,* le han echado una *fada o plaga.* Ádega tiene el *mal o ramo cativo* —como las endemoniadas que acuden a Santa Baya—: lo comentan las gentes de Brandeso y "el rumor embrujado de aquellas conversaciones... corrió ululante por el Pazo" (V, 3).

Por toda la novela, en sorprendente variedad, encontramos gestos, ritos y, sobre todo, palabras, que provo-

---

[77] "Aquellas viejas campanas que de noche, a la luz de la luna, contemplan el vuelo de brujas y trasgos" (V, 5). El buscador de tesoros "llegó hasta la cancela hablando a solas, musitando concordancias extrañas, fórmulas oscuras y litúrgicas para conjurar brujas y trasgos" (IV, 4). "Aterida, mojada, tísica, temblona, una bruja hambrienta velaba acurrucada a la puerta del horno. La vieja bruja tosía llamando al muerto eco del rincón calcinado, negro y frío..." (I, 3). V. E.S. Speratti-Piñero, "Los brujos de Valle-Inclán", *Nueva Revista de Filología Española,* XXI (1972), 1, págs. 40-70.

can o conjuran el mal y protegen a hombres y animales de los poderes ocultos que acechan por todas partes; provocador del mal es el puñado de tierra que arroja hacia la venta el peregrino, mientras profiere su maldición (I, 4), y para conjurarla la ventera traza sobre el testuz de las reses el *círculo de Salomón*[78], solo o acompañado por tres veces de las palabras mágicas: "¡Brujas, fuera!" (III, 3). Para la enfermedad del ganado el saludador prescribe un rito lustral[79] y el cazador de lobos, un bárbaro rito ígneo para averiguar quién le ha echado *la fada* al corderillo enfermo; pero el rito más destacado es el de las *siete olas* en Santa Baya de Cristamilde, recreación valleinclaniana del rito de fecundidad de las *nueve olas* en el mar de La Lanzada[80].

La importancia de las palabras mágicas está esparcida por toda lo obra y, así, contra *el ramo cativo,* el viejo pastor aconseja a Ádega que busque un abad que le diga "retorneada la oración de San Cidrán". Se refiere aquí Valle a la fórmula de conjuro conocida en Galicia como "as palabras de San Xoán retorneadas" o "retrónicas de San Xoán". Según Bouza Brey, es "un dos tradicionaes contos europeos que ten no folclore galego mais fondas raigañas populares"[81] y fue publicada por

<hr />

[78] Un círculo que tiene inscrita una estrella de cinco puntas.

[79] "Con la primera luna, a las doce de la noche... en fuente que tenga un roble y esté en una encrucijada" (II, 3); v. en Posse (loc. cit., págs. 508-509) la creencia gallega, de origen céltico, en los poderes salutíferos de las fuentes bajo los robles. Curiosamente y contradiciendo lo dicho por el saludador, la fuente de San Gundián está sombreada por un nogal.

[80] Posse señala que debían recibirse a las doce en punto de la noche de San Juan y recoge este cantar: "Ide tomar as nove ondas / antes de que saia o día / e levaredes con vosco / as nove follas de oliva" (v. loc. cit., págs. 503-504); según J.M. Castroviejo, la celebración de dicha romería era a finales de agosto; v. *Galicia. Guía espiritual de una tierra*, 2ª. ed., Madrid, Espasa-Calpe, 1970, pág. 174.

[81] Según Bouza, es cuento de origen pelví y las palabras son doce en las versiones españolas, pero en Galicia suelen ser trece; v. "Un conto oriental na Galiza. As versións galegas das palabras retornea-

primera vez en Galicia por Bernardo Barreiro de W (Vázquez Varela) en *Brujos y Astrólogos de la Inquisición de Galicia y el famoso Libro de San Cipriano*[82]. Quizá Valle-Inclán la conociera por transmisión oral, pero es probable que la referencia libresca la tomara de esta obra y por eso la llamó "la oración de San Cidrán"[83]. Es de destacar el temor que al oír las palabras latinas del exorcismo le invade a Ádega como a otros personajes de Valle-Inclán, que también sienten temor de las palabras en latín: lengua litúrgica y que, por tanto, comunica con la divinidad[84].

---

das", *Trabalhos da Sociedade Portuguesa de Antropología e Etnología*, vol. VIII, Porto, 1936, y también en *Etnografía y Folklore de Galicia*, I, ed. J.L. Bouza Alvarez, pról. J. Caro Baroja, Vigo/Madrid, Edicións Xerais de Galicia, 1982, págs. 139-162.

[82] La Coruña, Imp. de "La Voz de Galicia", 1885: "San Johán escrarecido / que en Lisboa foi nacido / con hábito de lán / con cordón de espartán, / gárdame ao gando do pan / sin pastor e sin can. / ¿Qué atopaste, Señor San Johán? / —Topei lobos e leonicos, / brujicas e diablicos. / —Amigo mío, dime la una. / —La una te la diré porque la sé: / a la una más claro el sol que la luna. / —Amigo mío, dime las dos. / —Las dos te las diré porque las dio el relós: / —A las dos parió la Virgen a Dios. / —Amigo mío, dime las tres. / —A las tres, las tres varas de Mosén, / donde Cristo vai e ven / a casa de Jerusalén. / Queimen ao demo maior / e canto ten de arredor..."; v. Bouza, *op. cit.*, págs. 152-153.

[83] En *Divinas palabras*, Mari-Gaila conjura al Trasgo Cabrío con una versión abreviada de *las palabras retorneadas:* "¡A la una, la luz de la luna! / ¡A las dos, la luz del sol! / ¡A las tres, la tablillas de Mosén! / [faltan las cuatro] / ¡A las cinco, lo que está escrito! / ¡A las seis, la estrella de los Reyes [en gallego "reis"] / ¡A las siete, ceras de muerte! / ¡A las ocho, llamas del Purgatorio! / ¡A las nueve, tres ojos y tres trébedes! / ¡A las diez, la espada del Arcángel San Miguel! / ¡A las once, se abren las puertas de bronce! / ¡A las doce, el trueno del Señor revienta en las tripas del Diablo Mayor!" (Jornada II, esc. 8ª); v. *Divinas palabras. Tragicomedia de aldea*, ed. L. Iglesias Feijoo, Madrid, Espasa-Calpe, 1991 (Clásicos Castellanos, 26), págs. 298-301.

[84] V., por ejemplo, al final de *Divinas palabras* el respeto medroso de los aldeanos al oír las palabras en latín que pronuncia Pedro Gailo y de las que, dichas en castellano, se habían burlado poco antes.

6. "FLOR DE SANTIDAD", NOVELA SIMBOLISTA

Como otros textos en prosa del Modernismo, *Flor de santidad* posee la estructura y la imaginería de un poema lírico, con una intensa plasticidad impresionista y una musicalidad propias del simbolismo. Phillips la califica de "novela poemática"[85], pero es Risley quien explícitamente destaca su carácter simbolista: "la novela tiene una estrecha relación con la estética simbolista que se observa en su excepcional musicalidad, su ambigüedad y comunicación indirecta, su extraño ambiente y la actitud del narrador, unificado todo ello por la concepción temporal"[86].

El más importante recurso es el trenzado y entrecruzado de motivos e imágenes que, siempre los mismos y siempre diversos —variaciones sobre un mismo tema—, confirman el carácter sinfónico de la obra. Como en las cantigas galaico-portuguesas del *leixa-pren,* continuamente Valle-Inclán toma, deja y retoma la calificación, la comparación, la metáfora o el símbolo ya utilizados para, otra vez los mismos pero distintos, devolvérnoslos recurrentemente en otro contexto que, por coincidencia o por contraste, evoca el primero y de nuevo lo hace presente en la memoria del lector. Así, a Ádega, que cerca de la venta estaba "sentada al abrigo de unas piedras célticas, doradas por líquenes milenarios" (I, 2), la veremos en el monte "a la sombra de grandes peñascales" (I, 5) y en la villa "sentada a la sombra de los palacios feudales" (IV, 2)[87]; y las ovejas —símbolo de Ádega—

---

[85] Según E.G. de Nora es "leyenda lírica pseudohagiográfica (más) que invención propiamente novelesca"; v. *La novela española contemporánea (1898-1927),* I, 2ª. ed., Madrid, Gredos, 1973, pág. 58.

[86] W.R. Risley, "Hacia el simbolismo en la prosa de Valle-Inclán", *Anales de la Narrativa Española Contemporánea,* 4 (1979), pág. 73.

[87] Aún tres veces más: "sentada en el monte a la sombra de las piedras célticas doradas por líquenes milenarios" (II, 4), "sentada en el

parecían ir al sacrificio "en aquellas piedras célticas que doraban líquenes milenarios" (II, 5).

También la sacralización y la personificación: no sólo los hombres tienen alma y vida, ni sólo son religiosas las visiones de Ádega, los ritos o las leyendas, sino que la realidad entera —lo cósmico, vegetal y animal, las cosas, gestos y actos humanos también— tiene un sentido animista y panteísta, se califica con términos religiosos, cristianos o procedentes de antiguas creencias, se compara con algo sagrado o se metaforiza sacralmente y está en misteriosa comunicación, en comunión, con todo lo demás. Términos como *santidad, santo, eucarístico, oración, místico, misterio, milagro, prodigio...* están esparcidos por toda la obra, pero, también y no en menor medida, *brujas, trasgos, fada, plaga, hechizo, ensalmo, conjuro, encantamiento,* etc.

Aparte de la importancia del cinco como número-clave en la estructura general de la obra, el tres, que simboliza eternidad y perfección en diversas religiones[88], aparece recurrentemente: "las tres cabras negras" que cuida el viejo pastor, la ventera repite por tres veces "¡Brujas fuera!", tres piedras muelen en el molino, tres son las condenaciones que se hacen al ganado, en el pasado había tres fuentes bajo un roble, para tres zagales convendrían, según Electus, "las tres nietas del Señor mi Conde. Tres rosas frescas y galanas", tres perros guardianes hay en el Pazo y tres veces canta el cuco por primera vez. También el siete, cifra mágica del judaísmo bíblico y la cábala (3 + 4 —número pitagórico de perfección—): según el peregrino, la maldad de la gente hará que las ovejas se vuelvan ponzoña, "tanta ponzo-

---

atrio de San Clodio, a la sombra de los viejos cipreses" (III, 1) y "sentada al abrigo de las viejas piedras célticas" (III, 6); y recuérdese también el *leitmotiv* del camino, entre otros que hemos de ver.

[88] También, además del cinco, entre teósofos y gnósticos, por cuyas enseñanzas se interesó Valle-Inclán y cuya influencia se percibe, por ejemplo, en *La lámpara maravillosa.*

54

ña, que habrá para envenenar siete reinos", siete son las ovejas dormidas, "pasan de siete" los años que ha servido un criado de la villa, "hay dinero para siete reinados" en los tesoros ocultos y las olas "que ha de recibir cada endemoniada ¡son siete como los pecados del mundo!". Y no menos frecuente el doce (3 x 4): el peregrino alude irónicamente al "sepulcro de los Doce Apóstoles", "pasan de doce las madejas" que tiene hiladas la ventera[89], "deben de ser doce" los años de un rapaz, a las doce de la noche se celebra el rito lustral y la misa de las endemoniadas y, además, en la obra se narran explícitamente doce fechas. Entre otras cifras, el cien y el mil son cuantificación de lo abundante o innumerable, como es habitual; por ejemplo, a la pregunta de Ádega sobre si Jerusalén "está muy desviado", el peregrino contesta "¡más de cien leguas!", la Mayorazga ha hilado cien madejas de lino y un aldeano saluda con una fórmula tradicional: "¡De hoy en mil años y en esta honrada compaña!".

Veamos un poco pormenorizadamente este cosmos animado y sacro. *Los cuatro elementos* —aire, agua, fuego y tierra, según la vieja concepción del mundo— poseen una función simbólica fundamental en *Flor de santidad* y esta preponderancia de lo primigenio y originalmente constitutivo es lo que, entre otros recursos y aspectos, produce el efecto de que es éste un mundo primitivo.

El viento, que a veces es suave y benigno ("el viento de la tarde pasaba como una última alegría sobre los maizales verdes y rumorosos" IV, 4), con más frecuencia corre en ráfagas que anuncian la proximidad del peligro y del mal; así las que zarandeaban al peregrino cuando avanzaba hacia la venta (I, 1) y el del Año del Hambre que auguraba los "malos vientos" que desde entonces soplarían en la vida de la zagala ("el viento soplaba ás-

---

[89] También en *Geórgicas* (1904), la anciana protagonista ha hilado doce madejas.

pero y frío, no traía caricias, no llevaba aromas, marchitaba la yerba" I, 3). Corren también vientos nocturnos que, sobrecogedoramente y como un mal presagio, baten las puertas, como la ráfaga que "cerró la puerta" después de que la ventera le negase asilo al peregrino, como el que despierta a Ádega tras su sueño admonitorio ("el viento golpeaba la puerta del establo" III, 4) o el que difundía el rumor de la posesión diabólica de la zagala por el Pazo ("el viento nocturno que batía las puertas en el fondo de los corredores, y llenaba de ruidos las salas desiertas" V, 4). El que soplaba en la chimenea de la cocina es elemento ambientador y anticipador de la presencia del Maligno, con cuya posesión ha de soñar Ádega: "Ulula el viento atorbellinado en la gran campana de la chimenea... / y como en una bocana marina, en la negra chimenea ruge el viento" (V, 1).

La forma vital del aire, *el aliento,* es un importante *leitmotiv.* Viejo símbolo de la manifestación de la Divinidad o de la presencia de Dios, el pneuma, spiritu, aire o aliento divino se encuentra, además de en muchas antiguas mitologías, en la Biblia, en la literatura mística y en los *ejemplos* de la tradición religiosa popular. En *Flor de santidad,* aunque alguna vez embrujado (I, 3), "el aliento encendido del milagro" (I, 5)[90] es esperado por Ádega o la ventera, expectantes ante la posibilidad de lo milagroso, o se derrama por el rostro de Ádega, ungiéndola como elegida de la Divinidad.

No podía faltar en esta visión de la Galicia rural la presencia del *agua,* caracterizadora del paisaje. *La lluvia* es a veces realidad hostil, portadora de malos presagios; así, por ejemplo, las gruesas gotas que comienzan a caer cuando el peregrino se aproxima a la venta, hacen aún más desapacible el atardecer y más hosco el paraje (I, 1) y, en el Año del Hambre, "los días se sucedían

---

90 Aún dos veces más (IV, 3 y V, 2) y, también, "el aliento del prodigio" (II, 3), "el aliento encendido de las santas apariciones" (II, 4) y "el aliento sobrenatural del misterio" (II, 5).

monótonos, amortajados en el sudario ceniciento de la llovizna. Por los resquicios de las tejas filtrábase la lluvia maligna y terca en las cabañas llenas de humo" (I, 3); pero otras veces es suave y beneficiosa ("llovía queda, quedamente" II, 1) como *el rocío,* que difunde aromas, borra los premonitorios indicios de la maldad humana[91] y es elemento de unción y santidad que "brilla sobre el oro de los cabellos" de Ádega (IV, 1).

Aunque la humilde agua geórgica de riegos y molinos es también símbolo de Ádega y del pueblo gallego[92], las *fuentes* sombreadas de árboles y/o próximas a los santuarios son las aguas sacras y simbólicas más destacadas. En las visiones de Ádega corre "el agua de fuentes milagrosas cuyo murmullo semeja rezos informes" (I, 5), fuentes celestiales que prefiguran la de San Gundián —supuestamente, la de la salud— donde, según el saludador[93], se romperá el hechizo del rebaño enfermo: "en el silencio de la noche sentíase el rumor de las lenguas que rompían el místico cristal de la fuente" (II, 5). En la de San Clodio, la del "murmullo del

---

[91] La hierba, después de pisada por las patas del rebaño, "vuelve a levantarse esparciendo en el aire santos aromas matinales de rocío fresco" (II, 2) y en el aprisco a la zagala "creía ver en la yerba salpicaduras de sangre, borrosas por el rocío" (II, 4).

[92] "El agua de los *riegos* corría en silencio por un cauce limoso, y era tan mansa, tan cristalina, tan humilde, que parecía tener alma como las criaturas del Señor" (IV, 4). En el Año del Hambre "los antes alegres y picarescos molinos del Sil y del Miño parecían haber enmudecido para siempre" (I, 3), pero llegando a la casa del saludador, "en una revuelta del río... sonríe un molino" (II, 3).

[93] La fuente de San Gundián no está sombreada por un roble, como dice el saludador (II, 3), sino por un nogal; quizá haya sido un *quid pro quo* de Valle que, al describir la fuente, olvidó el pasaje tomado de *Égloga;* pero también es posible que intencionalmente dejara allí el roble para acentuar la ironía y ambigüedad: la confusión de árboles y fuentes, ¿ha sido un fallo de memoria o una mala pasada que le gasta el viejo y marrullero saludador a la avara y crédula ventera?; y, por otra parte, la pretendida fuente de la salud ¿será maldita por estar bajo la maléfica sombra del nogal y por ello el ganado no cura de su mal?

agua milagrosa, cercada de laureles" (III, 2), de la que bebe Ádega en el cuenco en que lo ha hecho el peregrino, es donde se manifiesta la enfermedad del rebaño por segunda vez. Y, en su sueño, Ádega reconoce el lugar donde hallará el cuerpo muerto del peregrino porque "sentíase el rumor de una fuente rodeada de árboles llenos de cuervos". Los rostros de las mujeres que la rodeaban en su desesperado gemir "se espejaban temblorosos en el cristal" de esta fuente de la muerte que sigue su curso, hermosamente indiferente a la tragedia de la pastora enloquecida: "El agua, que desbordaba en la balsa, corría por el fondo de una junquera, deteniéndose en remansos y esmaltando flores de plata en los céspedes" (III, 5). Por último, en el jardín del Pazo, la fuente "que corría escondida por el laberinto de arrayanes" es la del misterio, pues Ádega, al inclinarse a beber, ve "en el cristal del agua... el rostro de un niño que sonreía" (V, 3).

Todas las aguas tienen su compendio y resumen en la del *mar*. Su voz se oye, amenazadora y como de otro mundo, siempre en lejanía, subrayando la acción. Ya en el primer atardecer, cuando el peregrino avanza hacia la venta, "como eco simbólico de las borrascas del mundo se oía el tumbar ciclópeo y opaco de un mar costeño muy lejano" (I, 1); en la noche del rito lustral, "oíase bravío y ululante el mar lejano, como si fuese un lobo hambriento escondido en los pinares" (II, 5); en el atardecer que antecede a la noche trágica, "oíase el mar, también lejano" y, al alba, cuando Ádega despierte de su sueño, "la voz del mar resonaba cavernosa y lejana" (III, 4). Pero es en Santa Baya de Cristamilde en donde, como hemos visto, el mar no es una voz o una amenaza lejana, sino una terrorífica presencia, fuerte y dinámica, que posee y vivifica.

El *fuego* ocupa un importante lugar en *Flor de santidad*. Como llama o lumbre es metáfora de los ojos de Ádega o de su cabello[94] y también es símbolo y elemen-

---

[94] "Tenía en los ojos lumbre de bienaventuranza" (II, 1); "levantaba

to ambientador: junto al fuego del hogar y por tres veces hemos visto a la zagala acurrucada y adormecida; en la venta, es un "rojizo resplandor" que semeja un incendio (II, 5 y III, 3); en cambio, en la cocina de Brandeso, una presencia benéfica y protectora que da vida y calor, cura la cecina, calienta el caldo, ilumina los rostros y anima y atempera las conversaciones de criados y cazadores: "Hay algo de patriarcal en aquella lumbre de sarmientos que arde en el hogar" (IV, 5). Y la hoguera ritual es una fuerza destructiva y purificadora. Todos estos fuegos terrestres tienen su correlato en el fuego cósmico del sol que enciende el ocaso; así, en los atardeceres de la visión celestial de Ádega, "tras aquellas nubes de fuego que las primeras veces deslumbraron sus ojos, acabó por distinguir tan claramente la Gloria que hasta el rostro de los santos reconocía" (I, 5).

Aunque con menor representación, también la *tierra* tiene su papel simbólico-animista en *Flor de santidad*; por ejemplo, en el gesto ritual del peregrino, arrojando un puñado de tierra contra la venta al mismo tiempo que profiere su maldición (I, 4), o en la reiterada alusión a las "piedras célticas".

Muchas escenas de *Flor de santidad* suceden en las mañanas —luminosas y húmedas— o en "la quietud apacible de la tarde" y ya hemos visto el papel preponderante de la noche. En las bellísimas descripciones de los amaneceres y atardeceres tiene la luz del sol un indudable protagonismo, pero más importantes aún son las imágenes de la *luna*, mágica y misteriosa como el ojo de una antigua divinidad, que preside la noche: en la del rito lustral en la fuente de San Gundián, "espejábase en el fondo, inmóvil y blanca, atenta al milagro" (II, 5); en la noche trágica, presencia el sacrificio del fue-

---

el rostro transfigurado, con una llama de mística lumbre en el fondo de los ojos" (III, 5) y "el cabello de oro, agitado y revuelto, en torno de los hombros, parecía una llama siniestra" (V, 3).

go[95] y, en su sueño, Ádega camina "guiada por el claro de luna que temblaba milagroso ante sus zuecos de aldeana" (III, 4). Y volveremos a encontrarla en el apacible atardecer de Brandeso: "Había salido la luna, y su luz bañaba el jardín, consoladora y blanca como un don eucarístico" (V, 2).

También los *vegetales* enriquecen y animan esta visión cósmica y sacral. Alusiones a los cultivos, sin apenas describirlos: el maíz, el trigo, el centeno, el lino... y, ya lo hemos visto, al referirse a los caminos se hablará de "sementeras y vendimias"; la hierba de las praderas, la que rodea las fuentes y los silvestres tojos y zarzas aparecen algo más destacados, pero, sobre todo, los árboles, como elemento escenográfico y simbólico, ocupan un lugar preponderante. Como viejos venerables y santos de cabeza aureolada son los mudos testigos de la historia de Ádega y de las gentes que la rodean; por ejemplo, los de San Clodio: "En una lejanía de niebla azul se perfilaban los cipreses de San Clodio Mártir rodeando el Santuario, oscuros y pensativos en el descendimiento angélico de aquel amanecer, con las cimas ungidas en el ámbar dorado de la luz" (II, 1)[96], los húmedos y casi llorosos laureles de su fuente, el nogal de la de San Gundián o los "árboles llenos de cuervos" del sueño de Ádega.

Las *flores* son emblema de Ádega, sobre todo, de sus ojos, recurrentemente metaforizados en la *violeta:* "sus ojos de violeta alzábanse en amoroso ruego" (I, 4)[97];

---

[95] "Caía sobre el descampado la luz lejana de la luna..." y "sobre el umbral del establo temblaba el claro de la luna, lejano y cándido como los milagros que soñaba aquella pastora".

[96] Y tres alusiones más —siempre la misma y, sin embargo, distinta—: "los cipreses centenarios que cabeceaban tristemente" (I, 1); "más lejos levantaban sus cimas ungidas por el ámbar de la luz los cipreses de San Clodio Mártir" (III, 5) y "en una lejanía de niebla azul se divisan los cipreses de San Clodio, oscuros y pensativos, con las cimas ungidas por un reflejo dorado y crepuscular" (IV, 3).

[97] Y siete veces más: "Los ojos, donde temblaba una violeta azul,

pero también metaforizan la belleza de unas muchachas, ("tres rosas frescas y galanas" IV, 2), los pies llagados del yacente peregrino ("en cada gota de sangre florecía un lirio" II, 4) y el talón del hijo que ha de venir, "menudo y encendido como una rosa de Mayo" (V, 3).

Entre todos los elementos y seres de la Naturaleza, se destacan los *animales,* los domésticos y las alimañas, y de manera preponderante aves y pájaros. Ambientan y enriquecen la visión de este cosmos geórgico y son benéficos compañeros y ayudantes de los aldeanos en su vida y su trabajo: a la pastora la acompaña un mastín, también tiene perro el saludador, en el Pazo hay dos como guardianes y "un lobicán muy fiero" (IV, 4), al Prior le escoltan dos galgos y los cazadores de lobos llevan sus alanos atraillados; pero, a veces, los canes gruñen y amenazan a los que pasan por el camino (II, 1 y III, 1). "Rumian el trébol" las vacas, como "la Marela y la Bermella, graves como dos viejas abadesas" (II, 4) y la rapaza de Cela y su abuelo, el saludador, van acompañados de una vaca; hay gallo y gallinas en el molino y, de camino a las ferias, pasan hombres con caballos, jacos y mulos, mujeres con gallinas y cabras... Saltan las ranas en los charcos, beben los bueyes en las charcas y pacen los asnos:

> Un asno viejo, de rucio pelo y luengas orejas, pace gravemente arrastrando el ronzal, y otro asno infantil, con la frente aborregada y lanosa, y las orejas inquietas y burlonas, mira hacia la vereda erguido, alegre, pica-

míscicos y ardientes como preces" (I, 2); "las violetas de sus ojos sonrieron"; "Ádega levantó hasta el peregrino las tímidas violetas de sus ojos" (III, 1); "sus ojos de violeta miraron en torno con amoroso sobresalto" (III, 4); "las tristes violetas de sus ojos se alzaban como implorando" (IV, 2); "Ádega, con las violetas de sus ojos resplandecientes de fe..." (IV, 4); "a veces, las violetas de sus ojos fosforescían con extraña lumbre en el cerco dorado de sus pestañas" (V, 3). Pero, otras veces, es la flor, en general, la metáfora de los ojos de la zagala: "la azulada flor de sus pupilas" (I, 5) o "la flor triste de sus pupilas" (IV, 1).

resco, moviendo la cabeza como el bufón de un buen rey (II, 3).

Las *ovejas,* sobre todo, son las cándidas protagonistas que simbolizan a Ádega y la rodean y acompañan. Presentes siempre en las escenas pastoriles, se oye continuamente el son de las esquilas en la lejanía de los senderos y sus patas escarbando en los caminos han de hallar los tesoros ocultos... Símbolos de inocencia —"el vellón intonso, el albo y virginal vellón"—, las ovejas, como la pastora, son las víctimas inocentes del mal de los hombres ("¡lloraba [Ádega] porque veía cómo las culpas de los amos eran castigadas en el rebaño por Dios Nuestro Señor!" III, 2) y este carácter de víctimas propiciatorias se destaca en la oveja muerta, en la enfermedad del rebaño, en el corderillo enfermo quemado en la hoguera y también en la imagen —recurrente y ambigua, a veces suave, otras violenta— de las manos ahincadas en la lana de las reses: las de Ádega "enredadas al vellón" (II, 1), "para sujetarla [a una oveja], enredóle una mano al vellón" (III, 1); "la ventera..., halagando el cuello de las ovejas, trazándoles en el testuz signos de conjuro con sus toscos dedos de labriega" (II, 1) o la molinera que "hundía sus toscos dedos de aldeana en el vellón de los corderos"; también el saludador pasaba su "mano temblorosa y senil por el vellón de la res" (II, 2) y —gestos de máxima violencia— el hijo de la ventera "sujetaba las patas del cordero con la jereta de las vacas" y "asomóse a la puerta, y desde allí, cruel y adusto, arrojó el cordero en medio de la hoguera" (III, 4).

Frente a las ovejas, los lobos —bien y mal, blanco y negro. En el campo gallego el lobo es mucho más que un animal dañino: es un ser que encarna las fuerzas misteriosas, incontrolables y maléficas de la Naturaleza. En *Flor de santidad* los lobos son, en primer lugar, elemento escenográfico y término comparativo: las "ráfagas heladas de la sierra... imitan el aullido del lobo" (I, 1); en el Año del Hambre, "un lobo rabioso bajaba todas las noches a la aldea y se le oía aullar desesperado" (II, 5) y los aldeanos "bajaban como lobos de los casales escondidos en el monte" (I, 3); el peregrino andaba "con paso de lobo" (I, 4) y la voz del mar es como la de un lobo hambriento y escondido en la noche del rito lustral. Los lobos son también referencia simbólica a una realidad amenazadora y oculta: ante la despedida de la ventera, el peregrino responde que ha de ir "a que me coman los lobos" y aunque ella apostilla "¡Asús!... No hay lobos" (I, 4), sin embargo, al pasar el rebaño camino de la fuente de San Gundián, "el tremante campanilleo de las esquilas despertaba un eco en los montes lejanos donde dormían los lobos" y la propia ventera "llevaba encendido un hachón de paja, por que el fuego arredrase a los lobos" (II, 5), como el criado del Pazo, "para arredrar a los lobos, enciende el farol que lleva colgado del palo" (V, 4); los pastores relatan, entre otras historias "que ponían miedo en el alma de la niña" (II, 4), "las viejas historias... de los lobos rabiosos" (III, 6), por eso Ádega soñaba que, en el Cielo, "en aquellas regiones azules no había lobos..." (I, 5), de retorno a la venta, "temerosa de los lobos, daba voces a unos zagales para que la esperasen" (III, 3) y en su sueño el peregrino se alejaba seguido de "una manada de lobos rabiosos" (III, 4). Y tan real y cotidiana es la amenaza de los lobos que el cazador de Lugar de Condes pide los aguinaldos por haber matado uno que, en testimonio, lleva a cuestas (III, 3); los aldeanos se han citado en la cocina del Pazo para una batida de lobos y el criado de las vacas "irá en la cacería, y entraráse con los perros por los tojares donde los lobos tienen su cubil" (V, 1).

Es sorprendente con qué fuerza ha convertido Valle-Inclán un aspecto costumbrista de la Galicia campesina, donde la presencia del lobo ha sido y es una amenaza para hombres y ganado, en un poderosísimo símbolo del mal y, sobre todo, del miedo a lo que, presente pero escondido, se sabe que vive y, por desconocido, se siente como amenaza, o sea, también del misterio.

Aun siendo típicamente gallego, este temor es universal y, como bellamente dijo Azorín[98], con voz inquietante lo definió Rosalía Castro en *Follas Novas* (1880): "¿Qué pasa ó redor de min? / ¿Qué me pasa que eu non sei? / Teño medo dunha cousa / que vive e que non se ve"[99]. Valle-Inclán envuelve y ambienta toda su obra en este clima de temor ante la presencia del misterio.

Hay además en la novela otros animales que prefiguran o testimonian la presencia del mal. La mayoría están en relación con el peregrino; así, por ejemplo, cuando avanza hacia la venta, "en lo alto de los peñascales balaba una cabra negra" (I, 1) y "la cabra machorra" que ha desollado el hijo de la ventera (II, 5) parece anunciar la muerte del parásito social, en la noche posterior, a manos del mismo personaje (III, 4); el peregrino maldice la venta, deseando que la invadan los lagartos —el reptil: viejo símbolo del mal— y cuando se aleja, en la mañana siguiente a la seducción, "una raposa, con la cola pegada a las patas, saltó la cancela del huerto y atravesó corriendo el camino. Venía huida de la aldea".

Se ha dicho que esta visión cósmica es una imagen inmóvil o una foto fija, pero es una verdad a medias porque el mundo de *Flor de santidad* es bullente y palpitante en el que todo está en movimiento. Más que fotográfica, la cámara de Valle-Inclán era cinematográfica, pues no paralizó la realidad de la Galicia de su memo-

---

98 "La originalidad, la honda, la fuerte originalidad de Valle-Inclán consiste en haber traído al arte esta sensación de la Galicia triste y trágica, este *algo que vive y que no se ve,* esta difusa aprensión por la muerte, este siniestro presentir de la tragedia que se avecina, esta vaguedad, este misterio de los palacios centenarios y de las abruptas soledades. *¡Teño medo d'un-ha cousa que vive e que non se ve!* Toda la obra de Valle-Inclán está ya condensada en esta frase de Rosalía"; v. Azorín, "Galicia", *El paisaje de España visto por los españoles,* 9ª. ed., Madrid, Espasa-Calpe, 1981, pág. 32 (Austral, núm. 164).

99 V. *Obra poética,* ed. B. Varela Jácome, Barcelona, Bruguera, 1979², pág. 146.

ria, sino que la encerró, eternamente móvil, en la construcción recurrente y esférica de su novela.

Ya hemos visto el continuo trasiego de gentes por los enmarañados caminos gallegos, pero no sólo la acción, sino que también las imágenes de hombres, paisajes, sensaciones, tienen un curioso dinamismo. Destaca la abundancia y recurrencia de términos como *temblor, temblar, tremante, trémulo* y otros como *convulsión, estremecimiento, zozobra, palpitación,* etc. Este constante *temblor,* como si la realidad estuviera vista a través de la reverberación de una llama o reflejada en las aguas, confiere a la obra su carácter de visión imprecisa. Junto a aspectos y figuras descritas con extraordinaria nitidez, con el detalle y relieve de los esmaltes, otros quedan difusos, como si Valle-Inclán hubiera querido darnos la verdadera percepción de lo misterioso: deslumbrante pero indirecta, luminosa pero entrevelada, oscilante, confusa y, sin embargo, intensísima.

Desde el comienzo, la figura itinerante del peregrino se presenta zarandeada por el viento invernal: "Ráfagas heladas... le sacudían implacables la negra y sucia guedeja, y arrebataban, llevándola del uno al otro hombro, la ola de la barba que al amainar el viento caía estremecida y revuelta sobre el pecho donde se zarandeaban cruces y rosarios" (I, 1)[100]. La ventera tiene dedos "trémulos y zozobrantes" (II, 1) y el saludador "mano temblorosa", pero, sobre todo, el temblor caracteriza a Ádega que, con el peregrino, "temblaba agradecida al verse cerca de aquel santo que la estrechaba con amor" (I, 4), hacía su trabajo "temblando de miedo bajo sus harapos" (I, 5) y ante la crueldad de sus amos, "tembló con medrosa zozobra" (III, 4)[101]. Y la realidad entera tiembla

---

[100] Más adelante, "las greñas lacias y tristes le azotaban las mejillas" (I, 4) y, en su segunda llegada, "la morena calabaza oscilaba al extremo de su bordón" (III, 1).

[101] Valle la presenta hilando "con mesura acompasada y lenta que apenas hacía ondear el capotillo mariñán" (I, 2): su boca es "trémula",

con ella: cabeceaban los cipreses de San Clodio (I, 1) y las vacas, "de trémulas y rosadas ubres" (IV, 3), "rumiaban... cabeceando sobre los pesebres" (I, 4); se oye "el tremante campanilleo de las esquilas (II, 5) y "el trémulo balido" del corderillo enfermo (III, 4); en la fuente del Pazo "temblaba el sol poniente" (V, 2); en la noche, "sobre el umbral del establo temblaba el claro de la luna" que, en el sueño de Ádega, "temblaba milagroso ante sus zuecos de aldeana" (III, 4); al amanecer, aún "temblaban algunas estrellas mortecinas" (II, 1), "en la cima nevada de los montes temblaba el rosado vapor del alba como gloria seráfica" (II, 1) y sus luces también "temblaban en los cristales de la torre" (V, 3) del Pazo de Brandeso.

Particularmente notable por su valor simbólico y sacral es el conjunto de elementos que se alzan o tienden hacia lo alto y, sobre todo, los que, en la altura o desde ella y como símbolo de lo divino o de lo misterioso, contemplan o descienden y se derraman sobre la realidad terrestre; por supuesto y en primer lugar, la luz: "La campiña se despertaba bajo el oro y la púrpura del amanecer que la vestía con una capa pluvial: La capa pluvial del gigantesco San Cristóbal desprendida de sus hombros solemnes..." (II, 1) y también el aire, viento o aliento que, como ya hemos visto, son símbolos del mal o del prodigio y sobrevienen de lo alto, como también la "alegría mística" de Ádega y su sonrisa se derraman sobre su rostro o por su faz como óleo santo (I, 5 y III, 1) e, incluso, el fuego del hogar de Brandeso "se abate y se agiganta" y sus llamas "se tienden y se agachan" (V, 1). En el paisaje se destacan las montañas ne-

---

sus labios "trémulos permanecían entreabiertos con anhelo infinito" (I, 4), su sonrisa "de inocente arrobo tembló en sus labios" (III, 1), de sus ojos dice que "misteriosa llama temblaba en la azulada flor de sus pupilas" (I, 5), sus pestañas "de oro temblando sobre la flor triste de sus pupilas" (IV, 1) y "temblaron asustadas" (IV, 2) y sus manos son "trémulas y piadosas" (III, 5).

vadas, los santuarios, el humo y, sobre todo, los árboles, manteniendo los últimos el reflejo de la luz solar y ungidos por ella, como el nimbo de la cabeza de Ádega, del peregrino transfigurado o del saludador. El agua refleja los rostros y la luz, devolviendo desde la hondura la imagen de lo alto; e incluso en el mar, la más perfecta horizontalidad de la Naturaleza, la ola coronada de espuma[102] que se yergue en el confín tiende hacia la altura y desde ella se derrama sobre Ádega y las endemoniadas, vivificándolas y purificándolas.

Los pájaros y aves, nombrados genérica o específicamente, son los que mejor materializan el misterio de la altura. Habitan y se esconden en los árboles, sobrevuelan las altas montañas, se alzan a la salida o la puesta del sol, contendiendo con la luz y contemplándola los primeros y los últimos; y, como ella, desde lo alto, acompañan al hombre, sus alas se baten en el aire y su canto se eleva sobre el mundo, expandiéndose por el espacio: Ádega tiene un "mirlo cantador" que alegra su triste vida, en cada amanecer se oye "el clarín de los gallos" y, siempre misteriosos, cantan al anochecer el ruiseñor y el mochuelo, escondido en un castañar, y también el cuco, que tiene el secreto de la edad, según vieja creencia gallega, por lo que, en la mañana de vuelta al Pazo, el criado le pregunta por sus años de vida.

Entre ellos se destaca la paloma que, ave simbólica por excelencia, es emblema de la propia Ádega, "mansa como paloma"; así, "paloma del Señor", la saluda el peregrino y, en la noche de la seducción, "revoloteaban las manos de la pastora como dos palomas asustadas", forcejeando con las velludas del lobuno personaje; también la *reina mora* tenía "la su mano blanca, que parecía una paloma en el aire" (III, 6) y Ádega, tras la visión del hijo, "desvanecida al pie de la fuente, sólo oyó un

---

[102] Como la nieve en las cumbres, como la luz en los árboles, como los nimbos en las cabezas santificadas, también aquí el efecto de claroscuro.

rumor de ángeles que volaban" y "sentía que en la soledad del jardín, su alma volaba como los pájaros que se perdían cantando en la altura". Con magnífico símbolo sinestésico, Valle-Inclán materializa la oración en una paloma —el Espíritu Santo—: "Sobre su frente batía como una paloma de blancas alas la oración ardiente de la vieja Cristiandad" (III, 1), y el canto del ruiseñor, aún de manera más atrevida, en una imagen de vieja estampa o talla religiosa: "Se levantaba sobre la copa oscura de un árbol, al salir la luna, ondulante, dominador y gentil como airón de plata en la cimera de un arcángel guerrero" (IV, 4).

Sin embargo, ambivalentemente, las aves pueden ser también negro augurio de muerte, de mal, de misterio, como los cuervos del sueño, los buitres que "batían sus alas sobre el fondo encendido del ocaso" (III, 6) o las gaviotas que graznaban sobre la capilla de Santa Baya (V, 4). Ante la proximidad del mal, el temor de la pastora toma la forma de algo negro que, desde la altura, se abate sobre ella: "Ádega sintió que el miedo la cubría como un pájaro negro que extendiese sobre ella las alas", más tarde sintió "como si lentamente la cubriesen toda entera con velos negros, de sombras pesadas y al mismo tiempo impalpables" (III, 4). Y, ni ángel ni pájaro, el Maligno habitador de las tinieblas, tras la noche de la posesión de Ádega y ante la presencia de la luz, huye "batiendo sus alas de murciélago" (V, 3).

También en los hombres el gesto repetido de alzar los brazos o erguirse manifiesta la temblorosa tensión hacia lo alto que caracteriza este mundo sagrado, pero también es símbolo visual del clamor al cielo de estas gentes desvalidas que todo lo esperan de la altura. Alza la ventera "sus brazos de momia" invocando a San Clodio para que le guarde el rebaño (II, 1); también por dos veces el saludador, al observar la enfermedad del ganado y al prescribir el rito lustral (II, 2), y Ádega, que junto a la fuente se erguía sobre sus rodillas proclamando que el peregrino era Nuestro Señor, iba por los caminos "jadeante, con los pies descalzos, con los brazos en alto, con la boca trémula..." (dos veces en III, 6).

Todas estas imágenes aéreas dan la dimensión de una realidad movediza, inestable, batiente y, sobre todo, inquietante y misteriosa, que se alza y se precipita para recomenzar, rítmicamente, cíclicamente, una nueva andadura, un nuevo vuelo, una nueva historia que es/será siempre la misma, eterna.

Movimiento, ritmo y, sobre todo, sonido son los aspectos de la realidad que mejor manifiestan vida y alma, espíritu y trascendencia. Más sutiles en su valor simbólico que las visuales, las imágenes sonoras acentúan el carácter aéreo y, como las del aire, luz, pájaros, brazos en alto y temblor general, distancian verticalmente la trágica historia de Ádega y la visión épica del pueblo gallego, situándolas a la altura de los *exempla* y los modelos hagiográficos. Toda la novela es un continuo, múltiple y único sonido, todo tiene voz y música: aúllan el viento y los lobos, ruge y ulula el mar —como el peregrino y las endemoniadas—, crepita el fuego, en él restallan la jara y los sarmientos, susurran los maizales, tienen rumor la lluvia, los árboles y el grano al caer, murmullo y rumor las fuentes —como los pastores, las mujeres, los criados del Pazo—, balan las ovejas, ladran los perros; se baten las puertas con estrépito, chirría la piedra de afilar, se oye el chocleo de las madreñas, las llaves y toses de la dueña, el ras de los zuecos... Y cantan las aguas, los gallos y los pájaros, el cántaro en la fuente y hasta la rueda del molino "canta el salmo patriarcal del trigo y la abundancia. Su vieja voz geórgica se oye por las eras y los campos" (II, 2) —como la de Ádega y las de las mujeres, los mozos y mozas, las espadadoras. Y suenan, resuenan por todas partes el son de las esquilas y el repique "alegre, bautismal, campesino" (I, 5 y V, 5) de las campanas, "¡aquellas campanas que se despertaban con el sol, piadosas, madrugadoras, sencillas como dos abadesas centenarias!" (III, 6).

Pero, sobre todo, se destacan con particular intensidad las voces humanas que Valle-Inclán califica con su extraordinaria originalidad: la del peregrino era "austera y plañida", se dirige a Ádega "con la plañidera solemnidad de los pordioseros", pero maldice la venta "con la voz apasionada y sorda de los anatemas"; la de la pastora, en cambio, "era monótona y cantarina" y "hablaba el romance arcaico, casi visigodo, de la montaña", aunque grita ante el peregrino muerto, ante la visión del Maligno y clama por los caminos; la ventera grita y llama dando voces, pero entre su rebaño enfermo andaba "como loca rezadora y suspirante, platicando a media voz con los santos del Paraíso" y, conversando con la rapaza de Cela, ambas daban a su voz "esa pauta lenta y sostenida que tienen los cantos de la montaña"; el cazador de lobos se despide con "voz infantil y cansada", las mujeres en la fuente comentan con "voz asombrada y queda", el viejo pastor tiene "la entonación lenta y religiosa" y "llena de misterio la voz"; la del buscador de tesoros era "lenta y adormecida, como si el alma estuviese ausente", aunque en la cocina del Pazo "eleva la voz religiosa y delirante", y las endemoniadas gritan, aúllan, ululan, rugientes como el mar. Pero, recurrentemente, todas las voces *salmodian* y es este repetido cantarineo lento, rítmico y religioso —también las preguntas eran "lentas y cantarinas"— lo que intensifica la percepción de lejano y misterioso fervor en este mundo bullente y sacro, que alza su canto en comunión con toda la Naturaleza:

> Las voces de las espadadoras se juntaban en una palpitación armónica con el rumor de las fuentes y de las arboledas. Era como una oración de todas las criaturas en la gran pauta del Universo (V, 2).

Paisajes, ambientes, objetos, gestos, actos y las mismas figuras humanas, todo se repite y, en su misma recurrencia, se intensifica y afirma; todo está en movimiento, tiembla y palpita; tiene ritmo, voz y música y, sobre todo, alma y vida, porque todo está animado, personificado y, además, sacralizado y es símbolo de lo humano, lo divino y lo demoníaco, del bien y del mal, del misterio.

7. LA VOZ Y LOS ECOS

Las múltiples y bellísimas imágenes visuales que hemos visto en tan largo recorrido confirman que la plasticidad es una importante característica de la prosa valleinclaniana; pero fijémonos todavía en los continuos contrastes de blanco y negro que se destacan, sobre todo, en la imagen del mar, "negro y apocalíptico, crestado de vellones blancos"; humo y nieve contrastan con los cipreses y las montañas, ovejas y corderos con los caminos oscuros y con cabras y lobos, y las alas de los buitres con "el fondo encendido del ocaso" (III, 6); también las guedejas blancas de los ancianos con la negra del peregrino y las manos velludas de éste con las blancas de Ádega; hay contraste entre días y noches, y aun entre las anubarradas y oscuras —llegada del peregrino o en Santa Baya— con las presididas por la luna —las de los ritos lustral e ígneo—; y sirva como muestra esta preciosa imagen: "Las palomas familiares venían a posarse en los cipreses venerables, y el estremecimiento del negro follaje al recibirlas uníase al murmullo de la fuente" (III, 2).

También el cromatismo es de una riqueza sorprendente; abundan las tonalidades intermedias: el oro y el dorado de los cabellos de Ádega y de los nimbos sacralizantes, el ámbar de la luz, los rosados encendidos del alba o de la puesta solar, el amatista de los montes...; pero predomina, sin duda, el verde, directamente nombrado y también sugerido y evocado; es fresco y brillante en la hierba que rodea las fuentes —en el musgo, las praderas, las eras, los campos— y oscuro y ceniciento en cipreses y caminos. Y junto al verde del paisaje, el azul que caracteriza, por supuesto y preferentemente, el cielo, también la tarde ("breve tarde azul", "azul y triste como el alma de una santa princesa" III, 2), alguna vez la niebla o el humo y, recurrentemente, los ojos de Ádega; azules son algunas realidades inmateriales e indefinibles, visualizadas con dos bellísimas imágenes sinestésicas: "el lago azul" de las almas de los pastores (III, 6) o, al describir un atardecer, "una palpitación de sombra azul, religiosa y mística como las alas de esos pájaros celestiales que al morir el día vuelan sobre los montes llevando en el pico la comida de los santos ermitaños", referencia, según Sender[103], al cuadro *San Antonio Abad y San Pablo el Ermitaño* de Velázquez.

Probablemente, este gusto por el azul llegó a Valle-Inclán por un doble camino, porque es color emblemático de los modernistas, pero también recurrente en la prosa becqueriana de la que se perciben diversos ecos en el Valle-Inclán de la primera época y en esta misma obra. Quizá los tripletes de calificativos, tan característicos de nuestro autor, también sean eco de Bécquer[104] o

---

[103] V. *op. cit.*, pág. 123.

[104] Apenas hay un sólo texto en prosa del poeta sevillano en donde la calificación o atribución triple no aparezca por lo menos una vez, cuando no muchas más; por ejemplo, en *La cruz del diablo* (1860), "sentimiento religioso, espontáneo e indefinible" y "chispas rojas, verdes y azules"; en *La ajorca de oro* (1861): "la reina de los cielos... tranquila, bondadosa y serena"; en *El monte de las ánimas* (1861): "sueño inquieto, ligero y nervioso", "vibraciones de la campana, lentas, sordas, tristísimas", "chirrido agudo, prolongado y estridente", "[Beatriz] más pálida, más inquieta, más aterrada", "la encontraron inmóvil, crispada, asida..." y "mujer hermosa, pálida y desmelenada"; en *Los ojos verdes* (1861): "incorpórea como ellas [las aguas], fugaz y transparente"; en *El rayo de luna* (1862): "Las calles... estrechas, oscuras y tortuosas", "carcajada sonora, estridente, horrible" y "cosa blanca, ligera, flotante"; en *Creed en Dios* (1862): "ciego, abrasado y ensordecido" e "himno religioso, grave, solemne y magnífico"; en *El miserere* (1862): "luz azulada, inquieta y medrosa"; en *El Cristo de la calavera* (1862): "torcidas, estrechas y tenebrosas calles"; en *El gnomo* (1863): "Magdalena... humilde, amante, bondadosa"; en *La corza blanca* (1863): "voces delgadas, dulces y misteriosas"; en *El beso* (1863): "mujer blanca, hermosa y fría", etc., etc.

de algunos románticos, como los gallegos Nicomedes Pastor Díaz (1811-1863) o Benito Vicetto (1824-1878)[105].

Las calificaciones y comparaciones sorprenden por su originalidad, por lo insólito de la unión de dos o más adjetivos (a veces, también, de participios y complementos nominales) pertenecientes a distintos campos semánticos; así, por ejemplo, y entre los muchos que pudieran citarse, los campesinos eran "milagreros y trágicos", el saludador, "un viejo risueño y doctoral", y Electus, "un ciego mendicante y ladino". Como en otros aspectos de la obra, también destaca el número tres en el ritmo preferentemente ternario, por ejemplo, en los famosos triples calificativos: la sombra del peregrino era "negra, desmelenada y penitente" y su guedeja "negra, polvorienta y sombría"; también "sombría, montañesa y arcaica" era la devoción de Ádega; los santos de las hornacinas, "bultos lejanos, solemnes, milagrosos", "los aromas..., alabanzas de una vida aldeana, remota y feliz", Electus "semejante a un dios primitivo, aldeano y jovial", el repique de las campanas, "alegre, bautismal, campesino" y la lividez de las endemoniadas "un gran pecado legendario, calenturiento y triste" (V, 4); y véanse los tres calificativos reforzados por tres complementos nominales: "el murmullo solemne, misterioso y grave de las letanías, de los salmos, de las jaculatorias". Composición ternaria tienen algunas frases formadas por tres oraciones; por ejemplo, las de la maldición del peregrino (I, 4), el dictamen del saludador sobre las también tres "condenaciones que se hacen al ganado" (II, 2) o los castigos que Ádega augura para los verdugos del peregrino (III, 5), etc.

Es notable, además, la musicalidad de esta prosa poética con abundantes aliteraciones ("el cántaro cantaba", "el rojizo resplandor de la jara que restallaba en el

---

[105] V. J. Rubia Barcia, *Mascarón de proa* (III. El fondo galaico), A Coruña, Ediciós do Castro, 1983, págs. 183-184 y 141-142, respectivamente.

hogar", "restallaba la jara entre las lenguas de la llama y la vieja limpiábase los ojos que hacía llorar el humo", etc.) y, sobre todo, en ciertas frases rítmicas como coplas populares; por ejemplo, la que recita Ádega sobre los *tesoros ocultos* posee períodos casi isosilábicos, con acentos rítmicos en las sílabas quinta, novena y decimocuarta/decimoquinta de las frases primera y cuarta, y en la séptima y décima de las otras dos, formando pareados asonantes:

En-tre los-pe-né(5)-dos y'el ca-mí(9)-no que va por b*á(14)-jo,* (= 15)
hay di-ne-ro pa-ra sié(7)-te rei-n*á(10)-dos,* (= 11)
y dí-as de'un rey ha-brán(7) de lle-*gár*(10), (10 + 1 = 11)
en que las o-vé(5)-jas es-car-bán(9)-do los des-cu-bri-*rán*(15) (= 15 + 1);

una tríada pentasilábica es la frase con que el criado interpela al cuco:

¡Buen cu-co r*ey,* (4 + 1 = 5)
di-me los a-ños (= 5)
que vi-vi-r*é!* (4 + 1 = 5)[106];

y también pentasilábica es la cantinela blasfema de las endemoniadas:

—¡Santa, tiñosa!
—¡Santa, rabuda!
—¡Santa, salida!
—¡Santa, preñada!

El registro de los diálogos es notablemente distinto respecto de la voz narrativa. Se percibe, sobre todo, el gusto por la expresión arcaizante y bastantes galleguismos. De éstos y entre los morfosintácticos, es típicamen-

---

[106] La rima es perfecta en gallego, puesto que la primera pers. del futuro es "viviréi".

te gallega la constante repetición de parte de la frase anterior —sobre todo, del verbo— para responder a lo preguntado o comentado por un primer interlocutor[107]; la continua posposición del pronombre átono a las formas verbales, que es uso arcaico en castellano pero normativo en gallego ("dejaríaslas morir", "vendióselas", "conócese", "paréceme", "dijéronnos", "puédeslas coger", etc.) y que aparece, incluso, con el característico dativo de interés ("sus padres sonle muy honrados"); además, algún infinitivo personal ("¡No me dejar —vosotros— aquí sola!"); el uso de "ninguna cosa", sobre todo con el indefinido pospuesto, por el castellano "nada" ("estarás aquí sin decir... cosa ninguna", "ninguna cosa me han dicho", "¿no has reparado cosa ninguna cuando sacamos del mar a la rapaza?") o "andar + a" + infinitivo con valor frecuentativo ("ando a pedir", "agora también anda a pedir"), etc. En cuanto a los galleguismos léxicos, con frecuencia están castellanizados y no siempre de manera ortodoxa ("cueto": gall. "coto, cozo o coizo", cast. "cuento"; "añoto": gall. "añagoto", cast. "año o añojo"; "fujir": gall. "fuxir", cast. ant. "fugir", act. "huir", etc.). Parece, pues, que Valle-Inclán buscara un registro intermedio entre gallego y castellano, que más que a la lengua de Galicia —espacial y culturalmente lejana de los oídos de la mayoría de sus lectores—,

---

[107] Así, por ejemplo: "—¿Tu abuelo demora en Cela? / —Demora en el molino" (II, 1); "—¿Va para la feria...? / —Voy más cerca", "—Yo entonces vendí la vaca. / —Yo también vendí..." (II, 2); "—¡Un ganado lucido! / —¡Lucido estaba!...", "—¿No sabe un ensalmo...? / —Sé un ensalmo...", "...¿Parece cancina? / —Cancina, sí, señor" (II, 3); "—¿Y no se arrepentirán? / —No se arrepentirán" (III, 1); "—¿Y acudió? / —Acudió" (III, 2); "—¿Está frío? / —¡Está frío como la muerte! / —¿Era algo tuyo? / —Era Dios Nuestro Señor" (III, 5); "—¿Van para la villa? / —Para allá vamos", "—¿Sabe la doctrina? / —Sabe, sí, señor" (IV, 1); "—Estarás aquí... / —Estaré, sí, señora", "—¿Qué tiempo tiene? / —El tiempo de ganarlo", "—¿Sabes segar yerba? / —Sé, sí, señor", "—¿Tú serviste aquí en la villa? / —Serví, sí, señor" (IV, 2); "—...Dijéronme que buscabas un criado. / —Dijéronte verdad", "—Vengo con mi nieto. / —Vienes bien" (IV, 3), etc.

75

sonara extraño y distante por rústico y, sobre todo, por arcaico[108].

Aunque se ha señalado el carácter libresco de *Flor de santidad*[109], es difícil poder determinar lo que Valle tomó directa y conscientemente de sus lecturas y lo que pertenecía a su bagaje cultural y existencial, a su vida, y más si tenemos en cuenta su fuerte personalidad y su portentosa memoria[110]. Sin duda y como dice Risley, "la sensibilidad de Valle-Inclán no iba operando principalmente sobre elementos sacados de libros ajenos sino sobre una parte de su experiencia íntima (tanto de la vida gallega como de la literatura) que ya había sido transfigurada y convertida en *symboles,* que ya existía dentro de él como creación artística"[111].

Hay, desde luego, una influencia directa de Gabriele D'Annunzio (1863-1938), en el episodio de Santa Baya de Cristamilde (V, 4), que, según Bugliani[112], es reelaboración de algunos pasajes de *Trionfo della morte* (1894). Pero más frecuentes son las evocaciones literarias; por ejemplo, de la tradición clásica y pastoril, la alusión a *las viejas églogas,* a *la vieja voz geórgica* del agua del moli-

---

108 Sobre los galleguismos de Valle-Inclán, en general, v. J. Amor y Vázquez, "Los galaicismos en la estética valleinclanesca", *Revista Hispánica Moderna,* XXIV (1958), 1, págs. 1-26.

109 V. Díaz-Plaja, *op. cit.,* pág. 178, n. 7.

110 "Una noche, en la Plaza de Oriente, Valle-Inclán hizo algo extraordinario, demostró lo grande que es su cultura literaria y lo enorme de su memoria. Fue dando la vuelta a la Plaza, y delante de cada estatua recitó trozos de romance, escenas de comedia, párrafos de Historia o anécdotas que se referían al rey o la reina, que desde el pedestal parecía escuchar en postura elegantemente barroca"; v. Ricardo Baroja, "Valle-Inclán en el café", *La Pluma,* 1923; cito por J. Esteban, *Valle-Inclán visto por...,* Madrid, El Espejo, 1973, pág. 55.

111 V. loc. cit., págs. 75-76.

112 V. *La presenza di D'Annunzio in Valle-Inclán,* Milán, Istituto Editoriale Cisalpino/La Goliardica, 1976, págs. 111-126, y en "Un palimpsesto valleinclaniano: páginas antológicas de *Flor de santidad",* Leer a Valle-Inclán, Dijon, Centre d'études et de recherches hispaniques du XXᵉ siècle, 1987, págs. 73-90.

no o cuando dice que Electus "sonríe como *un viejo fauno entre sus ninfas"*. También de la tradición literaria española: Ádega y la ventera, cuando van de camino, "desdeñan el ladrido de los perros que asoman feroces, con la cabeza erguida, arregañados los dientes"[113]: esta caracterización de los perros y, sobre todo, la última frase recuerdan la descripción del Demonio en forma de *can* del Milagro XX, "El clérigo embriagado", de *Milagros de Nuestra Señora* de Berceo[114]; los "decires, esos añejos decires de los jocundos arciprestes aficionados al vino y a las vaqueras y a rimar coplas" del ciego Electus es alusión directa al Arcipreste de Hita y, así mismo, Malpocado acompañando al ciego de San Clodio, recuerda leve, pero explícitamente, a Lázaro de Tormes: "Ádega reconoce al ciego de San Clodio y al lazarillo, que le sonríe picaresco..." (V, 4). Y, por supuesto, son innumerables las referencias religiosas de todo tipo: evangélicas[115], con la recurrente simbología de ovejas y lobos; místicas, en los éxtasis y visiones de Ádega, "encendida por la ola de la Gracia", besando el polvo con besos "apasionados y crepitantes, como esposa enamorada que besa al esposo" (I, 5), y otras, esotéricas —procedentes del gnosticismo, la teosofía, etc.— o de origen popular, que muestran la amplísima cultura religiosa de Valle-Inclán.

---

[113] La misma frase aparece en los cuentos *Égloga* y *Geórgicas,* que fueron aprovechados en la composición de los caps. 2 y 3 de la Segunda Estancia; y de una parecida actitud de las gentes se queja el peregrino (III, 1).

[114] "En maniera de can firiendo colmelladas. / Vinie de mala guisa, los dientes regannados, / en çeio muy turbio, los oios remellados..."; v. *Obras Completas de Gonzalo de Berceo,* 2ª. ed., Logroño, Publicaciones del Instituto de Estudios Riojanos, Servicio de Cultura de la Excma. Diputación Provincial, 1974, pág. 367.

[115] Por ejemplo, en la imprecación del peregrino (III, 1) como la de Cristo contra Jerusalén y otras ciudades (Mt, 11, 20-24, y 23, 37-39); y los mendigos lazarados, "rascando su podre a la puerta del rico avariento" (V, 4) evocan la parábola del "Epulón y el pobre Lázaro" (Lc., cap. 16, vv. 19-31).

También se percibe la huella romántica, especialmente la de Chateaubriand (1768-1848). La lectura de *Les Martyrs* (1809) parece que estaba reciente en la mente de Valle-Inclán al escribir los cuentos del *ciclo de Ádega* y aun al componer la novela[116]. Reminiscencias de esta obra surgen aquí y allá en *Flor de santidad*; unas veces son aspectos y detalles mínimos, pero de indudable marca chateaubriandiana, y otras, ecos más fuertes y dominantes.

Entre los primeros, la figura del protagonista, Eudore, apoyado en su lanza (Liv. I), recuerda la del peregrino en su bordón (I, 1), y también aquél vuelve la cabeza al partir de Roma hacia las Galias (Liv. V) como, en el ensueño de Ádega, el peregrino transfigurado "volvía atrás los ojos" al salir del establo (II, 3)[117]; también hay en *Les Martyrs* una referencia a la parábola evangélica del rico y el pobre (Liv. VIII), aunque sin el sarcasmo de la de Valle (V, 4); descripciones del mar tempestuoso que parecen tener su eco en la terrible visión del mar en

---

[116] "En cuanto a Chateaubriand sabemos que fue uno de sus ídolos de mocedad, hasta el punto que una caricatura de la época apostillaba la figura de Valle Inclán con estos versos: 'Su murmurador afán / se cambia en idolatría / si habla de Chateaubrián (sic) / que es una monomanía / de Ramón del Valle Inclán' [En *El País Gallego*, ¿1888?; reprod. en *Índice de artes y letras,* IX (1954), núm. 74-75 (abr.-may.)]. La condición aristocrática del vizconde, el paralelismo de sus geografías nativas frente al Mar Tenebroso, y la temática de los tipos y paisajes de América... explican su devoción, así como su extraño poder de sugestión amorosa..."; v. Díaz-Plaja, *op. cit.,* pág. 34.

[117] En dos obras del romántico leonés Enrique Gil y Carrasco, tanto Salvador al salir de El Bierzo (*El lago de Carucedo,* 1840), como don Alvaro Yáñez al partir hacia Tordehumos (*El señor de Bembibre,* 1844) "vuelven sus caballos" para mirar la tierra que dejan atrás (v. *Obras Completas,* ed. Jorge Campos, Madrid, Atlas, 1954 (B.A.E., LXXIV), págs. 231 y 98a-b), lo que Picoche atribuye a la influencia de Chateaubriand en Gil (v. *Un romántico español: Enrique Gil y Carrasco (1815-1846),* Madrid, Gredos, 1978, pág. 231); como veremos, hay algún eco de este autor en Valle-Inclán y quizá la coincidencia no sea sólo debida al entusiasmo que por el vizconde bretón sentían nuestros dos autores.

Santa Baya de Cristamilde[118]; una *troupe* de pobres y enfermos, una procesión posterior y el sacrificio de un cordero negro a la Noche (Liv. XVII), además de la comparación "mansos como palomas", aplicada a los galos, o la alusión a "las piedras druídicas", o sea, célticas, etc.

Entre los ecos principales se destaca el mito de los dioses caminantes y mendigos al que se alude al comienzo de *Les Martyrs*. Si Ádega cree ver a Cristo en el peregrino, también Eudore le parece una deidad a la protagonista: "Comment! dit Cymodocée confuse et toujours à génoux, est-ce que tu n'es pas le chasseur Endymion?"; un poco después, se dirige a él con estas palabras: "Si tu n'es pas un dieu caché sous la forme d'un mortel, tu es sans doute un étranger que les satyres ont égaré comme moi dans les bois"; poco después comenta el narrador: "Elle ne savait plus que penser de cet inconnu qu'elle avait pris d'abord pour un immortel"; y, aun por cuarta vez, al ver que Eudore trata como hermano y le da su manto a un esclavo abandonado que encuentran en el camino, le pregunta: "—Étranger, ...tu as cru sans doute que cet esclave était quelque dieu caché

---

118 "Les flots s'avancent sur les grèves... La mer retirée dans un lointain immense, et traçant à peine une ligne bleuâtre à l'horizon... (Liv. VI). / La mer se brisait au-dessous de nous parmi des écueils avec un bruit horrible. Ses tourbillons, poussés par le vent, s'elançaient contre le rocher, et nous couvraient d'écume et d'étincelles de feu. Des nuages volaient dans le ciel sur la face de la lune, que semblait courir rapidement à travers ce chaos... Une vague furieuse vient roulant contre le rocher, qu'elle ébranle dans ses fondements. Un coup de vent déchire les nuages, et la lune laisse tomber un pâle rayon sur la surface des flots. Des bruits sinistres s'élèvent sur le rivage. Le triste oiseau des écueils, le lumb, fait entendre sa plainte, semblable au cri de détresse d'un homme qui se noie: la sentinelle affrayée appelle aux armes (Liv. X); v. ed. cit. págs. 91 y 137-138. Valle-Inclán transmuta los ruidos siniestros en el ulular de las endemoniadas, los alaridos del "ave de los escollos" en los graznidos de las gaviotas y la alarma del centinela en el toque del esquilón del Santuario.

sous la figure d'un mendiant pour éprouver le coeur des mortels" (Liv. I)[119].

La visión celestial de Ádega (I, 5) parece una síntesis ingenua y pastoril de la prolija descripción del paraíso que constituye la totalidad del Libro III de *Les Martyrs*. Además de las alusiones a la música celestial o al vuelo de las almas predestinadas, son curiosamente coincidentes las referencias al día eterno en que los astros no se apagan y la luz se difunde por todas partes[120] y la enumeración de los bienaventurados, que encontró amplio eco entre nuestros autores románticos[121].

Pero en las coincidencias entre las figuras femeninas es donde se percibe una mayor influencia de *Les Martyrs* en *Flor de santidad*. Las dos protagonistas de Chateaubriand son sacerdotisas de sus respectivas religiones y, como Ádega, la gala Velléda es rubia, errática, misteriosa y apasionada, y la griega Cymodocée, callada, estática, expectante del prodigio[122] y siente una mezcla de atracción y respeto ante el hombre al que ha tomado

---

[119] V. *Œuvres de Chateaubriand. Les Martyrs*, nueva edición, París Dufour, Mulat et Boulanger éditeurs, MDCCCLIX, tomo III, págs. 16-7.

[120] "Aucun astre ne paraît sur l'horizon resplendisant, aucun soleil ne se lève, aucun soleil ne se couche dans les lieux où rien ne finit, où rien ne commence; mais une clarté ineffable, descendant des toutes parts comme une tendre rosée, entretient le jour éternel de la délectable éternité"; v. ed. cit., pág. 35.

[121] "Les patriarches, assis sous de palmiers d'or; les prophètes, au front étincelant de deux rayons de lumière; les apôtres, portant sur leur coeur les saints Évangiles; les docteurs, tenant à la main une plume immortelle; les solitaires, retirés dans des grottes célestes; les martyrs, vêtus de robe éclatantes; les vierges, couronnées de roses d'Éden..."; v. ed. cit., págs. 37-38.

[122] "La jeune prêtresse des Muses marchait en silence le long de montagnes. Ses yeux erraient avec ravissement sur ces retraites enchantées... Remplie d'une frayeur religieuse, chaque mouvement, chaque bruit devenait pour elle un prodige..." (v. ed. cit., pág. 15), como también Ádega "cada vez más silenciosa, parecía vivir en perpetuo ensueño" (I, 5), "sus ojos de violeta miraron en torno con amoroso sobresalto" (III, 4) o "ponía en todo una atención llena de zozobra (IV, 2).

por una deidad[123]. Además, ambas mueren decapitadas: la druidesa Velléda se suicida degollándose con su ritual hoz de oro (Liv. X) y en el circo romano, abrazada a su esposo Eudore, muere la cristiana Cymodocée, a la que un tigre hiere en el cuello[124]. Sin duda, esta imagen de la mártir cristiana entregada a las fauces de una fiera estaba en el recuerdo de una mayoría de lectores de la época, debido a la amplia recepción que, como otras de Chateaubriand, tuvo esta obra —la segunda después de *Atala*— durante el siglo XIX en España[125] y cuya influencia se percibe en nuestros románticos y aun más acá. Así, la magnífica y sugeridora frase que remata el capítulo en que se inicia la velada seducción ("Y descubría la cándida garganta, como una virgen mártir que se dispusiese a morir decapitada" (I, 4), viene a ser un guiño de connivencia con sus lectores que Valle-Inclán establece no sólo sobre el parecido fonético y morfológico de "decapitada" con "desflorada", como se ha dicho, sino sobre un referente literario común. La conexión resulta más clara si se tiene en cuenta que en el episodio II de *Ádega (Historia milenaria)* (1899), tras las visiones de la

---

[123] "Le langage de cet homme confondait Cymodocée. Elle sentait devant lui un mélange d'amour et de respect, de confiance et de frayeur" (v. ed. cit., pág. 17), como en Ádega "el sayal andrajoso del peregrino encendía en su corazón la llama de cristianos sentimientos", pero, al mismo tiempo, la soledad, el ocaso y "la negra, desmelenada y penitente sombra del peregrino, le infundían aquella devoción medrosa..." (I, 2).

[124] "A l'instant la chaleur abandonne les membres de la vierge victorieuse; ses paupières se ferment, elle demeure suspendue au bras de son époux, ainsi qu'un flocon de neige aux rameaux d'un pin du Ménale ou du Lycée. Les saintes martyrs, Eulalie, Felicité, Perpètue, descendent pour chercher leur compagne: le tigre avait brisé le cou d'ivoire de la fille d'Homère" (Liv. XXIV); v. ed. cit., tomo IV, pág. 178.

[125] Entre 1816 —la primera versión española, siete años después de publicada en Francia— y 1852, registra J.F. Montesinos quince ediciones de esta obra; v. "Esbozo de una bibliografía española de traducciones de novelas (1800-1850)", en *Introducción a una historia de la novela en España, en el siglo XIX*, 2ª. ed., Madrid, Castalia, 1966, págs. 172-175.

pastora que aquí preceden a la escena de la seducción, se dice que "era pura, fervorosa e ingenua como una cristiana de la iglesia primitiva; como aquellas santas de trece años que morían en el Circo rodeadas de gloria"; frases que, seguramente por demasiado directas, suprimió Valle en el cuento homónimo de 1901. Así, pues, Ádega es la víctima inocente y nueva virgen mártir, entregada a las fieras humanas —los venteros y el lobuno peregrino— en el "circo" de este mundo cruel.

En su carta a Torcuato Ulloa ya daba Valle-Inclán pistas ciertas sobre el carácter de *Flor de santidad*: "Más que a los libros de hoy se parece a los libros de la Biblia: otras veces es homérica, y otras gaélica". Ciertamente, buena dosis de referencias bíblicas —sobre todo, neotestamentarias— presenta la obra de Chateaubriand; Cymodocée es nombrada habitualmente como "virgen homérica" o "hija de Homero" y Velléda es una druidesa de la Armórica, o sea, de Bretaña, extremo noroccidental de Francia y patria chica de Chateaubriand; como Galicia, país de difusos ancestros célticos, es también ambas cosas respecto de España y de Valle-Inclán.

Se perciben, así mismo, ecos de los románticos españoles. Por ejemplo, la feliz y sorprendente frase "...el viento nocturno que batía las puertas en el fondo de los corredores, y llenaba de ruidos las salas desiertas, donde los relojes marcaban una hora quimérica" (V, 3), parece ser eco —muy sintético en la expresión y con distinta referencia— de un pasaje de *El estudiante de Salamanca* (1840) de Espronceda[126]; y aún más próxima de

---

[126] "Todo vago, *quimérico* y sombrío, / edificio sin base ni cimiento, / ondula cual fantástico navío / que anclado mueve borrascoso *viento*... / Las muertas *horas* a las muertas horas / siguen en el *reloj* de aquella vida, / sombras de horror girando aterradoras, / que allá aparecen en medrosa huida; / ellas solas y tristes moradoras / de aquella negra, funeral guarida, / cual soñada fantástica *quimera*, / vienen a ver al que su paz altera" (vs. 1221-1224 y 1229-1236) —y un poco más adelante, aparece "quimérica morada"—; v. J. de Espronceda, *El estudiante de Salamanca. El Diablo Mundo,* ed. R. Marrast, Madrid, Castalia, 1980, pág. 140.

otro pasaje de esta misma obra está la imagen de "los ojos que fulguraban en la sombra", de cuya visión terrible se defendía Ádega sólo con sus brazos, con la que se inicia la pesadilla de la posesión del Maligno, que, al finalizar el capítulo, "huyó... batiendo sus alas de murciélago" (V, 3)[127]. Una visión parecida y, sin duda, de influencia esproncediana, se encuentra en la rima XIV de Bécquer, donde los ojos —esta vez, los de una mujer fatal— que "se ciernen de par en par abiertos", sugieren la imagen de un ave nocturna y agorera que abate sus alas sobre el poeta[128].

También en *Flor de santidad* resuena el eco de un conocido motivo romántico que tuvo en su época amplia repercusión:

> ...aquella devoción medrosa que se experimenta a deshora en la paz de las iglesias, ante los retablos poblados de santas imágenes: Bultos sin contorno ni faz, que a la luz temblona de las lámparas se columbran en el dorado misterio de las hornacinas, lejanos, solemnes, milagrosos (I, 2).

Aunque más breve, el parecido es notable con un pasaje de *El señor de Bembibre* de Gil y Carrasco:

> Quedóse el templo en un silencio sepulcral y alumbrado por una sola lámpara, cuya llama débil y oscilan-

---

[127] Aunque este animal no sea un ave, sus falsas alas y su vuelo en la oscuridad lo acercan en nuestra percepción a las aves nocturnas y de mal agüero: "...Las aves de la noche se juntaron, / y sus alas crujir sobre él sintió. / Y en la sombra unos ojos fulgurantes / vio en el aire vagar que espanto inspiran, / siempre sobre él saltándose anhelantes, / ojos de horror que sin cesar le miran. / Y los vio y no tembló; mano a la espada / puso y la sombra intrépido embistió, / y ni sombra encontró ni encontró nada; / sólo fijos en él los ojos vio" (vs. 1171-1180); v. ed. cit., pág. 138.

[128] "De mi alcoba en el ángulo los miro / desasidos, fantásticos lucir: / cuando duermo los siento que se ciernen / de par en par abiertos sobre mí"; v. G.A. Bécquer, *Rimas,* ed. J.M. Díez Taboada, Madrid, Alcalá, 1965, pág. 64.

te... Algunas cabezas de animales y hombres que adornaban los capiteles de las columnas lombardas, parecían hacer extraños gestos y visajes, y las figuras doradas de los santos de los altares, en cuyos ojos reflejaban los rayos vagos y trémulos de aquella luz mortuoria, parecían lanzar centellantes miradas...;

y un poco después:

> Más fácil le fue a ella [doña Beatriz] distinguirle [a don Alvaro], porque el bulto de su cuerpo se dibujaba claramente en medio de los rayos desmayados de la lámpara...[129].

Esta misma situación en la que presenta Gil a su protagonista, encerrado "a deshora" en un templo, para encontrarse con su amada doña Beatriz, y dominado por una sensación sobrecogedora ante el juego de la "luz temblona" de las lámparas con las formas confusas de las imágenes sagradas, aparece en otros textos románticos[130], pero el motivo es recurrente en la prosa y aun en

---

[129] V. E. Gil y Carrasco, *El señor de Bembibre,* ed. J.-L. Picoche, Madrid, Castalia, 1986, págs. 115-116 y 117.

[130] Señala Picoche (v. ed. cit.) que Gil pudo haberse inspirado en *El golpe en vago* (III, cap. 10) de García de Villalta, en *The Talisman* (cap. IV) de Walter Scott, en *Los bandos de Castilla* de López Soler e incluso en el cuento *La mujer negra* de Zorrilla (O.C., t. II, páginas 2.126-2.127) —y también en la descripción de la entrada de las catacumbas en *Les Martyrs* de Chateaubriand—, pero en ninguno hay un pasaje tan semejante como éste al de Valle-Inclán. Por otra parte, recuérdese que Walter Scott era uno de los autores preferidos de Valle y, por ejemplo, en *El Talismán,* del ermitaño de Engaddi (..."su traje de pieles, su barba y cabello desaliñados, las arrugas de su frente descarnada, sus largas y espesas cejas, el fuego de sus ojos hundidos, todo junto representaba a la imaginación uno de aquellos profetas de las Santas Escrituras...") se dice que, dirigiéndose al rey Ricardo, "exclamó con el brazo extendido en tono profético y actitud amenazadora: —¡Ay de aquel que cierra los oídos a la voz de la iglesia...", lo que recuerda a "El mendicante, con la diestra tendida hacia el caserío, ululó rencoroso y profético: —¡Ay de esta tierra!..." (III, 1); v. W. Scott, *El Talismán o Ricardo en Palestina,* II, Barcelona, J.F. Piferrer, 1826, cap. VII, págs. 171 y 150, respectivamente.

la poesía de Bécquer, quien probablemente, como asegura Picoche, debía tener *in mente* el citado texto de Gil y Carrasco al escribir, por ejemplo, sus leyendas *La ajorca de oro* (1861):

> Las moribundas lámparas, que brillaban en el fondo de las naves como estrellas perdidas entre las sombras, oscilaron a su vista, y oscilaron las estatuas de los sepulcros y las imágenes del altar...;

o *El beso* (1863):

> La iglesia estaba completamente desmantelada: ...diseminados por las naves veíanse algunos retablos adosados al muro, sin imágenes en las hornacinas; en el coro se dibujaban con un ribete de luz los extraños perfiles de la oscura sillería de alerce; ...y allá a lo lejos, en el fondo de las silenciosas capillas y a lo largo del crucero, se destacaban confusamente entre la oscuridad, semejantes a blancos e inmóviles fantasmas, las estatuas de piedra...[131].

No es nada nuevo que también el gran poeta sevillano —último romántico y primer simbolista *avant la lettre*—, manifiesta la misma admiración que por la obra del vizconde bretón tenían los románticos españoles y que él mismo se encuentra en muchos aspectos a medio camino entre Chateaubriand y Valle-Inclán; por ejemplo, "¡las nubes habíanse desgarrado[132], y el Cielo apareciera ante sus ojos...!" (I, 5), parece ser síntesis de este pasaje de *Creed en Dios* (1862): "Después, las nieblas rosadas y azules... se rasgaron como el día de gloria se rasga en nuestros templos el velo de los altares, y el paraíso de los justos se ofreció a sus miradas deslumbrador y magnífico"; y la enumeración de bienaventurados de esta

---

[131] V. G.A. Bécquer, *Rimas y Leyendas,* ed. E. Rull, Barcelona, Plaza & Janés, 1984, págs. 255 y 385.

[132] Recuérdense "las desgarradas nubes" de la rima IV.

misma visión[133] —sumada a las referencias a lo profético, a las imágenes sagradas y sus nimbos o a las figuras
de los retablos, que se encuentran por toda la novela—
presentan parecido con este pasaje de la misma leyenda
de Bécquer:

> Allí estaban los santos *profetas* que habréis visto
> groseramente esculpidos en las portadas de piedra de
> nuestras catedrales, allí las *vírgenes* luminosas, que in-
> tenta en vano copiar de sus sueños el pintor en los vi-
> drios de colores de las ojivas; allí los querubines con
> sus largas y flotantes vestiduras y sus *nimbos de oro,*
> como los de *las tablas de los altares...*[134].

Y, por último, muy probablemente la figura —no el
tipo humano— del buscador de tesoros pueda ser un
hermano menor —rústico y humilde, desprovisto de
coturnos— del mago épico-burlesco de la Carta VII *Desde mi celda,* que Valle incorpora a su relato en visión
breve, sintética, transmutada, pero imaginativamente la
misma que la prolijamente descrita por Bécquer[135].

---

[133] La enumeración recuerda también al poema-letanía becqueriano
A todos los Santos (1868), de inconfundible filiación chateaubriandiana: *"Patriarcas,* Profetas, Santos Inocentes, Apóstoles, *Mártires, Vírgenes, Monjes, Doctores...";* v. ed. cit., pág. 97.

[134] V. ed. cit. de las *Leyendas,* pág. 307.

[135] Compárese la descripción de Valle-Inclán: "Una sombra lejana,
que allá en lo más alto parecía leer atentamente, alumbrándose con un
cirio que oscilaba misterioso bajo la brisa crepuscular...", etc. (IV, 4),
con la de Bécquer: "El héroe de nuestra relación... se encaramó en la
punta de la más elevada roca..., sacó de las alforjillas un estuche de
forma particular y extraña, *un librote muy carcomido y viejo y un
cabo de vela* verde, corto y a medio consumir...; veíase como una lumbre sin claridad, *azulada, medrosa e inquieta,* hasta que, por último,
brotó una llama y se hizo luz. Con aquella luz encendió el cabo de
vela verde, a cuyo escaso resplandor... comenzó a hojear el libro, que,
para más comodidad, había puesto delante de sí sobre una de *las
peñas.* Según que el nigromante iba pasando las hojas del libro, llenas
de caracteres árabes, caldeos y siríacos, trazados con tinta azul, negra,
roja y violada, y de figuras y signos misteriosos, murmuraba entre
dientes frases ininteligibles, y, parando de cierto en cierto tiempo la

Por la recurrencia de ciertos términos, la acusada plasticidad de las imágenes, la musicalidad de las frases y, sobre todo, por la atmósfera —a un tiempo luminosa y nebulosa, sonora pero susurrante—, el lenguaje lírico de *Flor de santidad* tiene un aire de familia con la prosa y aun con las *Rimas* de Bécquer. Así, y por citar algunos ejemplos, las continuas alusiones al batir de las alas y, desde luego, la frase "un rumor de ángeles que volaban" (V, 2), parece reminiscencia del "rumor de besos y batir de alas" de la rima X; la ola negra coronada con un penacho de espuma, sumada a las continuas alusiones a la plata —"flores de plata, la plata de los álamos"—, evoca las "dos olas... / que al romper se coronan / con un penacho de plata" (rima XXIV); y, por supuesto, esos ojos de Ádega, azules como violetas, que parece que tuvieran en su fondo una chispa de lumbre ardiente, son como los de la desconocida amada del sevillano: "los ojos entreabre, aquellos ojos... / y la tierra y el cielo, cuanto abarcan / arden con nueva luz en sus pupilas" (rima XXXIV)[136].

Entre otros ecos literarios, destacan los de los escritores gallegos. De Manuel Murguía (1833-1923) y de su obra *Los precursores* hay huellas en los cuentos *Lluvia, Ádega (Historia milenaria) II, Año de hambre* y, por supuesto, en esta novela (I, 3); pero el recuerdo del trágico invierno de 1853 lo basa Murguía en los testimonios de su mujer, Rosalía Castro (1837-1885), y como rememoración de un poema de ella —o en su homenaje— se puede considerar ese "¡Adiós!" con que, tras la alusión a las "campanas de Gondomar y de Lestrove", finaliza la edición de 1904 y que, quizá, por ser referencia demasiado directa Valle suprimió en las posteriores:

---

lectura, *repetía un estribillo singular con una especie de salmodia lúgubre...* Concluida la primera parte de su *mágica letanía...";* v. G.A. Bécquer, *Cartas desde mi celda,* ed. D. Villanueva, Madrid, Castalia, 1988, págs. 180-181. Las cursivas son nuestras.

[136] V. ed. cit., págs. 61, 67 y 73.

"¡Padrón!... ¡Padrón!... / Santa María... Lestrove / ¡Adiós! ¡Adiós!"[137]. También de Eduardo Pondal (1835-1917), por ejemplo, la imagen del peregrino de su poema *Gundar*, o de Curros Enríquez (1851-1908), en algunos poemas de *Aires d'a miña terra* (1880) que tienen por tema la leyenda de la *moura* y los tesoros ocultos o el hambre que acosaba al campesinado gallego[138].

Más directa parece la influencia de tres cuentos de Emilia Pardo Bazán (1851-1920), como señala Lavaud[139]: *Las tapias del camposanto* (1891), *El Peregrino* (1891) y *Un destripador de antaño* (1890). En el primero hay un personaje femenino, Clara, que presenta cierta semejanza con el tipo físico de Ádega; en el segundo, el peregrino es una figura semejante a la de Valle-Inclán: "Las guedejas largas, negras, empolvadas y en desorden colgaban sobre la esclavina agrietada y vieja donde ya faltaban algunas conchas y otras se zarandeaban medio descosidas", pero, como dice la investigadora citada, es ésta una figura tópica que pertenece al acervo cultural de las gentes del Camino de Santiago; y señala, en cambio, el parecido entre el comienzo del cuento de Pardo Bazán con algunos de los *leitmotiv* de *Flor de santidad*: las referencias a los tiempos lejanos, a la fe sencilla, a los retablos, y, sobre todo, a "las piedras doradas por líquenes": "Muy lejanos, muy lejanos, están ya los tiempos de la fe sencilla, y sólo nos los recuerdan las piedras doradas por el líquen y los retablos pintados con figuras místicas de las iglesias viejas"[140]. En el tercero las simili-

---

[137] De *Follas novas* (1880); v. ed. cit., pág. 180.

[138] V. E. González López, "Valle-Inclán y Curros Enríquez", *Revista Hispánica Moderna*, Nueva York, XI, 1945, págs. 215-226; J. Rubia Barcia, ob. y cap. cit., 1983, págs. 103-205, y Lavaud, *op. cit.*, páginas 369-373.

[139] V. *op. cit.*, págs. 374-377.

[140] También en *La Leyenda de la Pastoriza* (La Coruña, José Miguez Peinó y hermano, impresores, 1887) habla doña Emilia de "sueño que soñamos unos cuantos artistas y poetas a la sombra de unos pedruscos célticos" (págs. 61-62).

tudes son más acusadas: la protagonista es una pastora llamada Minia —como en el cuento *Flor de santidad* (1901)—, su físico es semejante al de Ádega, también huérfana y recogida por su tía, una molinera desalmada que la obliga a los más penosos trabajos, por lo que la compadecen los campesinos; sueña con apariciones de Santa Minia y, al final de una de ellas, se desmaya, como Ádega en la fuente del Pazo; además, doña Emilia "alude brevemente a un terrible año que sumió en la miseria a los campesinos gallegos" y hasta hay una referencia al camino y a la presa del molino que recuerdan ciertas frases de esta novela: "Al otro lado de la represa habían trillado sendero el pie del hombre, y el casco de los asnos que iban y volvían cargados de sacos, a la venida con maíz, trigo y centeno en grano; al regreso con harina oscura, blanca o amarillenta."

Todo ello no obstante, la figura de peregrinos, ermitaños y anacoretas y la referencia a los retablos e imágenes antiguas son, como más arriba hemos apuntado, motivos románticos de los que se podrían citar varios ejemplos y es más que probable que, por gallegos y románticos o hijos del romanticismo, tanto los autores antes citados como Pardo Bazán y Valle, bebieran en fuentes comunes y, además, poseyeran, como dice Lavaud siguiendo a Barthes, una común mitología personal.

En definitiva, lo que parece indudable es que Valle-Inclán era dueño de una poderosísima retentiva literaria y, sobre todo, de la capacidad de amalgamar, sintetizar, yuxtaponer en su discurso la memoria existencial —lo vivido y experimentado— y la cultural, o sea, lo oído y leído: también vivido, lingüística y literariamente. En sus obras resuena el antiguo castellano y el gallego, lo culto y lo popular, lo libresco y la tradición oral, los clásicos y los románticos; pero sobre todo ello se alza la voz de Valle-Inclán, inconfundiblemente suya y bellísima, como el canto del ruiseñor escondido entre los árboles se alzaba "ondulante, dominador y gentil como airón de plata en la cimera de un arcángel guerrero".

8. Los hombres

Todos los personajes, en grupo o individualizados, presentan paralelismo y contraste ya desde el mismo comienzo de la novela, en que el avance del misterioso peregrino se acompaña del son de las esquilas de los rebaños. Como los campesinos del Año del Hambre:

> un día y otro día desfilaban por el camino real procesiones de aldeanos hambrientos, que bajaban como lobos de los casales escondidos en el monte... Desfilaban por el camino real, lentos, fatigados, dispersos... Después continuaban su peregrinación hacia las villas lejanas... Aquellos abuelos de blancas guedejas, aquellos zagales asoleados, aquellas mujeres con niños en brazos, aquellas viejas encorvadas... imploraban limosna entonando una salmodia humilde (I, 3),

también pastores, aldeanos y gentes de toda laya y condición, con sus cabalgaduras, guiando sus rebaños o con sus animales domésticos y sus productos del campo, pasan por los caminos de la lejanía.

Al amanecer, tras la seducción y poco antes de que caiga muerta la oveja en el umbral del establo, "por el camino real cruzaba un rebaño de cabras conducido por dos rabadanes a caballo" (II, 1), lo que parece anunciar en contraste la marcha de la ventera y Ádega —dos mujeres—, a pie —no a caballo—, con su rebaño de ovejas —no de cabras— a visitar al saludador y esta marcha se integra en el panorama total del azacaneo cotidiano:

> Por los caminos lejanos pasan hacia la feria de Brandeso cuadrillas de hombres recios y voceadores, armados con luengas picas y cabalgando en jacos de áspero pelaje y enmarañada crin. Son vaqueros y chalanes. Sobre el pecho llevan cruzados ronzales y rendajes, y llevan los anchos chapeos sostenidos por rojos pañuelos a guisa de barboquejos. Pasan en tropel espoleando los jacos pequeños y trotantes, con alegre

son de espuelas y de bocados. Algunos labradores de Cela y de San Clodio pasan también guiando sus yuntas lentas y majestuosas, y mujeres asoleadas y rozagantes pasan con gallinas, con cabras, con centeno (II, 2).

Los "recios y voceadores vaqueros y chalanes" tienen su contrapunto en "los hombres de mala catadura" que iban a la venta y que también "cabalgaban en jacos de áspero pelaje"; los "labradores de Cela y de San Clodio", en "la gente de las aldeas", "que cruza por los caminos"; y las "mujeres asoleadas", "con gallinas, con cabras, con centeno", en "las mujeres cantando" que "van para el molino con maíz y con centeno" (IV, 1). Cuando Ádega y la ventera vuelven de la fuente de San Gundián, en plena noche, "a lo lejos brillaban los fachicos de paja con que se alumbraban los mozos de la aldea que volvían de rondar a las mozas" (III, 5)[141], como, más tarde, "mozos y mozas vuelven a la aldea cantando por los caminos" (IV, 3). En su marcha, las dos mujeres encuentran a dos zagales "que andan encorvados segando el trébol oloroso y húmedo" (II, 3), como, al despedir a Malpocado y al ciego, Ádega y la abuela encuentran a un zagal que "anda encorvado segando yerba" (IV, 4).

Tras el segundo encuentro con el peregrino, cuando Ádega retorna a la venta al anochecer:

> Allá en la lejanía, por la falda del monte, bajaban esparcidos algunos rebaños que tenían el aprisco distante y se recogían los primeros. Oíase en la quietud apacible de la tarde el tañido de las esquilas y las voces con que los zagales guiaban (III, 2);

---

[141] La imagen sitúa el episodio en relación con una costumbre popular; además y como en otros textos de Valle —por ejemplo, al comienzo de *Romance de lobos* o en el cuento *La hueste (Jardín novelesco*, ambas obras de 1908)—, estas luces recuerdan las de la Santa Compaña, creencia gallega común a otros pueblos del norte de España.

y, así como avance la novela, se irá incrementando la visión de las gentes trabajando, yendo y viniendo, en torno de la muchacha desvalida. También, camino de Santa Baya, el pueblo hambriento y esperanzado la acompaña: "caminan en silencio, oyendo el canto de los romeros que van por otros atajos" (V, 4). La fila de mendigos es correlato y contrapunto de la procesión de los del Año del Hambre: ambos grupos son calificados con una "animalización", pero en los primeros, "que bajaban como lobos", queda desmentida porque son mansos y religiosos, "como un rebaño descarriado" (I, 3), mientras los segundos, "como un cordón de orugas", son "burlones y descreídos"[142]. Los aldeanos —los que esperan la barca y los de la villa— son, como los pastores, sumisos, ingenuos y crédulos; pero, los del Pazo, ya asentados y seguros, son maliciosos, aunque también crédulos.

Y como coral de fondo, lejano pero siempre presente, las voces de todo un pueblo resuenan en "la gloria del amanecer", de retorno a Brandeso: "en la oscuridad fragante de los caminos hondos, cantaban los romeros y ululaban las endemoniadas..." (V, 5).

De este magnífico friso de todo un pueblo en marcha y en camino, la cámara de Valle-Inclán selecciona algunos tipos, algunos hombres. Son los héroes anónimos de esta visión épica y muchos de ellos, nombrados de pasada, simples figuras ambientadoras: los zagales, mozos y mozas del camino y de la feria de los criados o "las tres hijas del Señor mi Conde", que nombra Electus;

---

[142] Su actitud es semejante a la de los pícaros y pordioseros de nuestra literatura clásica y realista, pero su cinismo vengativo recuerda sobre todo a *El mendigo* de Espronceda: "Mal revuelto y andrajoso, / entre harapos / del lujo sátira soy, / y con mi aspecto asqueroso / me vengo del poderoso / y adonde va, tras él voy" (v. J. de Espronceda, *Poesías líricas y fragmentos épicos,* ed. R. Marrast, 5ª. ed., Madrid, Castalia, 1989, pág. 237); además, este "cordón" recuerda a "la caravana de mendigos" de la Jornada Segunda de *Divinas palabras:* "Ríen los mendigos, negros y holgones, tumbados a la sombra de los árboles" (v. ed. cit., págs. 209 y 214).

el viejo pastor del camino y el de las tres cabras negras[143], el pastor Hurtado, "que vive al otro lado del monte" y el rabadán que se queda traspuesto "cuando vuelve de la feria en su buena mula"; el boyero muy viejo "nombrado en todo el contorno" por sus cuencos de corcho, la "mendiga sabia y curandera" o Sabela la Galana[144], "una de aquellas viejas parletanas" de la feria, como otra "muy nombrada porque hacía la compota de guindas y la trepezada de membrillo"; y, en la cocina de Brandeso, el "galán de la aldea, celebrado cazador de lobos", como, en la de la venta, el montañés que ha matado un lobo.

Los encuentros y diálogos entre los diversos personajes tienen un planteamiento inconfundiblemente dramático. Con frecuencia dos se encuentran con un tercero o a la inversa [2 + 1 ó 1 + 2]; así, por ejemplo, el peregrino y Ádega con la ventera, estas dos últimas con la rapaza de Cela (II, 2) y con la molinera (II, 3), Ádega con la abuela y Malpocado (IV, 1) o las dos primeras con el buscador de tesoros (IV, 4). Sin embargo, varias escenas están constituidas por sólo dos personajes [1 + 1], por dos que encuentran a otros dos [2 + 2], tres que encuentran a otro [3 + 1 o a la inversa] —en todos los casos dialogan sólo dos— y, sobre todo en la segunda parte, dos o tres personajes, con independencia de quienes hablen, forman parte de alguna escena coral en donde sus voces suenan entre otras que acompañan y comentan sus palabras.

Solos [1 + 1] conversan los dos protagonistas en su

---

[143] También en *Águila de blasón* (1907) hay una "vieja que guarda tres cabras".

[144] El nombre de Sabela —Isabel en gallego— es frecuente en Valle-Inclán, por ejemplo, en el cuento *Un cabecilla* (*Jardín umbrío,* 1903) y Sabelita se llama la barragana de don Juan Manuel de Montenegro en *Águila de blasón* y *Romance de lobos;* en cuanto a La Galana, parece ser referencia autobiográfica a una vieja criada —Micaela— "que sabía muchas historias", según el prologuillo de *Jardín umbrío* (1914), y el mismo apodo aparece en *El embrujado*.

primer encuentro, en la escena de la seducción, por supuesto, y en la segunda llegada del peregrino [P + A], y también a solas conversa Ádega con la ventera [A + V] (II, 1 y 5), con la abuela [A + Ab.] (IV, 4) y con la dueña del Pazo [A + D] (V, 3).

En los encuentros de dos personajes o más con otro, siempre hay uno o dos que permanecen como testigos mudos, papel que, frecuentemente, le corresponde a Ádega [1 + 1 (+ A)]; por ejemplo, cuando dialogan el peregrino y la ventera [P + V (+ A)] (I, 4), ésta con la rapaza de Cela [V + RC (+ A)] (II, 2), con el zagal que siega [Z + V (+ A y el otro zagal)], con la molinera [V + Mol. (+ A)], con el saludador [V + S (+ A y Mol.)] (II, 3) o, por dos veces, la ventera con su hijo [V + HV (+ A)] (II, 4 y III, 4); también cuando, acompañando a abuela y nieto, la primera habla con el Arcipreste [Ab. + Arc. (+ A y M)], aunque después este personaje mantiene conversación con Ádega [Arc. + A (+ Ab. y M)], situación que se repite en el encuentro con el ciego de San Clodio [C + Ab. (+ A y M)]; y, al final de la novela, en la conversación de la dueña del Pazo con el criado [D + Cr. (+ A)].

En la cocina de la venta (III, 3) se produce un planteamiento especial, distinto del de las demás escenas; primero habla Ádega con la ventera; quedan conversando el cazador de lobos y el hijo, y, como testigo mudo, la ventera; y cuando el primero va a marcharse, entra Ádega que lo despide [Caz. + A (HV + V)]; así pues, a la escena constituida por tres personajes y en la que dialogan dos —con la ventera como testigo mudo— se incorpora al final la voz de la zagala.

En dos de las grandes escenas corales —una en la primera parte y otra en la segunda de la obra—, Ádega es testigo mudo de las conversaciones de los demás: esperando la barca (II, 2), [V + Electus + coro de aldeanos (+ A)] y en la feria de los criados (IV, 2), donde se oye un rico conjunto de voces. Pero, en general y sobre todo después de la muerte del peregrino, Ádega conversa con uno de los personajes de cada escena [A + 1 +

coro]; así, por ejemplo, de camino (III, 3), con un viejo pastor, y en el monte (III, 6), con el "pastor de las tres cabras negras" [A + VP + coro de pastores]; en la fuente, haciéndole el planto al peregrino muerto (III, 5), se oyen varias voces de mujer [A + PM + coro de mujeres]; en el Pazo (IV, 5 y V, 1), con la abuela, la dueña y Rosalva [A + Ab./D/R + coro de criados], y en Santa Baya (V, 4), con Malpocado [A + M + coro de mendigos, romeros y endemoniadas].

El hilo conductor en este laberinto de vidas entrecruzadas es la cándida Ádega ("un hermoso nombre antiguo" I, 2). Son sus ojos dos flores azuladas —dos violetas—, tiene el pelo dorado, "cejas de oro y maravillada sonrisa"; es una "paloma" —así la saluda el peregrino y así se califican sus manos—, mansa y humilde; de religiosidad rayana en la superstición, alucinada hasta lo extático, vive en un continuo temblor o estremecimiento y dominada por el miedo. Valle-Inclán la presenta en tres actitudes preferentes que definen su figura: muda y estática, sentada "al abrigo de las piedras célticas", con su rebaño, entre los pastores y entre las gentes; solitaria y temerosa visionaria en los momentos de ensoñación, y "plañidera y trágica", clamando por los caminos. Es un tipo humano que se encuentra también en otras obras del "ciclo galaico" de Valle-Inclán; cierto parecido con ella, y no sólo en el físico, tiene Sabelita, la barragana de Montenegro[145]; también la niña enferma, de hábito nazareno, acompañada de sus ancianos padres, que se encuentra en *Divinas palabras:* "con su hábito morado y sus manos de cera, parece una virgen mártir entre dos viejas figuras de retablo"[146]; pero, sobre todo, su homónima Ádega, la Inocente de Brandeso, que aparece en

---

[145] Como Ádega, Sabelita aparece, en la escena III de la Jornada Quinta de *Águila de blasón,* "sentada a la sombra de unas piedras célticas doradas por líquenes milenarios"; v. 3ª. ed., Madrid, Espasa-Calpe, 1972, pág. 139.

[146] V. ed. cit., págs. 214-215 y 288-289.

El marqués de Bradomín. Coloquios románticos (1907)[147].

Ádega es el único personaje que acepta la posibilidad del misterio de que el greñudo peregrino pueda ser Cristo de nuevo caminante por el mundo; y aunque ante sus palabras, en las que asegura la condición divina del peregrino, la ventera duda basándose en los viejos *ejemplos* y leyendas y las mujeres comentan en la fuente: "famoso prosero estaba", Ádega, como una nueva y pastoril Casandra que por nadie es creída, asevera con rotundidad que aquel peregrino "era Nuestro Señor", que no haberle dado cobijo y, desde luego, matarlo han sido graves pecados contra la caridad —o, lo que es lo mismo en una sociedad arcaica, contra la hospitalidad— y que ella va a tener un hijo de él. Hermana menor del hidalgo manchego, la pastora cree *ad pedem litterae* en los viejos mitos y leyendas de Galicia, como Don Quijote creía en los libros de caballerías; como él, adecua su vida a sus creencias y también en ella se cumple, por la generosidad de sus actos y la extremada coherencia entre éstos y su fe, el principio cervantino de que "el hombre es hijo de sus obras". Es otra alucinada de la misma estirpe que el *loco genial* que, confundiendo la realidad, acierta, sin embargo, con su más profundo sentido. Por otra parte, en la convergencia de la historia de la zagala con la de su pueblo, Valle-Inclán sitúa a Ádega, no como "excepción maldita"[148], sino, en cierta

---

[147] "...Asoma en la puerta del jardín una niña desgreñada, con ojos de poseída, que clama de terror profético, al mismo tiempo que se estremece bajo sus harapos: Es *Ádega la inocente*"; y las palabras que aquí dice esta rapaza son los mismos anatemas del peregrino, a los que contesta Minguiña, una mendiga, con las mismas palabras que Ádega en III, 1; v. *Obras escogidas,* t. II, págs. 850-851. Hay otras muchas coincidencias entre ambas obras: la fila de mendigos que se arrastran por los caminos y piden limosna en el Pazo de Brandeso, el ciego Electus —caracterizado igual que en esta novela—, el Abad, acompañado de dos galgos: *Carabel* y *Capitán* —como en el cuento *El miedo*—, etc.

[148] V. Sender, loc. cit., pág. 111.

manera, como símbolo del talante y condición de la Galicia mansa y pobre hasta la miseria y el desvalimiento, más hospitalaria que caritativa, y religiosa hasta lo visionario que en *Flor de santidad* Valle rescató para siempre del olvido.

Y frente a Ádega, el peregrino —oveja/lobo, paloma/cuervo, blanco/negro[149]. Este misterioso personaje es un desarraigado de apariencia repulsiva y venerable a un tiempo. La crítica ha señalado en repetidas ocasiones su ambigüedad: su figura recuerda, en principio, la de Cristo caminante y así lo ve Ádega, quien, en sus ensoñaciones, lo transfigura en una imagen de las viejas estampas religiosas, y también junto a la fuente presenta la apariencia de un Cristo yacente; pero, otras veces, parece un malvado: manos vellosas y cabeza greñuda, palabras falsas —por ejemplo, cuando la zagala pregunta si los rosarios han sido tocados en el sepulcro de Nuestro Señor, el caminante responde que también en el de los Doce Apóstoles— y, sobre todo, seduce y fuerza sexualmente a la zagala. Montoro resuelve su ambigüedad considerándolo una *figura Christi,* que Valle-Inclán presenta bajo la *forma servi* que, según San Pablo, adopta la divinidad para manifestarse en el mundo[150], y frente a la concepción demoníaca que prevalece en la interpretación más común, el crítico antedicho recuerda que, aunque el peregrino se dirigía al establo "andando con

---

[149] También hay un mendicante y "un viejo peregrino que va peregrinando a Santiago" en *Águila de blasón* (v. ed. cit., pág. 143); y en *Divinas palabras* "un viejo venerable"..."tiene el pecho cubierto de rosarios y la esclavina del peregrino en los hombros" (v. ed. cit., págs. 219 y ss.).

[150] Como hemos visto, el mito de los dioses que, con apariencia de mendigos andrajosos, caminan por el mundo para probar la hospitalidad o la caridad de las gentes, se encuentra ya en *La Odisea,* en Platón —quien refuta el mito, argumentando que es imposible que Dios, siendo la belleza y virtud suma, quiera adoptar una forma más baja, que no le es propia— y en Ovidio; además, es creencia popular muy arraigada en las tierras del noroeste español; v. nota 67 de la Introducción.

paso de lobo", sin embargo, el mastín —enemigo de los lobos— le lame las manos; además, maldice la casa sin caridad, castiga a sus amos con la enfermedad del ganado, es inmolado por ellos —la muerte infamante es otro signo de lo divino o santo en el mundo— y, en la fuente de San Clodio, vuelve a clamar contra las gentes sin caridad y manifiesta frugalidad y aversión al robo[151]. Todo ello no obstante, permanece la ambigüedad de su figura, sobre todo en la visión final en que Ádega revive la posesión sexual como diabólica.

Además de los dos protagonistas, también algunos otros personajes destacados forman pareja que, al mismo tiempo, está en relación de contraste con alguna otra; así, por ejemplo, la ventera y su hijo o acompañada de Ádega, tiene su contrapunto en la abuela y Malpocado[152], en la dueña del Pazo ("la dueña de los cabellos blancos") y Rosalva ("la moza de la cara bermeja") o, al final de la obra, en la misma dueña acompañada del criado.

Como en otras obras de Valle-Inclán, destacan particularmente las figuras de las mujeres ancianas[153]. Lo son la ventera, la abuela, la dueña y la Señora del Pazo, pero ¡qué distintos su talante y su figura! La primera, que "traía la rueca a la cintura, y sus dedos de momia daban vueltas al huso", parece una bruja: inhospitalaria, de carácter desabrido, en sus ojos cobrizos "temblaba la avaricia"[154]; es, además, una supersticiosa que "andaba entre el rebaño, como loca rezadora y suspirante..., trazándoles en el

---

[151] V. *"Flor de santidad:* arquetipo y repetición", *Modern Language Notes,* XCIII (1978), págs. 252-266.

[152] Una pareja semejante es la de la abuela y su nieta, "la Ofrecida de Lugar de Condes", en *El embrujado.*

[153] Sobre todo, las viejas nodrizas y criadas de las casas señoriales, como, por ejemplo, las Micaelas —la Galana (v. n. 137) o la Roja en *Romance de lobos*—, la tía Rosalba en *Gerifaltes de antaño* (1909), Basilisa la Galinda en *Mi hermana Antonia (Jardín umbrío,* 1914), etc.

[154] Otra ventera medio bruja, acompañada de La Mozuela —su hija, a la que prostituye—, se encuentra en *Ligazón* (1926).

testuz signos de conjuro" (II, 1) y cree firmemente en las palabras confundidas del saludador. La abuela, en cambio, que es *pobre de pedir,* que no cree en cuentos de *tesoros ocultos,* es amable y divertida, solidaria y compasiva. Como la ventera, la dueña es supersticiosa y beata y está orgullosa de haber criado a la Señora y de su posición en el Pazo, pero, aunque sólo sea por el prestigio de la casa, es hospitalaria y, como la abuela, compasiva. Por último, la Señora del Pazo —de la casa caritativa— cree también, como los demás y a pesar de su condición socialmente elevada, en la posesión de Ádega; la breve visión que se da de ella es contrapunto de la de la ventera —ama de la casa sin caridad— y magnífica imagen de Cloto, la parca que hilaba el hilo de la vida:

> Tras los cristales del balcón, todavía hilaba la señora, con las últimas luces del crepúsculo. Y aquella sombra encorvada, hilando en la oscuridad, estaba llena de misterio. En torno suyo todas las cosas parecían adquirir el sentido de una profecía. El huso de palo santo temblaba en el hilo que torcían sus dedos, como temblaban sus viejos días en el hilo de la vida (V, 2).

El hijo de la ventera tiene su paralelo y contraste en el cazador. Éste, que vive de su caza y ha matado un lobo, es un pequeño héroe popular, pero, figura de lo primitivo, por su condición de cazador —y recordemos cómo Valle califica su voz, simbólicamente, de "cansada e infantil"—, es él quien propone el bárbaro rito del fuego, por el cual, no obstante, se pretende establecer un pacto con quien haya hecho *mal de ojo* al rebaño. Por el contrario, el hijo de la ventera posee casa, ganado y un pequeño negocio, y dice haber matado una cabra machorra, pero su fuerza es la cruel y violenta de un asesino. En contra de lo que afirman algunos críticos, se hace difícil considerarlo como el único personaje que tiene "los pies en la tierra" tan sólo porque no creyera en las visiones de Ádega, ya que los rumores de los pastores sobre su vida airada en otro tiempo y sobre la desaparición de los visitantes que pasaban la noche en la venta, más sus brazos ensangrentados y la ambigüedad de su actitud y respuesta la noche del rito lustral, parecen manifestar que, como dice Montoro, es un bandido y tan supersticioso como los demás, pues mata al peregrino convencido de que su maldición ha provocado la enfermedad del ganado.

Presentes en muchas de sus obras, los ciegos de Valle-Inclán están dotados de esa consideración galaica —y también helénica— de ser quienes poseen la visión profunda de la realidad[155]. Dos hay en esta novela: Electus, parlanchín y picaresco, es un vividor trapacero, astuto y sagaz, que conoce los caminos y las gentes y sabe *buscarse la vida;* todos lo llaman, todos lo requieren y sus andanzas están en boca de todos (IV, 3 y 5).

La rapaza de Cela y Rosalva —otro nombre valleinclaniano— son las dos únicas mozas que, individualizadas y aparte de Ádega, aparecen en la obra; ambas tienen un inconfundible tipo galaico: pecosa y rojiza, la primera trabaja desde niña, yendo con su vaca de puerta en puerta, es respetuosa con sus mayores y prudente en sus palabras. Rosalva, "la moza de la cara bermeja", "fresca como manzana sanjuanera", sirve en el Pazo y es avispada, locuaz y de carácter abierto.

Los agudos dardos de su ironía los reserva Valle-Inclán para los cuatro *hombres religiosos:* el saludador y el buscador de tesoros pertenecen, por así decirlo, al

---

[155] El ciego de Gondar, de talante muy parecido a Electus, aparece con su lazarillo en *Romance de lobos* (también el ciego de Flavia), en *El embrujado* con una moza y en *Divinas palabras*. En *La lámpara maravillosa* ("El quietismo estético") hay también una vieja mendiga ciega contadora de cuentos —en uno, las cuatro características de los personajes más queridos de Valle—: "Emanaba una sensación de silencio de aquellos relatos forjados de augurios, de castigos, de mediaciones providenciales, y el paisaje que los ojos de la narradora ya no podían ver tenía la quietud de las imágenes aprisionadas en los espejos mágicos"; v. *Obras escogidas,* t. I, págs. 576-577.

ámbito de las viejas creencias y el Arcipreste y el Abad de Brandeso, a la religión oficial, al clero. Los dos primeros son hombres del pueblo y ambos están movidos por el afán de lucro; el saludador es una figura de apariencia venerable, un abuelo "risueño y doctoral", de blanca guedeja, "semejante a los santos de un antiguo retablo", que deja caer sus bendiciones con estudiada solemnidad, pero que, paciente y astuto, logra satisfacer su codicia; en cambio, el buscador de tesoros, que tiene "ojos de can adolecido", es un loco apasionado por encontrar los tesoros ocultos.

Los clérigos destacan por su distanciamiento de las gentes, por su paternalismo y, sobre todo, por su frialdad. La figura del Arcipreste se anuncia ya en la descripción de Electus, donde Valle compara los dicharachos del ciego con los "añejos decires de los jocundos arciprestes aficionados al vino y a las vaqueras y a rimar coplas", lo que, aparte de ser una evocación del de Hita, contrasta con este arrogante arcipreste que se manifiesta condescendente y despistado (IV, 1) y al que la ironía de Valle-Inclán presenta, caballero en una yegua "mansa y doctoral", avanzando lentamente e impartiendo paternales bendiciones, como el farsante y lujurioso peregrino y el supersticioso y marrullero saludador.

También la distante figura del Abad se anuncia en el diálogo entre Electus y la ventera, del que se infiere que el abad era aficionado a las mozas, aunque también se afirma: "—El señor Abade está muy acabado"; no obstante, en la escena del exorcismo, se dice que "llegó haciendo retemblar el piso bajo su grave andar eclesiástico" (V, 3) y ni siquiera habla: es un funcionario frío y rutinario, que cumple con su cometido; aunque, de nuevo, la ironía del autor le hace partícipe de la superstición popular, pues también el clérigo confirma la posesión diabólica de Ádega.

Aunque es difícil poder precisar por quién o quiénes se decanta la simpatía de Valle y parece claro que no se identifica con ninguno de sus personajes —como tampoco le es fácil al lector identificarse con alguno de ellos—, hay, además de Ádega, dos personajes particularmente entrañables: la abuela y su nieto Malpocado. Acuciado por el hambre, el niño, "que lleva trasquilada sobre la frente, como un siervo de otra edad, la guedeja lacia y pálida, que recuerda las barbas del maíz", marcha a la villa, a la feria de los criados —donde también los rapaces "llevan la guedeja trasquilada sobre la frente como los siervos antiguos"—, porque ya ha de ganarse la vida —como los zagales que siegan la hierba (II, 3). El ser lazarillo de un ciego y su "sonreír picaresco" identifican su figura con la de Lázaro de Tormes y parece ser que, como él, la *mala educación* de las duras condiciones de su vida, le han convertido en un pequeño pícaro. Y también entrañable es su escéptica y compasiva abuela —de éste sí se puede decir que es el único personaje que tiene la cabeza sobre los hombros—: sensata y realista, busca amo para su nieto, habla con respeto al Señor Arcipreste, aunque haciéndole bajar a la realidad, y no cree en leyendas ni en mitos, pero es sociable entre las gentes y compasiva con la pobre rapaza visionaria.

En esta visión panorámica de todo un pueblo se dan las tres maneras de ver a los personajes que el propio Valle-Inclán expuso a Gregorio Martínez Sierra en una entrevista, y que Díaz-Plaja resume como el modo mítico, el modo irónico y el modo degradador[156]; sin duda, Ádega está vista desde abajo, con, por lo menos, una rodilla en tierra; el pueblo gallego, irónicamente, aunque con un cierto toque de melancolía y de compasión; y, si no de modo degradador, sí con ironía que se vuelve sarcasmo, los dos clérigos.

---

[156] "Hay tres maneras de ver literariamente a los personajes: de rodillas, como Homero a sus héroes; frente a nosotros, como Shakespeare ve a los suyos; y por debajo de nosotros, como Cervantes que, en todo momento, se cree más cuerdo que Don Quijote. Es el modo también de Goya y de Quevedo" (en *ABC,* 7-XII-1928); v. Díaz-Plaja, *op. cit.,* págs. 175 y ss.

9. LA "FLOR DE SANTIDAD"

Varios autores han destacado el carácter costumbrista de *Flor de santidad* basándose en sus referencias histórico-sociales, en la abundancia de elementos folklóricos y en las escenas que, como la de los aldeanos esperando la barca, la feria de los criados o la noche en la cocina del Pazo, nos aproximan a la Galicia real y a sus gentes, entre las que la historia de Ádega se desenvuelve como *caso* digno de permanecer en la memoria colectiva. Por otra parte, la denominación de *estancias* que Valle dio a los cinco grandes apartados de su novela, sumada a su ambiente rústico y pastoril, hacen de esta obra una especie de poema en prosa épico-lírico, bucólico y geórgico, a la manera de una moderna *égloga*[157]; pero la comunicación indirecta y simbólica, los múltiples juegos de contraste —apariencia/realidad, precisión/imprecisión, luces/sombras, día/noche, blanco/negro, bien/mal— y las recurrentes e intensas imágenes visuales y sonoras son los que le confieren su inconfundible carácter lírico; porque, como ha dicho Sender:

> *Flor de santidad* es un pequeño prodigio en varias dimensiones, rapsódica, histórica, dramática, lírica e incluso... ontológica. Dramática no por el marco del escenario de un teatro, sino por el vastísimo marco de un tiempo y una era... Valle Inclán nos ofrece en *Flor de santidad* el más vasto, noble, denso y trascendente planteamiento de tragedia de las letras españolas modernas... Es la única obra maestra narrativa que se puede comparar con las obras monumentales de la arquitectura románica de la baja Edad Media[158].

---

[157] Recuérdese que *Égloga* y *Geórgicas* son los títulos de dos relatos que Valle integra en la composición de esta novela.

[158] V. *op. cit.*, pág. 101.

103

Así, pues, en esta obra Valle-Inclán supera y borra las fronteras entre los géneros —vieja aspiración romántica—, y consigue crear el discurso total que condensa y compendia todos los demás. Es éste un nuevo tipo de novela, como dijo el propio Valle con magnífica intuición crítica, en la que el personaje individual se transforma en héroe épico, popular y anónimo, que camina sin descanso siguiendo el curso de su destino, como ya señalara Gómez de la Serna:

> En esa "novela milenaria" está planteado resueltamente, por primera vez, el gran empeño de la literatura valle-inclanesca, que es saltar del personaje individual al personaje colectivo, de la lírica a la épica, dando contorno poético preciso al difuso héroe popular que hace cada día y desde dentro la Historia[159].

Se ha hablado mucho de la ambigüedad de esta cosmovisión valleinclaniana, porque no se puede asegurar si Ádega estaba realmente endemoniada, como creían las gentes, o sólo era una histérica, como ha estudiado Speratti-Piñero, si la enfermedad del ganado la produjeron causas naturales o la maldición del peregrino, si este personaje era Nuestro Señor, el Diablo o un pobre merodeador, como decían las mujeres; quizá el rito lustral no surtió efecto porque el saludador se equivocó de fuente y, acaso, tampoco dieron resultado los conjuros de la ventera porque el peregrino quería castigarla de nuevo por haber robado las ovejas; sin embargo, el peregrino sí aparece cuando se sacrifica el corderillo en la pira... Y la misa en el Santuario de Santa Baya y las siete olas, ¿darán la salud a las endemoniadas?... Pero, especialmente, ese aldabonazo final, con la nota hiperrealista de la confirmación de la preñez de la pobre zagala alucinada, resulta desconcertante y deja la historia de Ádega sumida en las aguas temblorosas de la ambigüe-

---

[159] V. loc. cit., pág. XX.

dad y abierta a que, en nuestra perplejidad, la continue-
mos e imaginemos tanto como queramos. Esa salida por
la tangente, tan valleinclaniana, nos invita, sobre todo, a
la cavilación, pues, sin duda, en esta visión total de un
mundo inquietantemente impreciso, Valle-Inclán quería
mostrar la condición definitoria de la vida humana, debatiéndose entre fuerzas y casos y cosas apenas entre-
vistas y mal comprendidas y en oscilación continua entre la apariencia y la realidad y entre ésta y la transrealidad.

Desde la distancia espacial —desde Madrid— y temporal —varios años después de haber salido de Galicia—, Valle despliega ante nuestros ojos un mundo lejano, sacral, bullente, tembloroso, susurrante y bellísimo.
Es un cosmos total y armónico, rítmico y concordante;
incluso la mayoría de los personajes poseen una figura
venerable y sacra o simpática y atrayente, que, no obstante, al ser desmentida en parte por sus actos y palabras, su valor y sentido queda en un terreno interpretati-
vamente inestable. Valle recorta el alcance de sus ambi-
güedades con el estilete de la ironía, relativizando la
magnificada apariencia de sus personajes y dando así
una medida exacta de lo humano en ese mundo que
veíamos como un globo de luz.

Para Flynn, esta novela es una burla blasfema del
culto a Santa María y de los misterios de la Encarnación
y de la Redención[160]; también hay quien la considera
una suprema ironía o sátira de las creencias supersticiosas populares y, más en general, del sentido religioso de
la existencia; pero es más frecuente la postura de quienes prefieren considerar que en esta obra Valle tenía
una pretensión única y exclusivamente estética, aunque
con la visión irónica que era en él característica, desen-

---

[160] Incluso ve en la pentapartición de la obra una burla del Rosario;
v. "La *bagatela* de Ramón del Valle-Inclán", *Actas del Primer Congreso
Internacional de Hispanistas,* Oxford, The Dolphin Book, 1964, páginas 281-287.

tendiéndose de cualquier planteamiento trascendente y alejada, por tanto, de la que presenta en obras posteriores, en las que sí se reconoce una actitud de rechazo de la historia y de la realidad española —de la decimonónica y de la de su tiempo— y de protesta socio-política, lo que, no obstante, es considerado por algunos como muestra de reaccionarismo.

Según Montoro, en *Flor de santidad* Valle trata de trascender el tiempo por medio de la repetición de un arquetipo: "el misterio de la Encarnación se deja re-presentar, en tierras gallegas, por Ádega, el peregrino y el niño prodigioso que nacerá de la furtiva unión de los dos primeros", lo cual anula la percepción del paso del tiempo y, además, revela "que éste y la historia son inesenciales y, en última instancia, ilusorios"[161]. Así, *Flor de santidad* pone de manifiesto narrativamente lo que más tarde Valle haría explícito en *La lámpara maravillosa:* su afán por crear una visión del mundo superadora de la horizontalidad del camino, del transcurso —espacio y tiempo—; y esta visión desde una doble perspectiva: primero, desde la memoria[162], y, segundo, desde la verticalidad, desde la altura, situándose en el centro de la esfera cósmica, desde el que, tanto la constitución del Universo como la propia historia del hombre, todo, se percibe como recursivo, circular y en armonía, al anularse la oposición entre contrarios, o sea, la dualidad de lo alto y lo bajo, lo anterior y lo posterior, lo externo y lo interno[163]. Esta concepción cíclica del mundo, extraña a

---

[161] V. loc. cit., pág. 256.

[162] "El arte no existe sino cuando ha superado los modelos vivos mediante una elaboración ideal. Las cosas no son como las vemos sino como las recordamos" (v. R. Gómez de la Serna, *Don Ramón María del Valle-Inclán,* 5ª. ed., Madrid, Espasa-Calpe, 1979, pág. 107); y también: "En las creaciones del arte, las imágenes del mundo son adecuaciones al recuerdo, donde se nos representan fuera del tiempo en una visión inmutable" (v. *La lámpara maravillosa:* "El quietismo estético", I, ed. cit., pág. 565).

[163] "El recuerdo es la alquimia que depura todas las imágenes y hace

la tradicionalmente considerada cristiana, y la búsqueda de la percepción de la realidad única, ideal y, por tanto, inmutable son de inconfundible filiación platónica y manifiestan los contactos de Valle-Inclán con la doctrina del quietismo espiritual de Miguel de Molinos y con gnósticos y teósofos como Rosso de Luna; pero, también, la profunda herencia romántica subyacente en gran medida en la estética valleinclaniana.

Además, Valle-Inclán trataba de crear una narrativa no sometida al principio de imitación o al ya trasnochado criterio de "verosimilitud", dominante en el realismo novelesco finisecular; y, así y desde un punto de vista histórico-literario, con *Flor de santidad* Valle inicia en España una nueva tendencia narrativa[164] pues, partiendo de un viejo motivo legendario y repitiendo un arquetipo universal, presenta una historia cuyos hechos están lineal y coherentemente argumentados, con causas y efectos lógicos, pero que es ambigua por la diversa focalización y por la relativización de sus personajes; y una

de nuestra emoción el centro de un círculo, igual al ojo del pájaro en la visión de altura. Las nociones de lugar y de tiempo se corresponden como valores del quietismo estético: El águila, cuando vuela muy alto, parece tener las alas quietas, y todas las cosas que pasaron y son recordadas quedan inmóviles en nosotros, creando la unidad de conciencia. La quietud es la suprema norma. Si purificásemos nuestras creaciones bellas y mortales de la vana solicitación de la hora que pasa, se revelarían como eternidades. Todas las imágenes del mundo son imperecederas, y sólo es mudable nuestra ordenación de las unas con las otras"; v. ob., ed. y pág. cits.

164 Parece anunciar ciertas características del llamado *Modernism* europeo y norteamericano (como, por ejemplo, la recreación de la literatura pasada, el relativismo perspectivista y la ambigüedad, la presentación estética de la realidad, los contrastes entre simbolismo e hiperrealismo, etc.) aún antes que *La media noche. Visión estelar de un momento de guerra* (en folletón: *Los Lunes de El Imparcial,* 11-X, 18-XII-1916, 8-I y 6-II-1917; en libro: Madrid, Clásica Española, 1917); sobre esta obra, v. D. Villanueva, "*La media noche* de Valle-Inclán: análisis y suerte de su técnica narrativa", *Homenaje a Julio Caro Baroja,* Madrid, Centro de Investigaciones Sociológicas, 1978, páginas 1.031-1.154, y también de este mismo crítico: "El *modernismo* novelístico de Ramón del Valle-Inclán", *Ínsula,* núm. 531, 1991 (marzo), págs. 222-223.

visión estética de la Galicia de su memoria, con un discurso simbolista, indirecto, lírico y, a un tiempo, como ha señalado Zamora Vicente, "de un descarnado realismo"[165]: una obra total, pues, por su perspectivismo, por su lenguaje, por su sentido.

Por otra parte, en esta aparente "leyenda hagiográfica", tan magníficamente construida, de tan grandes valores lingüísticos y literarios y con un despliegue tan impresionante de belleza, Valle-Inclán introduce una concepción trascendente del mundo, con un sentido ético y aun ontológico, cuya claridad no queda ocultada ni por las sutiles ironías ni por el deslumbramiento de su estética, sino que, por el contrario, éstos la subrayan y confirman. El hombre, que está en el cosmos, en esa bellísima naturaleza, no es sólo naturaleza; es, además y sobre todo, historia y cultura, memoria y proyecto, ética y conducta, y es él quien da significación y sentido a toda la realidad. Pero el hombre puede ser cruel y avaro como la ventera, criminal como su hijo, trapacero como Electus, codicioso y marrullero como el saludador, murmurador como las mujeres y los criados, hipócrita como los clérigos, débil como el ciego de San Clodio, loco como el buscador de tesoros, cínico como los mendigos, enfermo y blasfemo como las endemoniadas, farsante, ingrato y lujurioso como el peregrino o alucinado como Ádega; y está sometido a la tiranía del hambre, de la enfermedad, de la muerte. En el mundo, mezclado, confundido, amalgamado con el mal, que el hombre no puede cambiar, existe el bien que sólo él puede realizar, movido por su fe y por su esperanza como Ádega, por compasión como la abuela, por tradición como la mayo-

---

[165] V. Introducción a Ramón del Valle-Inclán, *Luces de bohemia*, Madrid, Espasa-Calpe, 1973 (Clásicos Castellanos, 90), pág. XIII; también para Fernández Almagro era esta una "historia milenaria en la que se funden la ingenua poesía de las leyendas piadosas y el crudo realismo de las tradiciones populares"; v. *Vida y literatura de Valle-Inclán*, Madrid, Taurus, 1966, pág. 91.

razga, por prestigio de la casa como la dueña o simplemente por simpatía, porque sí, como la avispada Rosalva.

En la aparente ambigüedad de *Flor de santidad*, el Bien es el único valor que, inequívocamente, Valle no pone en cuestión ni relativiza con el corte de bisel de su ironía; pero no el bien en abstracto o mitologizado, sino encarnado en unas pocas pobres gentes. La realidad, la cósmica y la humana, se renueva cuando alguien, como Ádega, en contra del natural principio de lucha y contradicción que rige la vida del hombre, se solidariza con otro, quienquiera que sea, y se apiada de él, abriéndose así a la manifestación del misterio de la altura y haciendo posible la recursividad del tiempo. Todo lo demás es relativo y contingente —horizontal, camino— y puede ser visto, irónicamente, como el infructuoso trasiego y la pobre lucha, más patética que trágica, del hombre debatiéndose en medio de su colectiva soledad, entre sus miedos y sus mezquinas ambiciones.

La pretensión y el alcance de esta obra valleinclaniana parece alejada, pues, de la *boutade* o divertimento burlesco contra la fe religiosa, en general, y ni mucho menos contra las supersticiones populares, en particular, que Valle conocía muy bien —como demuestra en esta obra y sabido es, también, su interés por el ocultismo— y por las que sentía un profundo respeto, cuando, como en la Galicia rural, las veía auténticamente sentidas y vividas; y otra cosa, muy distinta en la forma pero en la misma línea ética e ideológica, son sus posteriores sátiras implacables contra la fe sin obras, los falsos milagros para ricos y poderosos o la moralina farisaica que veía encarnada en la "corte de los milagros" y entre los fantoches crepusculares del oscuro centro del "ruedo ibérico".

No parece, pues, que Valle quisiera burlarse de quien ve a Cristo en el otro, sino poner de relieve que quien, loco o cuerdo, acepta el misterio, por supuesto que ha de ser víctima de los demás, pero él es, sin duda, verdadera "flor de santidad". Y al leer la novela se tiene la impresión de que, entre líneas, los ojillos avizorantes de aquel "gran don Ramón de las barbas de chivo" mira a sus lectores con sonrisa irónica y si de alguien se burla es de quienes, autosuficientes y amurallados en los baluartes de sus seguridades —sobre todo, de las religiosas— y de su poder, juzgan con una sonrisa displicente la pobreza y la ingenuidad de estos campesinos expectantes de todos los milagros y prodigios y tan humanos que, como decía San Pablo, "en su debilidad está su fortaleza". De quien no se ríe Valle es de los que, crédulos, supersticiosos o escépticos, con una u otra fe, o sin ninguna, pero con el talante compasivo de un corazón que palpita ante la desgracia de los demás, poseen la dimensión exacta de la "santidad".

Y baste ya de ruido y demos paso a la palabra mágica y aérea de Ramón del Valle-Inclán en una de las más bellas creaciones que salieron de su pluma, porque, como ha dicho otro gran creador gallego, José Angel Valente, parafraseando un antiguo lema de la familia paterna de nuestro autor y que él hizo suyo en algunas ocasiones, podemos estar seguros de que Valle-Inclán es

> Señor y padre,
> vivo o más viviente,
> señor del aire en donde nunca nadie
> *ni nada vale lo que vale Valle.*

Nuestra edición

Reproducimos aquí el texto de la edición de 1920, última publicada en vida del autor y corregida de su mano, cotejándolo con las de 1904 y 1913 y dando las variantes en nota a pie de página. También en nota explicamos algunos términos oscuros o infrecuentes hoy día y los galleguismos, tan abundantes en Valle-Inclán y, sobre todo, en esta novela. Para ello hemos utilizado, entre otros repertorios, el *Diccionario de la Lengua Española* (20ª. ed., Madrid, R.A.E., 1984), el *Diccionario normativo galego-castelán* (Vigo, Galaxia, 1988) y el artículo sobre "los galaicismos" de Valle-Inclán del prof. Amor y Vázquez (v. Bibliografía).

A fin de no entorpecer la fluidez de lectura con continuas llamadas a la atención del lector, no hemos incluido las variantes que, respecto a las tres ediciones de la novela, presentan los cuentos publicados en la prensa e incorporados a *Flor de santidad* —o quizá, como los tres últimos, desgajados de ella—; pero los damos como *Apéndice* al final de la obra.

Por último, quiero agradecer desde aquí la generosa ayuda de don Carlos Luis del Valle-Inclán, marqués de Bradomín, y la de don Gustavo Domínguez, director de ediciones de Cátedra, que me han dado la oportunidad de poder realizar y publicar este trabajo; así mismo, la de don José Carlos Valle Pérez, director del Museo de Pontevedra, quien me ha proporcionado la fotocopia de *Ádega (cuento bizantino),* y la de mi compañero y amigo don Moisés García Ruiz, bibliotecario de la Nacional. Y la comprensión y apoyo de mi marido, Miguel Díez Rodríguez, que me acompaña, también, en la dedicación a la literatura y en el entusiasmo por Ramón del Valle-Inclán.

Bibliografía

Ediciones de Flor de santidad:

Madrid, Impr. de Antonio Marzo, 1904, 222 págs. Precedida de la dedicatoria: "Para una muy amada hija espiritual", suprimida en las eds. ss.

Madrid, Perlado, Páez y Compañía (Impr. Helénica), 1913 (30-marzo), 220 págs. (Opera Omnia, vol. II). Diseño y dibujos: José Moya del Pino. Precedida del poema de Antonio Machado: "Esta leyenda en sabio romance campesino...".

Madrid, Impr. Helénica, 1920 (30-octubre), 220 págs. (Opera Omnia, vol. II). Diseño de Moya del Pino y dibujos de Ángel Vivanco.

Flores de almendro, nota introd. Juan B. Bergua, Madrid, Librería Bergua, s.a. (1936-marzo). (Biblioteca de Bolsillo, núm. 58.). Con el título *Ádega,* págs. 268-328.

Madrid, Espasa-Calpe, 1942 (28-X). (Austral, núm. 302), páginas 9-98. Con *El marqués de Bradomín. Coloquios románticos* (Reeds.: 1945 y 1961) y con *La media noche. Visión estelar de un momento de guerra* (Reeds.: 1970, 1975 y 1978).

Obras Completas, I, próls. de *Azorín* (José Martínez Ruiz) y Jacinto Benavente, s.l. [Madrid, Rúa Nova, Talleres Tipográficos de Rivadeneyra], [1944], págs. 1-82.

Obras Completas, I, Madrid, Plenitud, 1954, págs. 1.175-1.231.

Obras Escogidas, I, pról. Ramón Gómez de la Serna, Madrid, Aguilar, 1958, págs. 347-413. (Biblioteca de Autores Modernos). (Cinco eds. hasta 1976).

Ed. Ricardo Doménech, Barcelona, Círculo de Lectores, 1991, 186 págs. (Biblioteca Valle-Inclán dirigida por Alonso Zamora Vicente, núm. 13).

113

Estudios *sobre Valle-Inclán, vida y obra en general, y/o con atención especial a* Flor de santidad:

ABAD, Francisco, "Sobre la lengua y el estilo: Valle-Inclán", *El Crotalón,* I, 1984, págs. 739-748.

ALONSO, Amado, "La musicalidad de la prosa en Valle-Inclán", en *Materia y forma en poesía,* 3ª. ed., Madrid, Gredos, 1977, págs. 268-314.

AMOR Y VÁZQUEZ, José, "Los galaicismos en la estética de Valle-Inclán", *Revista Hispánica Moderna,* XXIV, 1958, págs. 1-26.

ARREGUI, Beatriz M., "La frase 'siglo XX' en *Flor de Santidad"*, *Boletín de Investigaciones Literarias,* La Plata, 1949.

AUBRUN, Charles V., "Les débuts littéraires de Valle-Inclán", *Bulletin Hispanique,* LXVII, 1955.

BATAL BATAL, Carlos, *Las primeras narraciones de Valle-Inclán,* Madrid, Universidad Complutense, 1980.

BARBEITO Clara Luisa, *Épica y tragedia en la obra de Valle-Inclán,* Madrid, Fundamentos, 1985.

BARJA, César, *"Flor de Santidad", Ramón del Valle-Inclán: An appraisal...,* págs. 263-266.

BASA, Leopoldo, "El cuento *¡Malpocado!", El Eco de Galicia* 1903 (20-I), Buenos Aires.

BERMEJO MARCOS, Manuel, *Valle-Inclán: introducción a su obra* (Cap. IV), Madrid, Anaya, 1971, págs. 85-112.

BROWN, Gerald, *Historia de la literatura española, VI. El siglo XX,* Esplugues de Llobregat (Barcelona), Ariel, 1974, páginas 51-63 y 188-191.

BUGLIANI, Americo, "Nota sulla struttura di *Flor de Santidad"*, *Romanische Forschungen,* LXXX, 1975, págs. 97-100.

—, *La presenza di D'Annunzio in Valle-Inclán* (Cap. VI), Milán, Istituto Editoriale Cisalpino/La Goliardica, 1976, págs. 107-126.

—, "Un palimpsesto valleinclaniano: páginas antológicas de *Flor de santidad", Leer a Valle-Inclán,* Dijon, Centre d'études et de recherches hispaniques du XXe siècle, Université de Dijon, 1987, págs. 73-90.

CARBALLO CALERO, Ricardo, "A temática galega na obra de Valle Inclán", *Grial,* 1964 (en.-mar.).

CASARES, Julio, *Crítica profana. Valle-Inclán, "Azorín", Ricardo León,* 3ª. ed., Madrid, Espasa-Calpe (Austral, 469), 1964, págs. 13-85.

Díaz-Plaja, Guillermo, *Las estéticas de Valle-Inclán,* Madrid, Gredos, 1965.

Durán, Manuel, *De Valle-Inclán a León Felipe,* México, Finisterre, 1974, págs. 9-127.

Esteban, José, *Valle-Inclán visto por...,* Madrid, El Espejo, 1973.

Fernández Almagro, Melchor, *Vida y literatura de Valle-Inclán,* Madrid, Editora Nacional, 1943; (ed. moderna: Madrid, Taurus, 1966).

Fernández del Riego, Francisco, *Galicia y Valle-Inclán,* (Conferencia pronunciada en el Círculo Mercantil e Industrial de Vigo), Madrid, I.G. Magerit, 1959.

Ferreiro Alemparte, Jaime, "Vinculación literaria de dos escritores gallegos en castellano: Doña Emilia Pardo Bazán y Don Ramón del Valle-Inclán", *Grial,* IX, núm. 34, 1970 (oct.-nov.-dic.), págs. 410-429.

Filgueira Valverde, José, "Valle-Inclán en su paisaje", *El Museo de Pontevedra,* IX, 1955.

Flynn, Gerald Cox, "La 'bagatela' de Ramón del Valle-Inclán", *Actas del Primer Congreso Internacional de Hispanistas,* Oxford, The Dolphin, 1964.

Garasa, Delfín Leocadio, "Seducción poética del sacrilegio en Valle-Inclán", págs. 414-432.

Gil, Ildefonso-Manuel, *Valle-Inclán, "Azorín" y Baroja,* Madrid, Castillo, 1975, págs. 9-140.

Gómez de Baquero, Eduardo, *El renacimiento de la novela en el siglo XIX,* Madrid, Mundo Latino, 1924.

Gómez Marín, José Antonio, *La idea de sociedad en Valle-Inclán,* Madrid, Taurus, 1967.

Gómez de la Serna, Ramón, *Don Ramón María del Valle-Inclán,* Madrid, Espasa-Calpe, 1944 (5ª. ed., 1979).

—, Prólogo a Don Ramón del Valle-Inclán, *Obras escogidas,* I, 5ª. ed., Madrid, Aguilar, 1976.

González López, Emilio, "Valle-Inclán y Curros Enríquez", *Revista Hispánica Moderna,* XI, 1945, págs. 215-226. (Reeditado en *Ramón del Valle-Inclán. An Appraisal...,* págs. 251-262).

González del Valle, Luis T., *La ficción breve de Valle-Inclán. Hermenéutica y estrategias narrativas,* Barcelona, Anthropos, 1990.

Guerra, Ángel, "Comments on *Flor de Santidad",* *La Lectura,* V, núm. 1, 1905, págs. 176-180.

Guerrero, Obdulia, *Valle-Inclán y el 900: apuntes para un estudio biográfico-literario,* Madrid, E.M.E.S.A., 1977.

115

—, *Peculiaridades estilísticas en la obra literaria de Valle-Inclán: ciclo galaico-esperpentismo,* Madrid, 1980.

GULLÓN, Ricardo, "Técnicas de Valle-Inclán", *Papeles de Sons Armadans,* XLIII, CXXVII, 1966 (oct.).

—, *La novela lírica* (Cap. V), Madrid, Cátedra, 1984, págs. 69-77.

HORMIGÓN, Juan Antonio, ed., *Valle-Inclán: cronología y documentos,* Madrid, Ministerio de Cultura, 1978.

—, ed., *Valle-Inclán y su tiempo hoy,* Catálogo de la Exposición del Cincuentenario, Madrid, Ministerio de Cultura, 1986.

—, ed., *Busca y rebusca de Valle-Inclán.* Ponencias, comunicaciones y debates del Simposio Internacional sobre Valle-Inclán (mayo, 1986), 2 tomos, Madrid, Ministerio de Cultura, 1989.

LAÍN ENTRALGO, Pedro, *La generación del 98,* Madrid, Espasa-Calpe, 1947.

LAVAUD, Éliane, "A propos de la genèse de *Flor de Santidad",* *Les Langues Néolatines,* núm. 220, 1977, págs. 73-87.

—, "Réalités contemporaines et tentation millénariste dans *Flor de Santidad* de Valle-Inclán", *Annales littéraires de l'Université de Besançon (Recherches sur le roman historique en Europe. XVIII-XIXe siècles),* 1977, págs. 203-210.

—, *Valle-Inclán. Du journal au roman (1888-1915)* (3e. partie: Chaps. V, VI y VII), Braga, Klincksieck, 1979, págs. 451-54; versión española: *La singladura narrativa de Valle-Inclán (1888-1915)* (3ª. parte: Caps. VI, VII y VIII), La Coruña, Fundación "Pedro Barrié de la Maza, Conde de Fenosa", 1991, págs. 341-403.

LIMA, Robert, "Dimensiones de la vida y obra de Valle-Inclán", en *Dos ensayos sobre teatro español de los años 20,* ed. César Oliva, Cátedra de teatro de la Universidad de Murcia, 1984.

LORENZANA, Salvador, "Galleguicidad de Valle-Inclán", *Revista del Centro Gallego,* Buenos Aires, 1953.

McGRADY, Donald, "Elementos folklóricos en tres obras de Valle-Inclán", *Thesaurus. Boletín del Instituto Caro y Cuervo,* t. XXV, núm. 1, 1970 (en.-abr.), págs. 55-57.

MADRID, Francisco, *La vida altiva de Valle-Inclán,* Buenos Aires, Poseidón, 1943.

MARAVALL, José Antonio, "La imagen de la sociedad arcaica en Valle-Inclán", *Revista de Occidente,* núms. 44-45, XV, 1966 (nov.-dic.) págs. 225-256.

MONTESINOS, José F., *Ensayos y estudios de literatura española,* Madrid, Revista de Occidente, 1970.

Montoro, Adrián G., *"Flor de Santidad:* arquetipo y repetición"*, Modern Language Notes*, XCIII, 1978, págs. 252-266.

Nora, Eugenio G. de, *La novela española contemporánea (1898-1927)*, I, Madrid, Gredos, 1963, págs. 49-96.

Paolini, Claire J., *Valle-Inclán's Modernism. Use and abuse of religious and mystical symbolism*, Valencia, Albatros, 1986.

Phillips, Allen W., *"Flor de Santidad:* novela poemática de Valle-Inclán"*, en *Temas del Modernismo hispánico y otros estudios*, Madrid, Gredos, 1974, págs. 73-112.

Posse, Rita, "Notas sobre el folklore gallego en Valle-Inclán", *Cuadernos Hispanoamericanos,* núm. 199-200, 1966 (jul.-ag.), págs. 493-520.

Ramón María del Valle-Inclán (1866-1936). Estudios reunidos en conmemoración del centenario, Universidad Nacional de La Plata, 1967.

Ramos, Rosa Alicia, *Las narraciones breves de Ramón del Valle-Inclán,* Madrid, Pliegos, 1991.

Río, Ángel del, *Historia de la literatura española*, II, Barcelona, Bruguera, 1982, págs. 398-403.

Risco, Antonio, *El demiurgo y su mundo: hacia un nuevo enfoque de la obra de Valle-Inclán,* Madrid, Gredos, 1977.

Risley, William R., "Hacia el Simbolismo en la prosa de Valle-Inclán"*, Anales de la Narrativa Española Contemporánea,* 4, 1979, págs. 45-90.

Rodríguez Castelao, Alfonso, *Galicia y Valle-Inclán* (Conferencia leída en La Habana en enero de 1939), Lugo, Celta, 1970.

Rubia Barcia, José, "Valle-Inclán y la literatura gallega", *Revista Hispánica Moderna,* XXI, 1955, núm. 2, págs. 93-126, y núms. 3-4, págs. 294-315. Recogido en *Mascarón de proa*.

—, *Mascarón de proa: aportaciones al estudio de la vida y la obra de Don Ramón María del Valle-Inclán y Montenegro,* La Coruña, Ediciós do Castro, 1983.

Rueda, Ángel F., *Recreación y reiteración de personajes en la obra narrativa de Valle-Inclán,* Michigan, Ann Arbor, 1985.

Salinas, Pedro, "Significación del esperpento o Valle-Inclán, hijo pródigo del 98", en *Literatura Española. Siglo XX,* Madrid, Alianza, 1970, págs. 86-114.

Sanz Cuadrado, María Antonia, *"Flor de Santidad* y *Aromas de leyenda",* Cuadernos de Literatura Contemporánea,* núm. 18, 1946, págs. 510-521.

Schiavo, Leda, "La estética del recuerdo en Valle-Inclán", *Ínsula,* núm. 531, 1991 (marzo), págs. 12-14.

SECO SERRANO, Carlos, *Sociedad, literatura y política en la España del siglo XIX,* Madrid, Guadarrama, 1973, páginas 319-349.

SEELEMAN, Rosa, "Folkloric Elements in Valle-Inclán", *Hispanic Review,* III, 1935, págs. 103-118.

SEGURA COVARSÍ, Enrique, "Los ciegos de Valle-Inclán", *Clavileño,* II, núm. 17, 1952.

—, "La flora y la fauna en la obra de Valle-Inclán", *Revista de Literatura,* 1957 (jul.-dic.).

SENDER, Ramón J., *Unamuno, Valle-Inclán, Baroja y Santayana, ensayos críticos,* México, Andrea, 1955.

—, *Valle-Inclán y la dificultad de la tragedia,* Madrid, Gredos, 1965, págs. 97-128.

SERVERA BAÑO, José, *Ramón del Valle-Inclán,* Madrid, Júcar, 1983.

SLETSJOE, Leif, "El cuento *¡Malpocado!* (sobre temas y personajes en la obra de Valle-Inclán)", *Cuadernos Hispanoamericanos,* núm. 301, 1975, págs. 195-212.

SMITH, Verity, *Ramón del Valle-Inclán,* Nueva York, Twayne, 1973.

SMITHER, William J., *El mundo gallego de Valle-Inclán,* La Coruña, Ediciós do Castro, 1986.

SPERATTI-PIÑERO, Emma Susana, *De "Sonata de otoño" al esperpento. Aspectos del arte de Valle-Inclán,* Londres, Tamesis, 1968.

—, "Los brujos de Valle-Inclán", *Nueva Revista de Filología Española,* XXI, núm. 1, 1972, págs. 40-70.

—, *El ocultismo en Valle-Inclán,* Londres, Tamesis, 1974.

TORRE, Guillermo de: "Valle-Inclán o el rostro y la máscara", en *La difícil universalidad española,* Madrid, Gredos, págs. 113-162.

TUDELA, Mariano, *Valle-Inclán. Vida y milagros,* Madrid, Vasallo de Mumbert, 1972.

UNAMUNO, Miguel de, "El habla de Valle-Inclán", *Ahora,* 29 - I-1936; en *Obras Completas, III. Nuevos ensayos,* ed. Manuel García Blanco, Madrid, Escelicer, 1968, páginas 1.246-1.248.

UMBRAL, Francisco, *Valle-Inclán,* Madrid, Unión Editorial, 1968.

VALLE-INCLÁN, Ramón del, *Artículos completos y otras páginas olvidadas,* ed. Javier Serrano Alonso, Madrid, Istmo, 1987.

VARELA, José Luis, "Melodía galaica a través de la prosa rítmica de Valle-Inclán", *Cuadernos de Literatura Contemporánea,* núm. 18, 1946.

ZAHAREAS, Anthony N.; CARDONA, Rodolfo, y GREENFIELD, Sumner M., eds., *Ramón del Valle-Inclán. An Appraisal of his Life and Works,* Nueva York, Las Américas, 1968.

ZAMORA VICENTE, Alonso, *Valle-Inclán, novelista por entregas,* Madrid, Taurus, 1973.

Revistas. Algunos números monográficos sobre Valle-Inclán

Cuadernos Hispanoamericanos, Homenaje a Valle-Inclán, núms. 199-200, 1966 (jul.-ag.).

Ínsula, "El estado de la cuestión. Estéticas de Valle-Inclán: balance crítico", núm. 531, 1991 (marzo).

Revista de Occidente, núms. 44-45, tomo XV, 1966 (nov.-dic.).

Flor de santidad

Historia milenaria

Escena de la película *Flor de santidad* (1972)
de Adolfo Marsillach

SONETO DEL POETA ANTONIO MACHADO

Esta leyenda en sabio romance campesino,
ni arcaico ni moderno, por Valle-Inclán escrita,
revela en los halagos de un viento vespertino,
la santa flor del alma que nunca se marchita.

Es la leyenda campo y campo. Un peregrino
que vuelve solitario de la sagrada tierra
donde Jesús morara, camina sin camino
entre los agrios montes de la galaica sierra.

Hilando silenciosa, la rueca a la cintura,
Ádega, en cuyos ojos la llama azul fulgura
de la piedad humilde, en el romero ha visto,

al declinar la tarde, la pálida figura,
la frente gloriosa de luz y la amargura
de amor que tuvo un día el SALVADOR DOM. CRISTO.

Primera Estancia

CAPÍTULO PRIMERO

Caminaba rostro a la venta[1] uno de esos peregrinos que van en romería a todos los santuarios y recorren los caminos salmodiando una historia sombría, forjada con reminiscencias de otras cien, y a propósito para conmover el alma de los montañeses, milagreros y trágicos[2]. Aquel mendicante desgreñado y bizantino, con su esclavina adornada de conchas, y el bordón de los caminantes en la diestra, parecía resucitar la devoción del tiempo antiguo, cuando toda la Cristiandad creyó ver en la celeste altura el Camino de Santiago. ¡Aquella ruta poblada de riesgos y trabajos, que la sandalia del peregrino iba labrando piadosa[3] en el polvo de la tierra!

No estaba la venta situada sobre el camino real, sino en mitad de un descampado donde sólo se erguían algunos pinos desmedrados y secos. El paraje de montaña, en toda sazón austero y silencioso, parecíalo[4] más bajo el cielo encapotado de aquella tarde invernal. La-

---

[1] La edición de 1904 comienza: "Rostro a la venta adelantaba uno..."

[2] En 1904 se lee: "sencilla, milagrera y trágica".

[3] 1904: "dejando lentamente" en lugar de "labrando piadosa".

[4] La posposición o enclisis del pronombre átono a las formas personales del verbo es uso normativo en gallego, pero arcaico en castellano; además, en esta obra es un recurso de distanciamiento temporal.

draban los perros de la aldea vecina, y como eco simbólico de las borrascas del mundo se oía el tumbar ciclópeo y opaco de un mar costeño muy lejano. Era nueva la venta, y en medio de la sierra adusta y parda, aquel portalón color de sangre y aquellos frisos azules y amarillos de la fachada, ya borrosos por la perenne lluvia del invierno, producían indefinible sensación de antipatía y de terror. La carcomida venta de antaño, incendiada una noche por cierto famoso bandido, impresionaba menos tétricamente.

Anochecía, y la luz del crepúsculo daba al yermo y riscoso paraje entonaciones anacoréticas que destacaban con sombría idealidad la negra figura del peregrino. Ráfagas heladas de la sierra que imitan el aullido del lobo, le sacudían implacables la negra y sucia guedeja, y arrebataban, llevándola del uno al otro hombro, la ola de la barba que al amainar el viento caía estremecida y revuelta sobre el pecho donde se zarandeaban cruces y rosarios. Empezaban a caer gruesas gotas de lluvia, y por el camino real venían ráfagas de polvo y en lo alto de los peñascales balaba una cabra negra. Las nubes iban a congregarse en el horizonte, un horizonte de agua. Volvían las ovejas al establo, y apenas turbaba el reposo del campo aterido por el invierno el son de las esquilas[5]. En el fondo de una hondonada verde y umbría se alzaba el Santuario de San Clodio Mártir rodeado de cipreses centenarios que cabeceaban tristemente[6]. El mendicante se detuvo y apoyado a dos manos en el bordón contempló la aldea[7] agrupada en la falda de un monte, entre foscos y sonoros[8] pinares. Sin ánimo para llegar al caserío cerró los ojos nublados por la fatiga, cobró aliento en un suspiro y siguió adelante.

---

[5] 1904 añade: "lentas y soñolientas".

[6] 1904 intercala: "Parecían patriarcas sin prole, abandonados al borde de un camino."

[7] En 1904, en lugar de "agrupada", se lee: "que sobresale", que falta en la 2ª. ed., 1913.

[8] "Y sonoros" fue añadido en la 3ª. ed., 1920.

Capítulo II

Sentada al abrigo de unas piedras célticas, doradas por líquenes milenarios, hilaba una pastora. Las ovejas rebullían en torno, sobre el lindero del camino pacían las vacas de trémulas y rosadas ubres, y el mastín, a modo de viejo adusto, ladraba al recental que le importunaba con infantiles retozos. Inmóvil en medio de la mancha movediza del hato, con la rueca afirmada en la cintura y las puntas del capotillo mariñán[9] vueltas sobre los hombros, aquella zagala parecía la zagala de las leyendas piadosas: Tenía la frente dorada como la miel y la sonrisa cándida[10]. Las cejas eran rubias y delicadas, y los ojos, donde temblaba una violeta azul, místicos y ardientes como preces. Velando el rebaño[11], hilaba su copo con mesura acompasada y lenta que apenas hacía ondear el capotillo mariñán[12]. Tenía un hermoso nombre antiguo: Se llamaba Ádega[13]. Era muy devota, con devoción sombría, montañesa y arcaica. Llevaba en el justillo[14] cruces y medallas, amuletos de azabache y faltriqueras de velludo que contenían brotes[15] de olivo y hojas de misal. Movida por la presencia del peregrino, se levantó del suelo, y echando el rebaño por delante tomó a su vez camino de la venta, un sendero entre to-

---

9 *capotillo mariñán:* capita de abrigo propia de las gentes de la costa o marineras.

10 1904 añade: "como el vellón de sus corderos".

11 Proposición de gerundio añadida en 1913.

12 En 1904 aparece sólo "capotillo" y en 1913 sólo "mariñán".

13 En castellano, Águeda.

14 *justillo:* prenda interior sin mangas que ciñe el cuerpo y no baja de la cintura.

15 1904: "ramos"; *faltriqueras de velludo:* bolsillo de felpa o, en este caso, de terciopelo que, tradicionalmente, se ataban las mujeres a la cintura y que llevaban colgando debajo de la saya o del delantal; en las dos primeras eds. se lee: "faltriqueros".

jos trillado por los zuecos de los pastores. A muy poco juntóse con el mendicante que se había detenido en la orilla del camino y dejaba caer bendiciones sobre el rebaño. La pastora y el peregrino se saludaron con cristiana humildad:

—¡Alabado sea Dios!

—¡Alabado sea, hermano!

El hombre clavó en Ádega la mirada, y, al mismo tiempo de volverla al suelo, preguntóle con la plañidera solemnidad de los pordioseros si por acaso servía en la venta. Ella, con harta prolijidad, pero sin alzar la cabeza, contestó que era la rapaza del ganado y que servía allí por el yantar y el vestido. No llevaba cuenta del tiempo, mas cuidaba que en el mes de San Juan se remataban tres años. La voz de la sierva era monótona y cantarina. Hablaba el romance arcaico, casi visigodo, de la montaña. El peregrino parecía de luengas tierras. Tras una pausa renovó el pregunteo:

—Paloma del Señor, querría saber si los venteros son gente cristiana, capaz de dar hospedaje a un triste pecador que va en peregrinación a Santiago de Galicia.

Ádega, sin aventurarse a una respuesta, torcía entre sus dedos una punta del capotillo mariñán. Dio una voz al hato, y murmuró levantando los ojos:

—¡Asús!... ¡Como cristianos, sonlo[16], sí, señor!...

Se interrumpió de intento para acuciar las vacas, que paradas de través en el sendero alargaban el yugo sobre los tojos, buscando los brotes nuevos. Después continuaron en silencio hasta las puertas de la venta. Y mientras la zagala encierra el ganado y previene en los pesebres recado de húmeda y olorosa yerba[17], el peregrino salmodia padrenuestros ante el umbral del hospedaje.

---

[16] Ádega responde, como es normal en gallego, repitiendo parte de la pregunta —aquí, como es frecuente, el verbo— y éste con el pronombre átono enclítico (v. n. 4).

[17] En 1904 se lee siempre "hierba". La grafía de esta palabra la cambió Valle a partir de 1913.

Ádega, cada vez que entra o sale en los establos, se detiene un momento a contemplarle. El sayal andrajoso del peregrino encendía en su corazón la llama de cristianos sentimientos. Aquella pastora de cejas de oro y cándido seno hubiera lavado gustosa los empolvados pies del caminante y hubiera desceñido sus cabellos para enjugárselos. Llena de fe ingenua, sentíase embargada por piadoso recogimiento. La soledad profunda del paraje, el resplandor fantástico del ocaso anubarrado y con luna, la negra, desmelenada y penitente sombra del peregrino, le infundían aquella devoción medrosa que se experimenta a deshora[18] en la paz de las iglesias, ante los retablos poblados de santas imágenes: Bultos sin contorno ni faz, que a la luz temblona de las lámparas se columbran en el dorado misterio de las hornacinas, lejanos, solemnes, milagrosos.

CAPÍTULO III

Ádega era huérfana. Sus padres habían muerto de pesar y de fiebre aquel malhadado Año del Hambre[19], cuando los antes alegres y picarescos molinos del Sil y del Miño parecían haber enmudecido para siempre. La pastora aún rezaba muchas noches, recordando con estremecimiento[20] de amor y de miedo la agonía de

---

[18] El adjetivo "medrosa" y esta locución adverbial fueron añadidos en 1920.

[19] Se refiere al invierno de 1853 que fue particularmente trágico para el campesinado gallego; el recuerdo de aquel año aciago permaneció en la memoria colectiva y algunos escritores gallegos, como Manuel Murguía o Curros Enríquez, lo convirtieron en tema literario; pero ninguno consiguió darle el intenso carácter épico, de auténtica gesta de un pueblo pobre y acosado, como Valle-Inclán en este impresionante capítulo, que, por otra parte, es recreación de los cuentos *Lluvia, Año de Hambre* y de la primera parte del episodio II de *Ádega (Historia mileniaria)* (v. Apéndice).

[20] 1904: "estremecimientos".

dos espectros amarillos y calenturientos sobre unas briznas de paja. Con el pavoroso relieve que el silencio de las altas horas presta a este linaje de memorias veía otra vez aquellos pobres cuerpos que tiritaban, volvía a encontrarse con la mirada de la madre que a todas partes la seguía[21], adivinaba en la sombra la faz afilada del padre contraída con una mueca lúgubre, el reír mudo y burlón de la fiebre que lentamente le cavaba la hoya...

¡Qué invierno aquél! El atrio de la iglesia se cubrió de sepulturas nuevas. Un lobo rabioso bajaba todas las noches a la aldea y se le oía aullar desesperado. Al amanecer no turbaba la paz de los corrales ningún cantar madruguero, ni el sol calentaba los ateridos campos. Los días se sucedían monótonos, amortajados en el sudario ceniciento de la llovizna. El viento soplaba áspero y frío, no traía caricias, no llevaba aromas, marchitaba la yerba, era un aliento embrujado. Algunas veces, al caer la tarde, se le oía escondido en los pinares quejarse con voces del otro mundo. Los establos hallábanse vacíos, el hogar sin fuego, en la chimenea el trasgo moría de tedio. Por los resquicios de las tejas filtrábase la lluvia maligna y terca en las cabañas llenas de humo. Aterida, mojada, tísica, temblona, una bruja hambrienta velaba acurrucada a la puerta del horno. La bruja tosía llamando al muerto eco del rincón calcinado, negro y frío...[22] ¡Qué invierno aquél! Un día y otro día desfilaban por el

---

[21] 1904 añade detrás de "madre": "amorosa y desesperada a un tiempo" e intercala "y" detrás de "seguía".

[22] 1904: "...una bruja velaba acurrucada a la puerta del horno sin que consiguiese ahuyentarla la herradura de siete clavos que la mano arrugada de la superstición popular había puesto en el umbral de la puerta. La bruja tirana de la aldea entrechocaba aterida las desdentadas mandíbulas y tosía..."; en 1913, tal como aparece aquí. La comparación de las cinco redacciones de las dos últimas frases, realizadas a lo largo de diecisiete años, da idea de los sucesivos e implacables limados a los que Valle-Inclán sometía su prosa (v. Apéndice: *Lluvia* (1896), *Ádega (Historia milenaria), II* (1899) y *Año de hambre* (1903).

camino real procesiones de aldeanos hambrientos, que bajaban como lobos de los casales[23] escondidos en el monte. Sus madreñas producían un ruido desolador cuando al caer de la tarde cruzaban la aldea. Pasaban silenciosos[24], sin detenerse, como un rebaño descarriado. Sabían que allí también estaba el hambre. Desfilaban por el camino real lentos, fatigados, dispersos, y sólo hacían alto cuando las viejas campanas de alguna iglesia perdida en el fondo del valle dejaban oír sus voces familiares anunciando aquellas rogativas que los señores abades hacían para que se salvasen los viñedos y los maizales. Entonces, arrodillados a lo largo del camino, rezaban con un murmullo plañidero. Después continuaban su peregrinación hacia las villas lejanas, las antiguas villas feudales que aún conservan las puertas de sus murallas. Los primeros aparecían cuando la mañana estaba blanca por la nieve, y los últimos cuando huía la tarde arrebujada en los pliegues de la ventisca. Conforme iban llegando unos en pos de otros, esperaban sentados ante la portalada de las casas solariegas, donde los galgos flacos y cazadores, atados en el zaguán, los acogían ladrando. Aquellos abuelos de blancas guedejas, aquellos zagales asoleados, aquellas mujeres[25] con niños en brazos, aquellas viejas encorvadas, con grandes bocios colgantes y temblones, imploraban limosna entonando una salmodia humilde. Besaban la borona[26], besaban la mazorca del maíz, besaban la cecina, besaban la mano que todo aquello les ofrecía, y rezaban para que hubiese siempre caridad sobre la tierra. Rezaban al Señor Santiago y a Santa María.

---

[23] *casal(es):* pequeño grupo de casas o lugar menor que una aldea.
[24] 1904 presenta "devastador" en lugar de "desolador" y añade "silenciosa", detrás de "aldea"; el adjetivo "silenciosos" fue añadido en 1913.
[25] 1904: "mujerucas".
[26] *borona* (en gallego, "boroa" y también "broa"): pan de maíz.

¡Qué invierno aquél! Ádega, al quedar huérfana, también pidió limosna por villas y por caminos[27], hasta que un día la recogieron en la venta. La caridad no fue grande, porque era ya[28] entonces una zagala de doce años que cargaba mediano haz de yerba, e iba al monte con las ovejas y con grano al molino. Los venteros no la trataron como hija, sino como esclava: Marido[29] y mujer eran déspotas, blasfemos y crueles. Ádega no se rebelaba nunca contra los malos tratamientos. Las mujerucas del casal encontrábanla mansa como una paloma y humilde como la tierra. Cuando la veían tornar de la villa chorreando agua, descalza y cargada, solían compadecerla rezando[30] en alta voz: "¡Pobre rapaza, sin padres!...".

Capítulo IV

El mendicante salmodiaba ante el portalón de la venta:

—¡Buenas almas del Señor, haced al pobre peregrino un bien de caridad!

Era su voz austera y plañida[31]. Apoyó la frente contra el bordón, y la guedeja negra, polvorienta y sombría, cayó sobre su faz. Una mujeruca asomó en la puerta:

—¡Vaya con Dios, hermano!

Traía la rueca en la cintura, y sus dedos de momia daban vueltas al huso. El peregrino levantó la frente voluntariosa y ceñuda como la de un profeta:

---

[27] En 1904 se lee "pedía" en lugar de "pidió" y "villas" y "caminos" van antecedidos por "las" y "los", respectivamente.

[28] Las dos primeras eds. presentan "ya era".

[29] Es esta la única vez que aparece este personaje; en todo el resto de la novela sólo se hablará de la ventera y de su hijo.

[30] En lugar de la perífrasis de infinitivo, 1904 presenta: "la compadecían", y 1913 añade: "rezando".

[31] Esta frase fue añadida en 1913.

—¿Y adónde quiere que vaya[32], perdido en el monte?

—Adonde le guíe Dios, hermano.

—A que me coman los lobos.

—¡Asús!... No hay lobos.

Y la mujeruca, hilando su copo, entróse nuevamente en la casa. Una ráfaga de viento cerró la puerta, y el peregrino alejóse musitando. Golpeaba las piedras con el cueto[33] de su bordón. De pronto volvióse, y rastreando un puñado de tierra lo arrojó a la venta. Erguido en medio del sendero, con la voz apasionada y sorda de los anatemas, clamó:

—¡Permita Dios que una peste cierre para siempre esa casa sin caridad! ¡Que los brazados de ortigas[34] crezcan en la puerta! ¡Que los lagartos anden por las ventanas a tomar el sol!...[35] Sobre la esclavina del peregrino temblaban las cruces, las medallas, los rosarios de Jerusalén. Sus palabras ululaban en el viento, y las greñas lacias y tristes le azotaban las mejillas. Ádega le llamó en voz baja desde la cancela del aprisco:

—¡Oiga, hermano!... ¡Oiga!...

Como el peregrino no la atendía, se acercó tímidamente...

—¿Quiere dormir en el establo, señor?

El peregrino la miró con dureza. Ádega, cada vez más temerosa y humilde, ensortijaba a sus dedos bermejos una hoja de juncia olorosa:

—No vaya de noche por el monte, señor. Mire, el es-

---

[32] Obsérvese la repetición, en este caso, de la forma verbal "vaya" en la pregunta del peregrino; es un galleguismo constante, en mayor o menor medida, en casi todos los diálogos de la novela.

[33] Valle-Inclán castellaniza como "cueto" el término gallego "coto" ("cozo o coizo": palo corto y grueso), quizá basándose en su parecido con el castellano "cuento": punta o extremidad de la lanza, bastón o paraguas.

[34] Con h, "hortigas", en las dos primeras eds.

[35] "Andar + a + sust. o inf.", galleguismo, expresión frecuentativa: expresa la afición u ocupación habitual: "ando a pedir, agora también anda a pedir" (v. IV, 1 y V, 4).

tablo de las vacas lo tenemos lleno de heno y podría descansar a gusto.

Sus ojos de violeta alzábanse en amoroso ruego, y sus labios trémulos permanecían entreabiertos con anhelo infinito. El mendicante, sin responder una sola palabra, sonrió. Después volvióse avizorando[36] hacia la venta, que permanecía cerrada, y fue a guarecerse en el establo, andando con paso de lobo. Ádega le siguió. El mastín, como en una historia de santos, vino silencioso a lamer las manos del peregrino y la pastora. Apenas se veía dentro del establo. El aire era tibio y aldeano, sentíase el aliento de las vacas. El recental, que andaba suelto, se revolvía juguetón entre las patas de la yunta, hocicaba en las ubres y erguía el picaresco testuz dando balidos. La Marela y la Bermella[37], graves como dos viejas abadesas, rumiaban el trébol fresco y oloroso, cabeceando sobre los pesebres. En el fondo del establo había una montaña de heno, y Ádega condujo al mendicante de la mano. Los dos caminaban a tientas. El peregrino dejóse caer sobre la yerba, y sin soltar la mano de Ádega pronunció a media voz:

—¡Ahora solamente falta que vengan los amos!...

—Nunca vienen.

—¿Eres tú quien acomoda el ganado?

—Sí, señor.

—¿Duermes en el establo?

—Sí, señor.

El mendicante rodeóle los brazos a la cintura y Ádega cayó sobre el heno. No hizo el más leve intento de[38] huir. Temblaba agradecida al verse cerca de aquel santo que la estrechaba con amor. Suspirando cruzó las

---

[36] 1913: "avizorado", que aparece también en *Ádega (Historia mileniaria)*, III (v. Apéndice).

[37] *marela*, en gallego: "amarilla", se dice especialmente de la vaca de capa amarillenta o ámbar, raza autóctona de Galicia. *Bermella o vermella*, en gallego: "roja o encarnada".

[38] 1913: "por".

manos sobre el cándido seno como para cobijarlo y rezar. El mastín vino a posar la cabeza en su regazo. Ádega, con apagada y religiosa voz preguntó al peregrino:

—¿Ya traerá mucho andado por el mundo?

—Desde la misma Jerusalén.

—¿Eso deberá ser muy desviado[39], muy desviado de aquí?...

—¡Más de cien leguas!

—¡Glorioso San Berísimo!... ¿Y todo por monte?

—Todo por monte y malos caminos.

—¡Ay santo!... Bien ganado tiene el Cielo.

Los rosarios del peregrino habíanse enredado en el cabello de la zagala, que para mejor desprenderlos se puso de rodillas. Las manos le temblaban, y toda confusa hubo de arrancárselos. Llena de santo respeto besó las cruces y las medallas que desbordaban entre sus dedos.

—Diga, ¿están tocados estos rosarios en el sepulcro de Nuestro Señor?

—En el sepulcro de Nuestro Señor... ¡Y además en el sepulcro de los Doce Apóstoles![40]

Ádega volvió a besarlos. Entonces el peregrino, con ademán pontifical, le colgó un rosario al cuello:

—Guárdalo aquí, rapaza.

Y apartábala[41] suavemente los brazos que la pastora tenía aferrados en cruz sobre el pecho. La niña murmuraba con anhelo:

—¡Déjeme, señor!... ¡Déjeme!

El mendicante sonreía y procuraba desabrocharla el justillo. Sobre sus manos velludas revoloteaban las manos de la pastora como dos palomas asustadas:

---

[39] "deberá ser", perífrasis de obligación, por "deberá de ser", probabilidad; *desviado:* galleguismo por "apartado o alejado".

[40] Frase irónica con que Valle-Inclán nos pone sobreaviso de la condición farsante del peregrino.

[41] Como, más adelante, en "desabrocharla el justillo", es éste un caso de laísmo: uso incorrecto del pronombre -*la* —COD fem.—, en lugar de -*le*—COI, igual para ambos géneros.

—Déjeme, señor, yo lo guardaré.

El peregrino la amenazó:

—Voy a quitártelo.

—¡Ah, señor, no haga eso!... Guárdemele[42] aquí, donde quiera...

Y se desabrochaba el corpiño, y descubría la cándida[43] garganta, como una virgen mártir que se dispusiese a morir decapitada.

Capítulo V

Ádega cuando iba al monte con las ovejas tendíase a la sombra de grandes peñascales, y pasaba así horas enteras, la mirada sumida en las nubes y en infantiles éxtasis el ánima. Esperaba llena de fe ingenua que la azul inmensidad se rasgase dejándole entrever la Gloria. Sin conciencia del tiempo, perdida en la niebla[44] de este ensueño, sentía pasar sobre su rostro el aliento encendido del milagro. ¡Y el milagro acaeció!... Un anochecer de verano Ádega llegó a la venta jadeante, transfigurada la faz. Misteriosa llama temblaba en la azulada flor de sus pupilas, su boca de niña melancólica se entreabría sonriente, y sobre su rostro derramábase, como óleo santo, alegría mística[45]. No acertaba con las palabras, el corazón batía en el pecho cual azorada paloma. ¡Las nubes habíanse desgarrado, y el Cielo apareciera[46] ante sus ojos, sus indignos ojos que la tierra había de comer! Hablaba postrada en tierra, con trémulo labio y frases ardientes.

---

[42] Leísmo incorrecto y extraño en una campesina gallega como Ádega: "-le" (COI) por "-lo" (COD, masc.).

[43] Este adjetivo fue añadido en 1920.

[44] 1904 añade: "blanca".

[45] En las dos primeras eds. se antepone el adjetivo: "mística alegría".

[46] El uso del pretérito imperfecto de subjuntivo terminado en "-era" por el indefinido o el pluscuamperfecto de indicativo —que en gallego termina así—, es un galleguismo frecuente en Valle-Inclán.

Por sus mejillas corría el llanto. ¡Ella, tan humilde, había gozado favor tan extremado! Abrasada por la ola[47] de la gracia, besaba el polvo con besos apasionados y crepitantes, como esposa enamorada que besa al esposo.

La visión de la pastora puso pasmo en todos los corazones, y fue caso de edificación en el lugar. Solamente el hijo de la ventera, que había andado por luengas[48] tierras, osó negar el milagro. Las mujerucas de la aldea augurábanle un castigo ejemplar. Ádega, cada vez más silenciosa, parecía vivir en perpetuo ensueño[49]. Eran muchos los que la tenían en olor de saludadora. Al verla desde lejos, cuando iba por yerba al prado o con grano al molino, las gentes que trabajaban los campos dejaban la labor y pausadamente venían a esperarla en el lindar de la vereda. Las preguntas que le dirigían eran de un candor milenario[50]. Con los rostros resplandecientes de fe, en medio de murmullos piadosos, los aldeanos pedían nuevas de sus difuntos: Parecíales[51] que si gozaban de la bienaventuranza, se habrían[52] mostrado a la pastora, que al cabo era de la misma feligresía. Ádega bajaba los ojos vergonzosa. Ella tan sólo había visto a Dios Nuestro Señor, con aquella su barba nevada y solemne, los ojos de dulcísimo mirar y la frente circundada de luz. Oyendo a la pastora las mujeres se hacían cruces y los abuelos de blancas guedejas la bendecían con amor.

Andando el tiempo la niña volvió a tener nuevas visiones. Tras aquellas nubes de fuego que las primeras veces deslumbraron[53] sus ojos, acabó por distinguir tan claramente la Gloria que hasta el rostro de los santos

---

[47] 1904 añade: "voluptuosa".

[48] *luengas*, arcaísmo: "largas"; el sentido correcto sería aquí el del arcaico "lueñes": lejanas, distantes.

[49] 1904 intercala: "Por momentos sus miradas cobraban el inspirado llamear de las pupilas de los iluminados."

[50] 1904: "medioeval".

[51] 1904: añade: "natural".

[52] 1904: "hubiesen".

[53] 1904: "deslumbraran".

reconocía. Eran innumerables: Patriarcas de luenga barba, vírgenes de estática sonrisa, doctores de calva sien, mártires de resplandeciente faz, monjes, prelados y confesores. Vivían en capillas de plata cincelada, bordadas de pedrería como la corona de un rey. Las procesiones se sucedían unas a otras, envueltas en la bruma luminosa de la otra vida. Precedidas del tamboril y de la gaita, entre pendones carmesí y cruces resplandecientes, desfilaban por fragantes senderos alfombrados[54] con los pétalos de las rosas litúrgicas que ante el trono del Altísimo deshojan día y noche los serafines. Mil y mil campanas prorrumpían en repique alegre, bautismal, campesino. Un repique de amanecer, cuando el gallo canta y balan en el establo las ovejas[55]. Y desde lo alto de sus andas de marfil, Santa Baya de Cristamilde, San Berísimo de Céltigos, San Cidrán, Santa Minia, San Clodio[56], San Electus, tornaban hacia la pastora el rostro pulido, sonrosado, riente. ¡También ellos, los viejos tutelares de las iglesias y santuarios de la montaña, reconocían a su sierva! Oíase el murmullo solemne, misterioso y grave de las letanías, de los salmos, de las jaculatorias. Era una agonía de rezos ardientes, y sobre ella revolotea el áureo campaneo[57] de las llaves de San Pedro. Zagales que tenían por bordones floridas varas, guardaban en campos de lirios ovejas de nevado, virginal vellón, que acudían a beber el agua de fuentes milagrosas cuyo murmullo semeja[58] rezos informes. Los zagales tocaban dulcísimamente pífanos[59] y flautas de plata, las zagalas bailaban al son, agitando los panderos de sonajas de oro. ¡En aquellas regiones azules no había lobos, los que

---

[54] 1904: "dibujados".

[55] 1904 añade: "abrileño" detrás de "amanecer" y "cuando los almendros cuajan la flor y trinan los ruiseñores" detrás de "ovejas".

[56] "Baya, Cidrán y Clodio" son, en castellano, Eulalia, Cipriano y Claudio.

[57] 1904: "golpear", en lugar de "campaneo".

[58] 1904: "semejaba".

[59] *pífano (s):* flautín de tono muy agudo.

138

allí pacían eran los rebaños del Niño Dios!... Y tras montañas de fantástica cumbre, que marcan el límite de la otra vida, el sol, la luna y las estrellas se ponen en un ocaso que dura eternidades. Blancos y luengos rosarios de ánimas en pena giran en torno, por los siglos de los siglos. Cuando el Señor se digna mirarlas, purificadas, felices, triunfantes, ascienden a la gloria por misteriosos rayos de luminoso, viviente polvo.

Después de estas muestras que Dios Nuestro Señor le daba de su gracia, la pastora sentía el alma fortalecida y resignada. Se aplicaba al trabajo con ahínco, abrazábase enternecida al cuello de las vacas, y hacía cuanto los amos la ordenaban, sin levantar los ojos, temblando de miedo bajo sus harapos.

Segunda Estancia

Capítulo I

Despertóse Ádega con el alba y[1] creyó que una celeste albura circundaba la puerta del establo abierta sobre un fondo de prados[2] húmedos que parecían cristalinos bajo la helada. El peregrino había desaparecido, y sólo quedaba el santo hoyo de su cuerpo en la montaña de heno. Ádega se levantó suspirando y acudió al umbral donde estaba echado el mastín. En el cielo lívido del amanecer aún temblaban algunas estrellas mortecinas. Cantaban los gallos de la aldea, y por el camino real cruzaba un rebaño de cabras conducido por dos rabadanes a caballo. Llovía queda, quedamente, y en los montes lejanos, en los montes color de amatista, blanqueaba la nieve. Ádega se enjugó los ojos llenos de lágrimas, para mejor contemplar al peregrino que subía la cuesta amarillenta y barcina de un sendero[3] trillado por los rebaños y los zuecos de los pastores. Una raposa[4], con

---

[1] 1904: "Ádega al despertarse creyó..."; hasta "y", fue añadido en 1913.

[2] 1904: "herbales".

[3] 1904: "de aquel sendero entre tojos..."; *barcina:* dícese de los animales de pelo blanco y pardo y, a veces, rojizo, como ciertos perros, toros y vacas.

[4] 1904: "Un raposo..."; más adelante dirá, lógicamente, "venía huido".

141

la cola pegada a las patas, saltó la cancela del huerto y atravesó corriendo el camino. Venía huida de la aldea. El mastín enderezó las orejas y prorrumpió en ladridos. Después salió a la carrera, olfateando con el hocico al viento. Al peregrino ya no se le veía. La ventera llamó desde el corral:

—¡Ádega!... ¡Ádega!...

Ádega besó el rosario que llevaba al cuello, y se abrochó el corpiño.

—¡Mande, mi ama!

La ventera asomó por encima de la cerca su cabeza de bruja:

—Saca las ovejas y llévalas al monte.

—Bien está; sí, señora.

—Al pasar, pregunta en el molino si anda la piedra del centeno.

—Bien está; sí, señora.

Abrió el aprisco y entró a buscar el cayado. Las ovejas iban saliendo una a una, y la ventera las contaba en voz baja. La última cayó muerta en el umbral. Era blanca y nacida aquel año, tenía el vellón intonso, el albo y virginal vellón de una oveja eucarística. Viéndola muerta, la ventera clamó:

—¡Ay!... De por fuerza hiciéronle mal de ojo al ganado... ¡San Clodio Bendito! ¡San Clodio Glorioso!

Las ovejas acompañaban aquellos clamores balando tristemente. Ádega respondió:

—Es la maldición del peregrino, señora ama. Aquel santo era Nuestro Señor. ¡Algún día se sabrá! Era Nuestro Señor que andaba pidiendo por las puertas para saber dónde había caridad.

Las ovejas agrupábanse amorosas en torno suyo. Tenía en los ojos lumbre de bienaventuranza, cándido reflejar de estrellas. Su voz estaba ungida de santidad. Cantaba profética:

—¡Algún día se sabrá! ¡Algún día se sabrá!

Parecía una iluminada llena de gracia saludadora. El sol naciente se levantaba sobre su cabeza como para un largo día de santidad. En la cima nevada de los montes temblaba el rosado vapor del alba como gloria seráfica. La campiña se despertaba bajo el oro y la púrpura del amanecer que la vestía con una capa pluvial. La capa pluvial del gigantesco San Cristóbal desprendida de sus hombros solemnes... Los aromas de las eras verdes esparcíanse en el aire como alabanzas de una vida aldeana, remota y feliz. En el fondo de las praderas el agua, detenida en remansos, esmaltaba flores de plata. Rosas y lises de la heráldica celestial que sabe la leyenda de los Reyes Magos y los amores ideales de las santas princesas. En una lejanía de niebla azul se perfilaban los cipreses de San Clodio Mártir rodeando el Santuario, oscuros y pensativos en el descendimiento angélico de aquel amanecer, con las cimas mustias ungidas en el ámbar dorado de la luz. La ventera, con las secas manos enlazadas sobre la frente, contemplaba llorosa su oveja muerta, su oveja blanca preferida entre cien. Lentamente volvióse a la pastora y le preguntó con desmayo:

—¿Pero tú estás cierta, rapaza?... Aquel caminante venía solo, y tengo oído en todos los Ejemplos que Nuestro Señor cuando andaba por el mundo llevaba siempre al señor San Pedro en su compaña.

Ádega repuso con piadoso candor:

—No le hace, mi ama. El señor San Pedro, como es muy anciano, quedaríase sentado en el camino descansando.

Convencida la ventera alzó al cielo sus brazos de momia:

—¡Bendito San Clodio, guárdame el rebaño, y tengo de donarte la mejor oveja, el día de la fiesta! ¡La mejor oveja, bendito San Clodio, que solamente el verla meterá gloria! ¡La mejor oveja, santo bendito, que habrán de envidiártela en el Cielo!

Y la ventera andaba entre el rebaño como loca rezadora y suspirante, platicando a media voz con los santos del Paraíso, halagando el cuello de las ovejas, trazándoles en el testuz signos de conjuro con sus toscos dedos de labriega, trémulos y zozobrantes. Cuando alguna oveja se escapaba, Ádega la perseguía hasta darle alcance. Jadeando, jadeando, correteaba tras ella por todo el descampado. Con las manos enredadas en el vellón[5] dejábase caer sobre la yerba cubierta de rocío. Y la ventera desde lejos, inmóvil en medio[6] del rebaño, la miraba con ojos llenos de brujería:

—¡Levántate, rapaza!... No dejes escapar la oveja... Hazle en la testa el círculo del Rey Salomón[7] que deshace el mal de ojo... ¡Con la mano izquierda, rapaza!...

—¡Voy, mi ama![8]

Ádega obedecía y dejaba en libertad a la oveja, que se quedaba a su lado mordisqueando la yerba...

CAPÍTULO II

La ventera y la zagala bajan del monte llevando el ganado[9] por delante. Las dos mujeres caminan juntas, con los mantelos[10] doblados sobre la cabeza como si fuesen a una romería. Dora los campos la mañana, y el camino fragante con sus setos verdes y goteantes, se despierta bajo el campanilleo de las esquilas, y pasan apretándose las ovejas. El camino es húmedo, tortuoso y rústico como viejo camino de sementeras y de vendimias. Bajo la pezuña de las ovejas quédase doblada la yerba, y lentamente, cuando ha pasado el rebaño, vuelve a levantarse esparciendo en el aire santos aromas matinales de rocío fresco... Por el fondo verde de las

---

5 1913: "al vellón".
6 1913: "enmedio".
7 Un círculo que tiene inscrita una estrella de cinco puntas.
8 Frase añadida en 1920.
9 1904: "las ovejas".
10 *mantelo(s):* delantal; prenda de paño, generalmente negro, que se ciñe a la cintura por la espalda y cubre casi totalmente de medio cuerpo abajo.

144

eras cruza una zagala pecosa con su vaca bermeja del ronzal. Camina hacia la villa adonde va todos los amaneceres para vender la leche que ordeña ante las puertas. La vieja se acerca a la orilla del camino y llama dando voces:

—¡Eh, moza!... ¡Tú, rapaza de Cela!...

La moza tira del ronzal a su vaca y se detiene:

—¿Qué mandaba?

—Escucha una fabla...[11]

Mediaba larga distancia y esforzaban la voz dándole esa pauta lenta y sostenida que tienen los cantos de la montaña. La vieja desciende algunos pasos pregonando esta prosa:

—¡Mía fe[12], no hacía cuenta de hallarte en el camino! Cabalmente voy adonde tu abuelo... ¿No eres tú nieta de Texelan[13] de Cela?

—Sí, señora.

—Ya me lo parecías, pero como me va faltando la vista.

—A mí por la vaca se me conoce de bien lejos.

—Vaya, que la tienes reluciente como un sol. ¡San Clodio te la guarde!

—¡Amén!

—¿Tu abuelo demora[14] en Cela?

—Demora en el molino, cabo de[15] mi madre.

—Como mañana es la feria de Brandeso, estaba dudosa. Muy bien pudiera haber salido.

—Tomara el poder salir fuera de nuestro quintero[16].

—¿Está enfermo?

---

11 *fabla,* arcaísmo: habla, frase, palabra.

12 *mía fe,* arcaísmo: "a fe mía", "por mi fe".

13 *texelan,* galleguismo; la forma correcta es "tecelán" o "texelán": tejedor.

14 *demora,* de "demorar": detenerse o hacer mansión en una parte.

15 *cabo de:* "junto a".

16 *tomara,* aquí con el sentido de "ojalá pudiera" o "ya quisiera"; *quintero,* castellanización del gallego "quinteiro": explanada alrededor de una casa donde están el corral y el alpendre.

—Está muy acabado. Los años y los trabajos, que son muchos.

—¡Malpocado![17]

—Si tenía algún lino para tejer, lléveselo a mi tío Electus.

—Lino tengo. ¡Pasa bien de una docena de madejas! Mas el ir agora donde[18] tu abuelo es solamente por ver si me da remedio contra el mal del ganado.

—Tanto no le podré decir. Remedio contra todos los males, así de natural como de brujería, en otro tiempo lo daba, más agora ya no quiere curar como enantes[19]. El nuevo abade[20] llegóse una tarde por el quintero y quería descomulgarlo[21]. Con todo no deje de ir a verle.

—Como me diese remedio, bien había de corresponder.

—Yo nada puedo decirle... Mas ya que tiene medio camino andado...

Y la moza con un grito acucia a la vaca. Después se vuelve hacia la vieja:

—¡Quede muy dichosa!

—¡El Señor te acompañe!

La vieja sigue andando. Sus ojos tristes y adustos contemplan el rebaño que va delante. Por los caminos lejanos pasan hacia la feria de Brandeso cuadrillas de hombres recios y voceadores, armados de[22] luengas picas y cabalgando en jacos de áspero pelaje y enmarañada crin. Son vaqueros y chalanes. Sobre el pecho llevan cruzados ronzales y rendajes[23], y llevan los anchos chapeos[24] sos-

---

[17] *¡malpocado!,* expresión conmiserativa gallega: ¡pobre!, ¡infeliz!

[18] 1904: "Lino tengo: pasa bien de una docena las madejas, mas el ir agora adonde..."; *agora,* arcaísmo castellano y galleguismo: "ahora".

[19] *enantes,* arcaísmo y hoy vulgarismo: antes.

[20] *abade,* galleguismo: "abad" y también "cura párroco".

[21] *descomulgarlo,* vulgarismo: "excomulgarlo".

[22] 1904 y 1913: "con".

[23] *rendaje(s):* conjunto de riendas y demás correas de que se compone la brida de las cabalgaduras.

[24] *chapeos* o chapeus, galleguismo: sombreros.

tenidos por rojos pañuelos a guisa de barboquejos[25]. Pasan en tropel espoleando los jacos pequeños y trotinantes[26], con alegre son de espuelas y de bocados. Algunos labradores de Cela y de[27] San Clodio pasan también guiando sus yuntas lentas y majestuosas, y mujeres asoleadas y rozagantes pasan con gallinas, con cabras, con centeno.

En la orilla del río algunos aldeanos esperan la barca sentados sobre la yerba a la sombra de los verdes y retorcidos mimbrales. La ventera busca sitio en el corro, y Ádega, algo más apartada, quédase al cuidado del rebaño. Un ciego mendicante y ladino que arrastra luenga capa y cubre su cabeza con parda y puntiaguda montera, refiere historias de divertimiento a las mozas sentadas en torno suyo. Aquel viejo prosero[28] tiene un grave perfil monástico, pero el pico de su montera parda, y su boca rasurada y aldeana, semejante a una gran sandía abierta, guardan todavía más malicia que sus decires, esos añejos decires de los jocundos arciprestes aficionados al vino y a las vaqueras y a rimar las coplas. Las aldeanas se alborozan y el ciego sonríe como un fauno viejo entre sus ninfas. Al oír los pasos de la ventera, interroga vagamente:

—¿Quién es?

La ventera se vuelve desabrida:

—Una buena moza.

El ciego sonríe ladino:

—Para el señor abade.

—Para dormir contigo. El señor abade ya está muy acabado.

---

[25] 1904 y 1913: "barbuquejos"; *barboquejo:* cinta con que se sujeta por debajo de la barba el sombrero o morrión para que no se lo lleve el aire.

[26] *trotinantes,* valleinclanismo: trotones o troteadores.

[27] Preposición añadida en 1913.

[28] *prosero* no existe en gallego ni en castellano; derivación valleinclaniana de "prosa" —como de "romance", "romancero"—: charlatán.

El ciego pone una atención sagaz procurando reconocer la voz. La ventera se deja caer a su lado sobre la yerba, suspirando con fatiga:

—¡Asús! ¡Cómo están esos caminos!

Un aldeano interroga:

—¿Va para la feria de Brandeso?

—Voy más cerca...

Otro aldeano se lamenta:

—¡Válanos[29] Dios, si esta feria es como la pasada!...

Una vieja murmura:

—Yo entonces vendí la vaca.

—Yo también vendí, pero fue perdiendo...

—¿Mucho dinero?

—Una amarilla redonda.

—¡Fue dinero, mi fijo! ¡Válate San Pedro![30]

Otro aldeano advierte:

—Entonces estaba un tiempo de aguas, y agora está un tiempo de regalía[31].

Algunas voces murmuran:

—¡Verdade!... ¡Verdade!...[32]

Sucede un largo silencio. El ciego alarga el brazo hacia[33] la ventera, y queriendo alcanzarla vuelve a interrogar:

—¿Quién es?

—Ya te dije que una buena moza.

—Y yo te dije que fueses adonde el abade[34].

—Déjame reposar primero.

—Vas a perder los colores.

Los aldeanos se alborozan de nuevo. El ciego permanece atento y malicioso, gustando el rumor de las risas como los ecos de un culto, con los ojos abiertos, inmóviles, semejante a un dios primitivo, aldeano y jovial.

---

[29] *válanos,* galleguismo: "válganos".

[30] *fijo,* arcaísmo: "hijo"; *válate,* galleguismo: "válgate".

[31] *regalía:* prerrogativa real o privilegio.

[32] *verdade,* galleguismo: "verdad".

[33] 1904 añade: "y" detrás de "silencio" y "el lado de" detrás de "hacia".

[34] 1904: "el señor abade".

En la paz de una hondonada umbría, dos zagales andan encorvados segando el trébol oloroso y húmedo, y entre el verde de la yerba, las hoces brillan con extraña ferocidad. Un asno viejo, de rucio[35] pelo y luengas orejas, pace gravemente arrastrando el ronzal, y otro asno infantil, con la frente aborregada y lanosa, y las orejas inquietas y burlonas, mira hacia la vereda erguido, alegre, picaresco, moviendo la cabeza como el bufón de un buen rey. Al pasar las dos mujeres uno de los zagales grita hacia el camino:

—¿Van para la feria de Brandeso?

—Vamos más cerca.

—¡Un ganado lucido!

—¡Lucido estaba!... ¡Agora le han echado una plaga[36], y vamos al molino de Cela!...

—¿Van adonde el saludador?... ¡A mi amo le sanó una vaca! Sabe palabras para deshacer toda clase de brujerías.

—¡San Berísimo te oiga!

—¡Vayan muy dichosas!

Las dos mujeres siguen adelante. Buscan la sombra de los valladares y desdeñan el ladrido de los perros que asoman feroces, con la cabeza erguida, arregañados los dientes[37]. Las ovejas llenan el camino y pasan temerosas, con un dulce balido como en las viejas églogas. Los pardales revolotean a lo largo y se posan en bandadas sobre los valladares de laurel, derramando con el pico el agua de la lluvia que aún queda en las hojas. En

---

35 *rucio:* de color pardo claro, blanquecino o canoso.

36 *plaga,* castellanización del gallego "praga": maldición y, también, daño persistente en personas, animales y plantas.

37 *arregañados,* de "arregañar, arcaísmo": enseñar los dientes en gesto de amenaza.

una revuelta del río, bajo el ramaje de los álamos que parecen de plata antigua, sonríe un molino. El agua salta en la presa, y la rueda fatigada y caduca, canta el salmo patriarcal del trigo y la abundancia. Su vieja voz geórgica se oye por las eras y por los caminos. La molinera, en lo alto del patín[38], desgrana mazorcas con la falda recogida en la cintura y llena de maíz. Grita desde lo alto al mismo tiempo que desgrana:

—¡Suras!... ¡Suras!...[39]

Y arroja al viento un puñado de fruto que cae con el rumor de la[40] lluvia veraniega sobre secos follajes. Las gallinas acuden presurosas picoteando la tierra. El gallo canta. Las dos aldeanas salmodian en la cancela del molino:

—¡Santos y buenos días!

La molinera responde desde el patín:

—¡Santos y buenos nos los dé Dios!

A las salutaciones siguen las preguntas lentas y cantarinas. La ventera habla[41] con una mano puesta sobre los ojos para resguardarlos del sol.

—¿Hay mucho fruto?

—¡Así hubiera gracia de Dios!

—¿Cuántas piedras muelen?

—Muelen todas tres: La del trigo, la del maíz y la del centeno.

—¡Conócese que trae agua la presa!

—¡En lo de agora no falta!

—¡Por algo decían los viejos que el hambre a esta tierra llega nadando!

La molinera baja a franquearles la cancela, pero la ventera y la zagala quedan en el camino hasta que una a

---

[38] *patín:* escalera exterior que da acceso al primer piso de la casa tradicional gallega; también, y por extensión, el patio o terraza al final de dicha escalera.

[39] *suras:* voz para llamar a gallinas y palomas.

[40] Artículo añadido en 1920.

[41] 1904: "Las tres aldeanas hablan...".

una pasan las ovejas. Después, cuando el rebaño se extiende por la era, entran suspirando. La molinera hundía sus toscos dedos de aldeana en el vellón de los corderos:

—¡Lucido ganado!

—¡Lucido estaba!

—¿Por acaso hiciéronle mal de ojo?

—¡Todos los días se muere alguna oveja!

—¿Entonces, buscáis al abuelo?... Por ahí andaba... ¡Abuelo! ¡Abuelo!

Las tres mujeres esperan bajo el emparrado de la puerta. El gallo canta subido al patín. Las gallinas aún siguen picoteando en la yerba, y la molinera les arroja los últimos granos de maíz que lleva en la falda. Por el fondo del huerto, bajo la sombra de los manzanos, aparece el abuelo, un viejo risueño y doctoral, con las guedejas blancas, con las arrugas hondas y bruñidas, semejante a los santos de un antiguo retablo. Conduce lentamente, como en procesión, a la vaca y al asno que tienen en sus ojos la tristeza del crepúsculo campesino. Tras ellos camina el perro, que cauteloso va acercándose al rebaño y le ronda con las orejas gachas[42] y la cola entre piernas. El viejo se detiene y levanta los brazos sereno y profético:

—¡Claramente se me alcanza que a este ganado vuestro le han hecho mal de ojo!...

La ventera murmura tristemente:

—¡Ay!... ¡Por eso he venido!

El viejo inclina la cabeza. Las ovejas balan en torno suyo y las acaricia plácido y evangélico. Después murmura gravemente:

—¡No puedo valeros!... ¡No puedo valeros!...

La ventera suspira consternada:

—¿No sabe un ensalmo para romper el embrujo?

—Sé un ensalmo, pero no puedo decirlo. El señor

---

[42] 1904: "bajas".

abade estuvo aquí y me amenazó con la paulina[43]. ¡No puedo decirlo!...

—¡Y hemos de ver cómo las ovejas se nos mueren una a una!... ¡Un ganado que daba gloria!...

—¡Sí que está lucido! Aquel virriato[44], ¿es todavía cordero?

—¡Todavía cordero, sí, señor!

—Y la blanca de los dos lechazos, ¿parece cancina[45]?

—¡Cancina, sí, señor!

El viejo volvía a repetir:

—¡Sí que está lucido! ¡Un ganado de regalía!

Entonces la ventera, triste y resignada, volvióse a la zagala:

—Alcanza el virriato, rapaza...

Ádega corrió asustando al perro, y trajo en brazos un cordero blanco con manchas negras, que movía las orejas y balaba. Al acercarse, en los ojos cobrizos de su ama, donde temblaba la avaricia, vio como un grito de angustia el mandato de ofrecérselo al viejo. El saludador lo recibió sonriendo:

—¡Alabado sea Dios!

—¡Alabado sea!

La ventera, arreglándose la cofia, dijo con malicia de aldeana:

—Suyo es el cordero... ¡Mas tendrá que hacerle el ensalmo para que no se muera como los míos!

El saludador sonreía pasando su mano temblorosa y senil por el vellón de la res:

—Le haremos el ensalmo sin que lo sepa el señor abade.

---

[43] Carta o despacho de excomunión que se expide en los tribunales pontificios para el descubrimiento de algunas cosas que se sospecha haber sido robadas u ocultadas maliciosamente. La otorgó por primera vez Paulo IV —Alejandro Farnesio—, reinante de 1534 a 1549.

[44] *virriato o verriato* (del lat. "variatus"), se dice de la res que tiene la capa de dos colores; es equivalente al castellano "berrendo" (del lat. "variandus").

[45] *cancina:* dícese de la res lanar que tiene más de un año y no llega a dos.

Y sentándose bajo su viña quitóse la montera, y con el cordero en brazos, benigno y feliz como un abuelo de los tiempos patriarcales, dejó caer una larga bendición sobre el rebaño que se juntaba en el centro de la era yerma y silenciosa, dorada por el sol.

—¡Habéis de saber que son tres las condenaciones que se hacen al ganado!... Una en las yerbas, otra en las aguas, otra en el aire... ¡Este ganado vuestro tiene la condenación en las aguas!

La ventera escuchaba al saludador con las manos juntas y los ojos húmedos de religiosa emoción. Sentía pasar sobre su rostro el aliento del prodigio. Un rayo de sol atravesando los sarmientos[46] de la parra ponía un nimbo de oro sobre la cabeza plateada del viejo. Alzó los brazos, dejando suelto el cordero que permaneció[47] en sus rodillas.

—La condenación de las aguas solamente se rompe con la primera luna, a las doce de la noche. Para ello es menester llevar el ganado a que beba en fuente que tenga un roble y esté en una encrucijada...

Dejó de hablar el saludador, y el cordero saltó de sus rodillas. La ventera, con el rostro resplandeciente de fe, cavilaba recordando dónde había una fuente que estuviese en una encrucijada y tuviera un roble, y entonces el saludador le dijo:

—La fuente que buscas está cerca de San Gundián, yendo por el Camino Viejo... Hace años había otras[48] dos: Una en los Agros de Brandeso, otra en el Atrio de Cela, pero una bruja secó los robles.

Durante la conversa[49] la pastora arreaba las ovejas

---

46 1904: "follajes".

47 1904 añade: "proféticamente" detrás de "alzó" y "echado" detrás de "permaneció".

48 1904 y 1913 presentan "otros", que parece ser una errata, extrañamente repetida.

49 1904 y 1913: "Después la ventera aún seguía hablando con el saludador, mientras la pastora...".

que, afanosas por salir al camino, estrujábanse[50] entre los quicios de la cancela.

CAPÍTULO IV

Contaba la ventera los días esperando la primera luna para llevar sus[51] ovejas a la fuente, donde había de romperse el hechizo. La pastora, sentada en el monte a la sombra de las piedras célticas doradas por líquenes milenarios, hilaba en su rueca y sentía pasar sobre su rostro el aliento encendido de las santas apariciones. Todos los anocheceres imaginábase que el peregrino volvería a subir aquel sendero trillado por los pastores[52], y nunca se realizó su ensueño. Sólo subían hacia la venta hombres de mala catadura. Lañeros[53] encorvados y sudorosos que apuraban un vaso de vino y continuaban su ruta hacia la aldea, y mendigos que mostraban al descubierto una llaga sangrienta, y caldereros negruzcos que cabalgaban en jacos de[54] áspera ferocidad. Ádega, acurrucada en la cocina cerca del fuego, les oía disputar y amenazarse sin que nadie pusiese paz entre ellos. Después, sus ojos asustados adivinaban cómo aquellos hombres se avenían y se apaciguaban, reunidos en los rincones oscuros y escuchaba el ruido del dinero que se repartían a hurto[55].

El hijo de la ventera había vuelto tras[56] una larga ausencia. Ádega, cuando se reunía en el monte con

---

50 1904 y 1913: "se apretaban, estrujándose".
51 1904: "las".
52 1904 añade: "y por los rebaños".
53 *lañeros* o "lañadores" —frecuentes en otras obras de Valle-Inclán—: los que por medio de lañas o grapas componen objetos rotos, especialmente de barro o loza.
54 1904 añade: "...áspero pelaje y tenían en el blanco de los ojos una extraña ferocidad".
55 *a hurto:* a hurtadillas, furtivamente; fue añadido en 1913.
56 1904: "después de".

154

otros pastores, oíales decir que anduviera en una cuadrilla de ladrones todo aquel tiempo. Los pastores referían historias que ponían miedo en el alma de la niña. Eran historias de caminantes que se hospedaban una noche en la venta y desaparecían, y de iglesias asaltadas, y de muertos que amanecían en los caminos. Un viejo que guardaba tres cabras grandes y negras era quien mejor sabía aquellas historias. Ádega pensaba todos los días en huir de la venta, pero temía que la alcanzasen de noche, perdida en algún camino solitario, y que también la matasen. Llena de fe ingenua, esperaba que el peregrino llegaría para libertarla, y, dormida en el establo sobre el oloroso monte de heno, suspiraba viéndole ya llegar en su sueño.

El peregrino se transfiguraba en aquellas visiones de la pastora. Nimbo de luceros circundaba su cabeza penitente, apoyábase en un bordón de plata y eran áureas las conchas de su esclavina. Los rosarios, las cruces, las medallas que temblaban sobre su pecho derramaban un resplandor piadoso, y tenían el aroma de los cuerpos santos que habían tocado en sus sepulcros. El peregrino caminaba despacio y con fatiga por aquel sendero entre tojos. Las espinas desgarraban sus pies descalzos, y en cada gota de sangre florecía un lirio. Cuando entraba en el establo, las vacas se arrodillaban mansamente, el perro le lamía las manos, y el mirlo, que la pastora tenía prisionero en una jaula de cañas, cantaba con dulcísimo gorjeo y su voz parecía de cristal. El peregrino llegaba para libertar a su sierva del cautiverio en que vivía, y también para castigar la dureza y la crueldad de los amos. Ádega sentía que su alma se llenaba de luz, y al mismo tiempo las lágrimas salían[57] en silencio de sus ojos. Lloraba por sus ovejas, por el perro, por el mirlo cantador[58] que se quedaban allí. El peregrino adivinaba su pensamiento y desde el sendero volvía atrás los ojos,

---

[57] 1904: "caían".
[58] 1904: "...por sus ovejas, y por el perro, y por el mirlo cantador...".

con lo cual[59] bastaba para que se obrase el milagro. La pastora veía salir las ovejas una a una, y al mirlo que volaba hasta posársele en el hombro, y al perro aparecerse a su lado lamiéndole las manos.

Ádega despertábase a veces en medio de su sueño y oía tenaces ladridos y trotar de caballos. Recordaba las siniestras historias que contaban los pastores, y permanecía temerosa, sin osar moverse, atenta a los rumores de la noche[60]. Por la mañana, al entrar en el aprisco, parecía[61] hallar la tierra removida, y creía ver en la yerba salpicaduras de sangre, borrosas por el rocío[62].

CAPÍTULO V

Cantó un gallo, después otro. Era media noche. La vasta cocina de la venta aparecía desierta. Ádega, que dormitaba sentada al pie del fuego, incorporóse con sobresalto oyendo a la dueña que le daba voces[63]:

—¡Ádega!... ¡Ádega!...

—¡Mande, mi ama!

—Entra en la tenada[64] y saca para el campo las ovejas. ¿No sabes que hoy es la primera luna?

Ádega se restregaba los ojos cargados de sueño:

—¿Qué decía, mi ama?

—¡Que saques las ovejas para el campo! Vamos a la fuente de San Gundián.

Ádega obedeció en silencio. La ventera aún rezongaba:

---

[59] 1904: "y" en lugar de "con lo cual".

[60] Desde "atenta...", fue añadido en 1920.

[61] 1904 y 1913: "parecíale".

[62] 1904 y 1913: "...y creía ver manchas de sangre en la hierba/yerba"; desde "salpicaduras..." hasta el final fue añadido en 1920.

[63] 1904: el cap. comienza: "—¡Ádega!... ¡Ádega!...", y sigue: "Ádega, que dormitaba en la gran cocina de la venta, sentada al pie del fuego, incorporóse con sobresalto"; las tres primeras frases y desde "oyendo..." hasta "...voces" fueron añadidas en 1913.

[64] *tenada:* cobertizo del ganado.

—¡Bien se alcanza que no son tuyas las ovejas! Tú dejaríaslas morir una a una sin procurarles remedio... ¡Ay mi alma!

Ádega sacó las ovejas al campo. Era una noche de montaña, clara y silenciosa, blanca por la luna. Las ovejas se juntaban en mitad del descampado como destinadas a un sacrificio en aquellas piedras célticas que doraban líquenes milenarios. La vieja y la zagala bajaron por el sendero. El rebaño se apretaba con tímido balido, y el tremante[65] campanilleo de las esquilas despertaba un eco en los montes lejanos donde dormían los lobos. El perro caminaba al flanco, fiero y roncador, espeluznado el cuello en torno del ancho dogal guarnecido de hierros[66]. La ventera llevaba encendido un hachón de paja, por que[67] el fuego arredrase a los lobos. Las dos mujeres caminaban en silencio, sobrecogidas por la soledad de la noche y por el misterio de aquel maleficio que las llevaba a la fuente de San Gundián.

Desde lejos se distinguía la espadaña de la iglesia dominando las copas oscuras de los viejos nogales. Destacábase sobre el cielo que argentaba la luna, y percibíase el azul de la noche estrellada por los dos arcos que sostenían las campanas, aquellas campanas de aldea, piadosas, madrugadoras, sencillas como dos viejas centenarias. El atrio era verde y oloroso, todo cubierto de sepulturas. A espaldas de la iglesia estaba la fuente sombreada por un nogal[68] que acaso contaba la edad de las campanas, y bajo la luz blanca de la luna, la copa oscura del árbol extendíase patriarcal y clemente sobre las aguas verdeantes que parecían murmurar un cuento de brujas.

La vieja y la zagala, al encontrarse delante del atrio, se santiguaron devotas y temerosas. Las ovejas, que en-

---

[65] *tremante,* de "tremar": temblante, tembloroso.
[66] 1904: "puntas".
[67] 1904 y 1913: "porque", incorrecto.
[68] No por un roble, como ha dicho el saludador.

traban apretándose por la cancela, derramábanse después en holganza, mordiendo la yerba lozana que crecía entre las sepulturas. Las dos mujeres corrieron de un lado a otro por juntar el rebaño y luego lo guiaron hasta la fuente donde las ovejas[69] habían de beber para que quedase roto el hechizo. Las ovejas acudían solícitas rodeando la balsa, y en el silencio de la noche sentíase el rumor de las lenguas que rompían el místico cristal de la fuente. La luna espejábase en el fondo, inmóvil y blanca, atenta al milagro.

Mientras bebía el ganado, las dos mujeres rezaban en voz baja. Después, silenciosas y sobrecogidas por el aliento sobrenatural del misterio, salieron del atrio. El rebaño ondulaba ante ellas. La luna se ocultaba en el horizonte, el camino oscurecía lentamente, y en los pinares negros y foscos se levantaba gemidor el viento. Las eras encharcadas y desiertas ya habían desaparecido en la noche, y a lo lejos brillaban los fachicos[70] de paja con que se alumbraban los mozos de la aldea que volvían de rondar a las mozas. Las dos mujeres, siempre en silencio, seguían tras el rebaño atentas a que ninguna oveja se descarriase. Cuando llegaron al descampado de la venta, ya todo era oscuridad en torno. Brillaban sólo algunas estrellas remotas, y en la soledad del paraje oíase bravío y ululante el mar lejano, como si fuese un lobo hambriento escondido en los pinares.

La vieja llamó en el portón con el herrado zueco. Tardaban en abrir y llamó otras muchas veces, acompañada por los ladridos del perro. Al cabo acudieron de dentro, sintióse rechinar el cerrojo, y el hijo de la ventera asomó en el umbral. Destacábase sobre el rojizo resplandor de la jara que restallaba en el hogar, con un

---

[69] 1904: "...de un lado al otro por juntarlas, y luego las guiaron hasta la fuente donde habían de beber..."; 1913 mantiene "al", pero en lo demás presenta esta misma lectura.

[70] *fachico(s)*, dim. de "facho": mellón, haz de paja que se enciende como un hachón.

pañuelo atado a la frente y los brazos desnudos, llenos de sangre. Ádega sintió que el miedo la cubría como un pájaro negro que extendiese sobre ella las alas. La ventera interrogó en voz baja:

—¿Quién ha llegado?

El mozo repuso con un reír torcido:

—¡Nadie!...

—¿Y esa matanza?

—He desollado la cabra machorra[71].

---

[71] En 1904 y 1913 se lee: "—¡Nadie!... He desollado la cabra que hoy topamos muerta... Mañana la comeremos"; lo demás fue añadido en 1920.

Tercera Estancia

Capítulo I

Una tarde, sentada en el atrio de San Clodio, a la sombra de los viejos cipreses, Ádega hilaba en su rueca, copo tras copo, el lino del último espadar[1]. En torno suyo pacían y escarbaban las ovejas, y el mastín, echado a sus pies, se adormecía bajo el tibio halago del sol poniente que empezaba a dorar las cumbres de los montes. Avizorado de pronto, espeluznó las mutiladas orejas, incorporóse y ladró. Ádega, sujetándole del cuello, miró hacia el camino en confusa espera de una ideal ventura. Miró, y las violetas de sus ojos sonrieron, y aquella sonrisa de inocente arrobo tembló en sus labios y como óleo santo derramóse por su faz. El peregrino subía hacia el atrio. La morena calabaza oscilaba al extremo de su bordón y las conchas de su esclavina tenían el resplandor piadoso de antiguas oraciones. Subía despacio y con fatiga. Al andar, la guedeja penitente oscurecíale el rostro, y las cruces y las medallas de los rosarios que llevaba al cuello sonaban como un pregón misionero. La pastora llegó corriendo y se arrodilló para besarle las manos. Quedándose hinojada sobre la yerba, murmuró:

---

[1] *espadar*, sustantivación del infinitivo homónimo: macerar y quebrantar con la espadilla el lino o el cáñamo, para sacarle el tamo y poderlo hilar.

161

—¡Alabado sea Dios!... ¡Cómo viene de los tojos y las zarzas!... ¡Alabado sea Dios!... ¡Cuántos trabajos pasa por los caminos!...

El mendicante inclinó la cabeza asoleada y polvorienta:

—En esta tierra no hay caridad... Los canes y los rapaces me persiguen a lo largo de los senderos. Los hombres y las mujeres asoman tras de las cercas y de los valladares para decirme denuestos. ¿Podré tan siquiera descansar a la sombra de estos árboles? Y tú, ¿querrás concederme esta noche hospedaje en el establo?

—¡Ay, señor, fuera el palacio de un rey!

El alma de la pastora sumergíase en la fuente de la gracia, tibia como la leche de las ovejas, dulce como la miel de las colmenas, fragante como el heno de los establos. Sobre su frente batía como una paloma de blancas alas la oración ardiente de la vieja Cristiandad, cuando los peregrinos iban en los amaneceres cantando por los senderos florecidos de la montaña. El mendicante, con la diestra tendida hacia el caserío, ululó rencoroso y profético:

—¡Ay de esta tierra!... ¡Ay de esta gente, que no tiene caridad!

Cobró aliento en largo suspiro, y apoyada la frente en el bordón, otra vez clamó:

—¡Ay de esta gente!... ¡Dios la castigará!

Ádega juntó las manos candorosa y humilde;

—Ya los castiga, señor. Mire cómo secan los castañares... Mire cómo perecen las vides... ¡Esas plagas vienen de muy alto!

—Otras peores tienen que venir[2]. Se morirán los rebaños sin quedar una triste oveja, y su carne se volverá ponzoña... ¡Tanta ponzoña, que habrá para envenenar siete reinos!...

—¿Y no se arrepentirán?

---

[2] 1904 y 1913: "tienen de venir".

—No se arrepentirán. Son muchos los hijos del pecado. La mujer yace con el rey de los infiernos, con el Gran Satanás, que toma la apariencia de un galán muy cumplido. ¡No se arrepentirán! ¡No se arrepentirán!

El peregrino descubrióse la cabeza, echó el sombrero encima de la yerba y se acercó a la fuente del atrio con ánimo de apagar la sed. Ádega le detuvo tímidamente:

—Escuche, señor... ¿No quiere que le ordeñe una oveja? Repare aquella de los dos corderos qué ricas ubres tiene. ¡La leche que da es tal como manteca!

El peregrino se detuvo y miró con avaricia al[3] rebaño que se apretaba sobre una mancha de césped, en medio del atrio:

—¿Cuál dices, rapaza?

—Aquella blanca del cordero virriato[4].

—¿Y podrás ordeñarla?

—¡Asús, señor!

Y la pastora, al mismo tiempo que se acercaba a la oveja, iba llamándola amorosamente:

—¡Hurtada!... ¡Ven, Hurtada!...

La oveja acudió dando balidos, y Ádega, para sujetarla, enredóle una mano al vellón[5].

Capítulo II

Los ojos del peregrino estaban atentos a la pastora y a la oveja. Hallábase detenido en medio del atrio, apoyado en el lustroso bordón, descubierta la cabeza polvorienta y greñuda. Ádega seguía repitiendo por veces:

—¡Quieta, Hurtada!

El mendicante preguntó con algún recelo:

—Oye, rapaza, ¿por ventura no era tuya la res?

---

[3] 1904: "el".
[4] 1904: "aquella virriata de los dos corderos".
[5] 1904 añade: "del cuello".

—¡Mía no es ninguna!... Son todas del amo, señor. ¿No sabe que yo soy la pastora?

Y bajó los ojos acariciando el hocico de la oveja, que alargaba la lengua y le lamía las manos. Después, para ordeñarla, se arrodilló sobre la yerba. El añoto[6] retozaba junto al ijar de la madre, y la pastora le requería blandamente:

—¡Sus! ¡Está quedo!... ¡Ay Hurtado!...

—¿Por qué le dices con tal nombre de Hurtados?[7]

Ádega levantó hasta el peregrino las tímidas violetas de sus ojos:

—No piense mal, señor...

—Mas ¿de quién era antaño la oveja?

—Antaño fue de un pastor... El pastor que la vendió al amo con aquellas otras cuatro... Llámase él Hurtado y vive al otro lado del monte.

—¡Buenas reses!... Parecen todas ellas de tierra castellana.

—De tierra castellana son, mi señor. ¡San Clodio las guarde!

Piadosa y humilde se puso a ordeñar la leche en el cuenco de corcho labrado por un boyero muy viejo que era nombrado en todo el contorno. Mientras el corcho se iba llenando con la leche tibia y espumosa, decía la pastora:

—¿Ve aquellas siete ovejas tan lanares?... A todas las llamamos Dormidas, porque siendo corderas vendióselas al amo un rabadán que cuando vuelve de la feria en su buena mula, siempre acontece que se queda traspuesto, y ya todos lo saben...

---

[6] *añoto:* cruce valleinclaniano entre el castellano "año", recental o corderillo de poca edad, y el gallego "añagoto", cordero pequeño.

[7] En las dos primeras eds., puesto que la oveja que ordeña Ádega tiene dos corderos, todo lo que aquí se refiere al "añoto" aparece allí en plural: "Los dos corderos retozaban unidos..."; más adelante: "la pastora les requería" y sigue: "—¡Os estáis quedos!... ¡Ay, Hurtados!... / —¿Por qué les dices tal nombre de Hurtados?..."; "blandamente" y la preposición "con" fueron añadidos en 1920.

Se levantó, y con los ojos bajos y las mejillas vergonzosas, presentó al mendicante aquel don de su oveja. Bebió el peregrino con solaz, y como hacía reposorios para alentarse, murmuraba:

—¡Qué regalía, rapaza!... ¡Qué regalía!

Cuando terminó, la pastora apresuróse a tomarle el cuenco de las manos:

—¿Quiere que le ordeñe otra oveja?[8]

—No es menester. ¡El Apóstol Santiago te lo recompense![9]

Ádega sonreía. Después llegóse a la fuente del atrio, cercada por viejos laureles, y llenando de agua el corcho que el peregrino santificara, bebió feliz y humilde[10], oyendo al ruiseñor que cantaba escondido. El peregrino siguió adelante por el camino que trajera, un camino llano y polvoriento entre maizales. Los ojos de la pastora fueron tras él, hasta que desapareció en la revuelta.

—¡El Santo Apóstol le acompañe!

Suspirosa llamó al mastín, y acudió a reunir el hato esparcido por todo el campo de San Clodio. Un cordero balaba encaramado sobre el muro del atrio, sin atreverse a descender. Ádega le tomó en brazos, y acariciándole fue a sentarse un momento bajo los cipreses. El cordero, con movimientos llenos de gracia, ofrecía a los dedos de la pastora el picaresco testuz marcado con una estrella blanca. Cuando perdió toda zozobra, huyó haciendo corcovos. Ádega alzó la rueca del césped y continuó el hilado.

Allá en la lejanía, por la falda del monte, bajaban esparcidos algunos rebaños que tenían el aprisco distante y se recogían los primeros. Oíase en la quietud apacible de la tarde el tañido de las esquilas y las voces con que los zagales guiaban. Ádega arreó sus ovejas, y antes

---

8 En 1904 esta pregunta está precedida por "—Diga, mi señor".

9 1904: "te lo pague".

10 En 1904 hay punto detrás de "laureles"; sigue: "Llenó de agua..." e incluye "y" entre "santificara" y "bebió".

de salir al camino las llevó a que bebiesen en la fuente del atrio. Bajo los húmedos laureles, la tarde era azul y triste como el alma de una santa princesa. Las palomas familiares venían a posarse en los cipreses venerables, y el estremecimiento del negro follaje al recibirlas uníase al murmullo de la fuente milagrosa cercada de laureles, donde una mendiga sabia y curandera ponía a serenar el hinojo tierno con la malva de olor. Y el sonoro cántaro cantaba desbordando[11] con alegría campestre bajo la verdeante teja de corcho que aprisionaba y conducía el agua. Las ovejas bebían con las cabezas juntas, apretándose en torno del brocal cubierto de musgo. Al terminar se alejaban hilando agua del hocico y haciendo sonar las esquilas. Sólo un cordero no se acercó a la fuente. Arrodillado[12] al pie de los laureles, quejábase con moribundo balido, y la pastora, con los ojos fijos en el sendero por donde se alejó el peregrino, lloraba cándidamente[13]. ¡Lloraba porque veía cómo las culpas de los amos eran castigadas en el rebaño por Dios Nuestro Señor!

Capítulo III

Ádega recorría el camino de la venta cargada con el cordero, que lanzaba su doliente balido en la paz de la tarde. Temerosa[14] de los lobos, daba voces a unos zagales para que la esperasen. Se reunió con ellos acezando[15]:

---

[11] En 1904 se lee: "el hinojo tierno y la malva de olor mientras el sonoro cántaro desbordaba...".

[12] En 1904, como en el cuento *Flor de santidad* (1901), se lee: "Sólo una oveja no se acercó a la fuente: arrodillada..."; "oveja" fue cambiado por "cordero" en 1913 para mantener la coherencia con lo que se dice en el cap. siguiente: "Ádega recorría el camino de la venta cargada con el cordero..."; sin duda, el de una oveja es peso excesivo para las fuerzas de una muchacha tan joven, aun para una campesina.

[13] Este adverbio fue añadido en 1920.

[14] 1904: "Rendida por el cansancio, y temerosa...".

[15] *acezando*, de "acezar": jadear.

—¿Van para San Clodio[16]?

Un pastor viejo repuso gravemente:

—Esa intención hacemos; agora, lo que sea, solamente lo sabe Dios. Y tú, ¿subes para la venta?

—Subo, sí, señor...

—Pues cuida que no se envuelvan[17] los rebaños.

—Por eso no tenga duda.

Ádega respondía casi sin aliento, agobiada bajo el peso del cordero, que seguía balando tristemente. El viejo, después de caminar algún tiempo en silencio, interrogó:

—¿Qué tiene esa res?

—No sabré decirle qué mal tiene.

—¿Entróle de pronto?

—De pronto, sí, señor...

Los rebaños ondulaban por un sendero de verdes orillas, largo y desierto, que allá en la lontananza aparecía envuelto en el rosado vapor de la puesta solar. De tiempo en tiempo los zagales corrían dando voces y agitando los brazos para impedir que los rebaños se juntasen. Después volvía a reinar el silencio de la tarde en los montes que se teñían de amatista. Extendíase en el aire una palpitación de sombra azul, religiosa y mística como las alas de esos pájaros celestiales que al morir el día vuelan sobre los montes llevando en el pico la comida de los santos ermitaños. Ádega, al comienzo de una cuesta, tuvo que sentarse en la orilla del camino y posar el cordero sobre la yerba, suspirando con fatiga. El viejo le dijo;

—¡Anda, rapaza, que poco falta!

Ella repuso llorosa:

—No puedo más, señor...

Y quedó sola, sentada al abrigo de un valladar. Sus ojos tristes miraban alejarse a los otros pastores. Empezaba a oscurecer, y muerta de miedo volvió a ponerse

---

[16] Se entiende para la aldea o lugar de San Clodio, pues del Santuario o iglesario —como suele decirse en Galicia— viene ella.

[17] *envolverse el ganado:* confundirse las reses de diferentes amos.

en camino antes que desapareciesen en una revuelta, pero la noche se los alejaba cada vez más. Corrió para alcanzarlos[18]:

—¡No me dejar[19] aquí sola! ¡Esperadme! ¡Esperadme!

Sus gritos hallaban un eco angustioso en la soledad del camino, y cuando callaba para cobrar aliento, resonaban los balidos del cordero más tristes y apagados por instantes. La voz del pastor alzóse en la oscuridad:

—Anda, rapaza, que ya te esperamos.

Ádega corría arreando sus ovejas, y para sentir menos el miedo hablaba a desgarrados gritos con los zagales, que respondían cada vez más lejos[20]:

—¡Corre, Ádega!... ¡Corre!...

De esta suerte, sin conseguir alcanzarlos, arreando afanosa su rebaño, llegó al descampado donde estaba la venta. Hallábase abierto el portalón, y desde el camino distinguíase el resplandor del hogar. La ventera, advertida por el son de las esquilas, salió al umbral. Ádega acudió a ella murmurando en voz baja y religiosa:

—¡Vea este corderillo!... Diole el mal que a los otros, mi ama.

La vieja tomóle en brazos con amoroso desconsuelo, y entró de nuevo en la cocina. Sentada al pie del fuego repetía una y otra vez, al mismo tiempo que trazaba en el testuz del cordero[21] el círculo del Rey Salomón:

—¡Brujas, fuera! ¡Brujas, fuera! ¡Brujas, fuera!

Un mozo montañés, de Lugar de Condes, que hacía huelgo en la venta, murmuró con apagada y mansa voz:

—¡Conócese que le echaron una fada[22] al corderillo!...

---

[18] 1904 añade: "sin aliento".

[19] *no me dejar* (vosotros), construcción sintáctica con infinitivo personal, típicamente galaico-portuguesa: no me dejéis.

[20] En 1904 el párrafo comienza "Y Ádega...", falta "desgarrados" y añade "de" entre "vez" y "más"; en 1913, tal como aquí aparece.

[21] 1904: "al mismo tiempo que le trazaba en el testuz el círculo...".

[22] *fada,* literalmente, hada, pero también de "fadar" (hechizar o encantar), hechizo o encantamiento; además, "fada" es el nombre de una clase de manzanas con las que se practicaban ritos de hechicería.

Y como nadie le respondiese, quedó silencioso, contemplando el fuego. Era un zagal agigantado y fuerte, con los ojos llenos de ingenuidad, y la boca casta y encendida. La barba rizada y naciente, que tenía el color del maíz, orlaba apenas su rostro bermejo. Se dirigía a la villa, con un lobo que había matado en el monte, para demandar los aguinaldos de puerta en puerta. Después de mirar largamente el fuego, murmuró:

—Yo tuve un amo a quien le embrujaron todo un rebaño.

El hijo de la ventera, que estaba echado sobre un arcón en el fondo de la cocina, se incorporó lentamente:

—Y tu amo, ¿qué hizo?

—Pues verse con quien se lo tenía embrujado y darle una carga de trigo por que[23] lo libertase. Mi amo no sabía quién fuese, pero una saludadora le dijo que cogiera la res más enferma y la echare viva en una fogata. Aquella alma que primero acudiere[24] al oír los balidos, aquélla era...

El hijo de la ventera irguióse más en el arcón:

—¿Y acudió?

—Acudió.

—¿Y tu amo diole una carga de trigo?

—No lo pudo hacer por menos.

—¡Malos demonios lo lleven!

Y volvió a recostarse sobre el arcón. El montañés se había levantado para irse. Su sombra cubría toda la pared de la cocina. Ayudándose con un grito, echóse a la espalda el lobo muerto que tenía a sus pies, empuñó el hocino que llevaba calzado en un largo palo, y salió. Desde la puerta volvióse murmurando con su voz infantil y cansada:

—¡Queden a la paz de Dios!

---

[23] En las dos primeras eds. se lee "porque", incorrecto.

[24] Nótese el uso del arcaizante futuro de subjuntivo; el mozo montañés parece que repitiera una vieja fórmula mágica.

Solamente respondió Ádega, que volvía de encerrar el[25] ganado:

—¡Vaya muy dichoso, en su santa compaña[26]!

CAPÍTULO IV

Sentada ante la puerta del establo, Ádega[27] esperaba al peregrino que le había demandado albergue aquella tarde al mostrársele en el atrio de San Clodio. El mastín velaba echado a sus plantas. Caía sobre el descampado la luz lejana de la luna y oíase el mar, también lejano. De pronto la pastora tembló con medrosa zozobra. Abríase la puerta de la venta. El ama asomaba con un haz de paja, y en mitad del raso encendía una hoguera. Encorvada sobre el fuego, iba añadiendo brazados de jara seca, mientras el hijo, allá en el fondo arrebolado en[28] la cocina, sujetaba las patas del cordero con la jereta[29] de las vacas. Ádega escuchaba conmovida el trémulo balido, que parecía subir, llenando el azul de la noche, como el llanto de un niño. Restallaba la jara entre las lenguas de la llama, y la vieja limpiábase los ojos que hacía llorar el humo. El hijo asomóse en la puerta, y desde allí, cruel y adusto, arrojó el cordero en medio de la hoguera. Ádega se cubrió el rostro horrorizada. Los balidos se levantaron de entre las llamas, prolongados, dolorosos, penetrantes. La vieja atizaba el fuego, y con los ojos encendidos vigilaba el camino que se desenvolvía bajo la luna, blanquecino y desierto. De pronto llamó al hijo:

—Mira allí, rapaz.

---

[25] 1913: "al".

[26] "Muy dichoso" fue añadido en 1920.

[27] 1904: "Ádega, sentada ante...".

[28] 1904: "de".

[29] *jereta,* castellanización del gallego "xareta": cabo con que se cierra la red o verja de un cerco.

170

Y le mostraba una sombra alta y desamparada que parecía haberse detenido a lo lejos. El mozo murmuró:

—Deje que llegue quien sea...

—¡Puede ser que recele y se vuelva!

Ádega suspiraba sin valor para mirar hacia el camino. Su corazón se estremecía adivinando que era el peregrino quien llegaba. Juntó las manos para rezar, pero en aquel momento la ventera le gritó:

—Recógete a dormir, rapaza. ¡Mañana tienes que madrugar con el sol!

Se incorporó obediente, y sus ojos de violeta miraron en torno con amoroso sobresalto. El peregrino estaba detenido en medio de aquel sendero[30] donde se había mostrado a la pastora por primera vez. Ádega quedó un momento contemplándole[31]. Luego entró en el establo y fue a echarse sobre el monte de heno. Suspirando reclinó la cabeza en aquella olorosa y regalada frescura. El mastín comenzó a ladrar arañando la puerta, que sólo estaba arrimada y cedió lentamente. Ádega se incorporó. Sobre el umbral del establo temblaba el claro de la luna, lejano y cándido como los milagros que soñaba aquella pastora de cejas de oro y maravillada sonrisa.

Cesaron poco a poco los balidos del cordero, y por el descampado cruzó el hijo de la ventera con una hoz al hombro. Ádega sintió miedo, y toda estremecida cerró los ojos. Permaneció así mucho tiempo. Le parecía que estuviese atada sobre el monte de heno. El sopor del sueño la vencía con la congoja y la angustia de un desmayo. Era como si lentamente la cubriesen toda entera con velos negros, de sombras pesadas y al mismo tiempo impalpables. De pronto se halló en medio de una vereda solitaria. Iba caminando guiada por el claro de la luna que temblaba milagroso ante sus zuecos de

---

[30] 1904 añade: "trillado por los rebaños".

[31] Leísmo normativo en castellano, pero incorrecto y poco frecuente en gallego.

aldeana. Sentíase el rumor de una fuente[32] rodeada por
árboles llenos de cuervos. El peregrino se alejaba bajo la
sombra de aquellos ramajes. Las conchas de su esclavina resplandecían como estrellas en la negrura del camino. Una manada de lobos rabiosos arredrados por aquella luz, iba detrás... Súbitamente la pastora se despertó[33].
El viento golpeaba la puerta del establo y fue a cerrarla[34]. En medio del descampado brillaban las últimas bra-
sas de la hoguera. La voz del mar resonaba cavernosa y
lejana[35]. Una sombra llamaba sigilosa en la venta. La hoz
que tenía al hombro brillaba en la noche con extraña
ferocidad. De dentro abrieron sin ruido, y hubo un murmullo de voces. Ádega las reconoció. El hijo decía:

—Esconda la hoz.

Y la madre:

—Mejor será enterrarla.

Pavorida se lanzó al campo, y corrió, guiada del presentimiento, bajo la luna blanca, en la noche del monte
sagrada de terrores[36].

CAPÍTULO V

Y[37] amanecía cuando la pastora, después de haber
corrido todo el monte, llegaba desfallecida y llorosa al
borde de una fuente. Al mismo tiempo que reconocía el
paraje de su sueño, vio el cuerpo del peregrino tendido

---

[32] 1904 añade: "escondida en lo hondo de la vereda,".
[33] 1904 intercala: "Había oído un grito, uno de esos gritos de la noche lejanos y medrosos".
[34] En 1904 se lee: "y se levantó para cerrarla".
[35] 1904 intercala: "Ádega tenía fijos los ojos en el camino, mientras
cerraba la puerta con lento cuidado, temerosa de hacer daño a las ánimas que muchas veces penan sus culpas en los quiciales. De pronto
se detuvo acobardada".
[36] En 1904 se lee: "Despavorida se lanzó al campo, y corrió sin saber a dónde, sólo guiada del presentimiento"; en 1913 falta "sin saber
a dónde"; la versión definitiva es de 1920.
[37] Esta conjunción fue añadida en 1920.

en[38] la yerba. Conservaba el bordón en la diestra, sus pies descalzos parecían de cera, y bajo la guedeja penitente el rostro se perfilaba cadavérico. Ádega cayó de rodillas.

—¡Dios Nuestro Señor!

Trémulas y piadosas, sus manos apartaban la guedeja llena de tierra y de sangre, pegada sobre la[39] yerta faz que besó con amorosa devoción, llorando sobre ella:

—¡Cuerpo bendito!... ¿Dónde habéis topado con los verdugos de Jerusalén?... ¡Qué castigo tan grande habrán de tener!... ¡Y cómo ellos vos dejaron cuitado del mío querer![40] Un ángel bajará del cielo, y cargados de fierros[41] los llevará por toda la Cristiandad, y no habrá parte ninguna de donde no corran a tirarles piedras... ¡Luz de mis tristes ojos!... ¡Mi señor! ¡Mi gran señor!

Sobre su cabeza, los pájaros cantaban saludando el amanecer del día. Dos cabreros madrugadores conducían sus rebaños por la falda de una loma. El humo se levantaba tenue y blanco en las aldeas distantes, y todavía más lejos levantaban sus cimas ungidas por el ámbar de la luz los cipreses de San Clodio Mártir. Algunas aldeanas bajaban a la fuente para llenar sus cántaros, y al oír los gritos de la pastora interrogaban desde el camino, pálidas y asustadas:

—¿Qué te acontece, Ádega?

Ádega, arrodillada sobre la yerba, tendía los brazos desesperada sobre el cuerpo del peregrino:

—¡Mirad! ¡Mirad!

—¿Está frío?

La pastora sollozaba:

—¡Está frío como la muerte!

---

38 1904 y 1913: "sobre".

39 En las dos primeras eds. se lee "lo", evidente pero extraña doble errata.

40 *cuitado del mío querer,* expresión amorosa arcaica: "desventurado o pobre amor mío".

41 *fierros,* arcaísmo: hierros.

—¿Era algo tuyo?

—Era Dios Nuestro Señor.

Las aldeanas la miraban supersticiosas y desconfiadas. Descendían[42] santiguándose:

—¿Qué dices, rapaza?

Ádega gritaba con la boca convulsa:

—¡Era Dios Nuestro Señor! Una noche vino a dormir conmigo en el establo. Tuvimos por cama un monte de heno.

Y levantaba el rostro transfigurado, con una llama de mística lumbre en el fondo de los ojos, y las pestañas de oro guarnecidas de lágrimas. Las mujerucas volvían a santiguarse:

—¡Tú tienes el mal cativo[43], rapaza!

Y la rodeaban, apoyados los cántaros en las caderas, hablándose en voz baja con un murmullo milagrero y trágico. La pastora, de hinojos sobre la yerba, clamaba:

—¡Cuidade! Ya veréis[44] cómo los verdugos han de sufrir todos los trabajos de este mundo, y al cabo han de perecer arrastrados por los caminos. ¡Y nacerán las ortigas[45] cuando ellos pasen!...

Las mujerucas, incrédulas y cándidas, volvían a decirle:

—Pero ¿era algo tuyo?

Ádega se erguía sobre las rodillas, gritando con la voz ya ronca:

—¡Era Dios Nuestro Señor!... ¿Vosotras sois capaces de negarlo? ¡Arrastradas os veréis!

---

[42] 1904 añade: "lentamente".

[43] *mal o ramo cativo:* posesión diabólica.

[44] *cuidade,* forma arcaica del imperativo, con e paragógica; 1904: "¡Cuidad y ya veréis...!".

[45] 1904: "por los caminos, donde nacerán las hortigas (sic)..."; la ortografía de este último sustantivo se mantiene también en 1913. Recuérdese que uno de los malos deseos que contra la venta profiere el peregrino es "que los brazados de ortigas (también con h en 1904) crezcan en la puerta" (I, 4).

Las mujeres, después de oírla, salían lentamente del corro, y mientras llenaban los cántaros en la fuente, hacían su comento[46], la voz asombrada y queda:

—Ese peregrino llevaba ya tiempo corriendo por estos contornos.

—¡Famoso prosero estaba![47]

—Y la rapaza, ¿como diz[48] que era Dios Nuestro Señor?

—La rapaza tiene el mal cativo.

—¡San Clodio Glorioso, y puede ser que lo tenga!

Las mujerucas hablaban reunidas en torno de la fuente, sus rostros se espejaban temblorosos en el cristal y su coloquio parecía tener el misterio de un cuento de brujas. El agua, que desbordaba en la balsa, corría por el fondo de una junquera, deteniéndose en remansos y esmaltando flores de plata en los céspedes[49].

Capítulo VI

La pastora ya no tornó a la venta[50]. Anduvo perdida por los caminos clamando su cuita, y durmió en los pajares, donde le daban albergue por caridad. Los aldeanos que trabajaban los campos, al divisarla desde lejos, abandonaban su labor y pausadamente venían a escucharla desde el lindar de los caminos. Ádega cruzaba trágica y plañidera:

—¡Todos lo veréis, el lindo infante que me ha de nacer[51]!... Conoceréisle porque tendrá un sol en la fren-

---

[46] 1904: "sus comentos".

[47] Frase coloquial, apocopada; completa sería "... estaba hecho".

[48] *diz,* forma arcaica de "dice", como se lee en 1904, y que Valle corrige en 1913, tratando, como en otros casos, de arcaizar y distanciar la expresión.

[49] Este complemento fue añadido en 1920.

[50] En 1904 este cap. comienza: "Ádega no tornó...".

[51] 1904: "el mío fijo que ha de nacer".

te. ¡Nacido[52] será de una pobre pastora y de Dios Nuestro Señor!

Los aldeanos se santiguaban supersticiosos:

—¡Pobre rapaza, tiene el mal cativo!

Ádega, jadeante, con los pies descalzos, con los brazos en alto, con la boca trémula por aquellos gritos proféticos, se perdía a lo largo de los caminos. Sólo hacía algún reposo en el monte con los pastores. Sentada al abrigo de las viejas piedras célticas, les contaba sus sueños. El sol se ponía y los buitres que coronaban la cumbre[53] batían en el aire sus alas, abiertas sobre el fondo encendido del ocaso:

—¡Será un lindo infante, lindo como el sol! ¡Ya una vez lo tuve en mis brazos! ¡La Virgen María me lo puso en ellos! ¡Rendidos me quedaron de lo bailar[54]!

Un pastor viejo le replicaba:

—¿Cómo lo tuviste en brazos si no es nacido? ¡Ay, rapaza, busca un abade que te diga retorneada la oración de San Cidrán[55]!

Y otro pastor con los ojos en lumbre repetía:

—¡Muy bien pudo ser aparición de milagro! ¡Aparición de milagro pudo ser!

Ádega clamaba:

—Estas manos mías lo bailaron, y era su risa un arrebol[56].

---

[52] 1904: "Fijo será...". Recuérdese que el cordero Hurtado que juega con Ádega en la fuente de San Clodio, "ofrecía a los dedos de la pastora el picaresco testuz marcado por una estrella blanca" (III, 2).

[53] 1904: "...al abrigo de los grandes peñascales, les contaba sus sueños mientras el sol se ponía y los buitres que coronaban la peña..."; en 1913, aunque se corrige lo demás, tal como aquí aparece, se mantiene este último sustantivo.

[54] La anteposición del pronombre átono al infinitivo es uso arcaico.

[55] La oración de "las palabras retorneadas de San Juan" es una fórmula mágica contra el mal de ojo y la posesión diabólica; se encuentra en *El libro de San Cipriano,* antiguo grimorio llamado popularmente *El Ciprianillo;* v. Introd., nota 74.

[56] Todo este diálogo, desde "¡Será un lindo infante...!", fue añadido en 1913.

La fe de aquellos relatos despertaba la cándida fantasía de los pastores que, sentados en torno sobre la yerba, la contemplaban con ojos maravillados y le ofrecían con devoto empeño la merienda de sus zurrones. Después, ellos también contaban milagros y prodigios. Historias de ermitaños, de tesoros ocultos, de princesas encantadas, de santas apariciones. Un viejo que llevaba al monte tres cabras negras, sabía tantas, que un día entero, de sol a sol, podía estar contándolas. Tenía cerca de cien años, y muchas de sus historias habían ocurrido siendo él zagal. Contemplando sus tres cabras negras, el viejo suspiraba por aquel tiempo, cuando iba al monte con un largo rebaño que tenían en[57] casa de sus abuelos. Un coro infantil de pastores escuchaba siempre los relatos del viejo. Había sido en aquel buen tiempo lejano cuando se le apareciera una dama sentada al pie de un árbol, peinando los largos cabellos con peine de oro. Oyendo al viejo, algunos pastores murmuraban con ingenuo asombro:

—¡Sería una princesa encantada!

Y otros, sabedores del suceso[58], contestaban:

—¡Era la reina mora, que tiene prisionera un gigante alarbio[59]!...

El viejo asentía moviendo gravemente la cabeza, daba una voz a sus tres cabras para que no se alejasen, y proseguía:

—¡Era la reina mora!... A su lado, sobre la yerba, tenía abierto un cofre de plata lleno de ricas joyas que rebrillaban al sol... El camino iba muy desviado, y la dama, dejándose el peine de oro preso en los cabellos, me llamó con la su mano[60] blanca, que parecía una

---

[57] Las dos primeras eds. añaden: "la".

[58] En 1904 falta este atributivo y tras "otros" añade: "pastores que ya sabían aquella historia".

[59] *alarbio* o alarbe: hombre tosco y brutal en sus maneras; son términos derivados de "al-árabe", o sea, árabe o moro.

[60] La anteposición del artículo al determinante posesivo es uso normativo en gallego, pero arcaico en castellano.

paloma en el aire. Yo, como era rapaz, dime a fujir, a fujir...[61].

Y los pastores interrumpían con candoroso murmullo:

—¡Si a nos quisiera aparecerse![62]

El viejo respondía con su entonación lenta y religiosa, de narrador milenario:

—¡Cuantos se acercan, cuantos perecen encantados!

Y aquellos pastores que habían oído muchas veces la misma historia, la explicaban a los otros pastores que nunca la habían oído. El uno decía:

—Vos no sabéis que para encantar a los caminantes, con su gran fermosura los atrae[63].

Y otro agregaba:

—Con la riqueza de las joyas que les muestra, los engaña.

Y otro más tímidamente advertía:

—Tengo oído que les pregunta cuál de[64] todas sus joyas les place más, y que ellos, deslumbrados viendo tantos broches, y cintillos, y ajorcas, y joyeles, pónense a elegir, y así quedan presos en el encanto.

El viejo dejaba que los murmullos se acallasen, y proseguía con su vieja[65] inventiva, llena de misterio la voz:

—Para desencantar a la reina y casarse con ella, bastaría con decir: Entre tantas joyas, sólo a[66] vos quiero, señora reina. Muchos saben aquesto[67], pero cegados por

---

[61] Curioso cruce valleinclaniano del gallego "fuxir" y el castellano antiguo "fugir": huir.

[62] No sólo la utilización de "nos" por el pronombre tónico castellano "nosotros", sino toda la frase es un calco sintáctico del gallego; en castellano se hubiera dicho "si a nosotros se nos apareciera" o "si quisiera aparecérsenos a nosotros".

[63] *fermosura,* forma gallega y arcaica castellana de "hermosura"; y también, de nuevo, el pronombre gallego "vos", esta vez en función de sujeto, por el castellano "vosotros".

[64] *tengo oído,* galleguismo: he oído; 1904 añade "entre" detrás de "de".

[65] 1904: "ingenua".

[66] Preposición añadida en 1913.

[67] *aquesto,* arcaísmo: esto.

178

la avaricia se olvidan de decirlo y pónense a elegir entre las joyas...

El murmullo de los zagales volvía a levantarse como un deseo fabuloso y ardiente:

—¡Si a nos quisiese aparecerse!

El viejo los miraba compasivo:

—¡Desgraciados de vos! El que ha de romper ese encanto no ha nacido todavía...

Después, todos los pastores, como si un viento de ensueño removiese el lago azul de sus almas, querían recordar otros prodigios. Eran siempre las viejas historias de los tesoros ocultos en el monte, de los lobos rabiosos, del santo ermitaño por quien al morir habían doblado solas las campanas de San Gundián. ¡Aquellas campanas que se despertaban con el sol, piadosas, madrugadoras, sencillas como dos abadesas centenarias[68]! Ádega escuchaba atenta estos relatos que extendían ante sus ojos como una estela de luz, y cuando tornaba a recorrer los caminos, las princesas encantadas eran santas doncellas que los alarbios tenían prisioneras, y los tesoros escondidos iban a ser descubiertos por las ovejas escarbando en el monte, y con ellos haríase una capilla de plata, que tendría el tejado todo de conchas de oro:

—¡En esa capilla bautizaráse aquel hijo[69] que me conceda Dios Nuestro Señor! ¡Vosotros lo habéis de alcanzar[70]! Tocarán solas las campanas ese amanecer, y resucitará aquel santo peregrino que los judíos mataron a la vera de la fuente. ¡Vosotros lo habéis de ver!

Y jadeante, con los pies descalzos, con los brazos en alto, con la boca trémula, se perdía clamando sus voces[71] a lo largo de los caminos.

---

[68] En II, 1, son dos vacas —la Marela y la Bermella— a las que se compara con dos abadesas.
[69] 1904: "fijo".
[70] Se sobreentiende "a ver".
[71] La frase de gerundio fue añadida en 1920.

Cuarta Estancia

Capítulo I

Con las luces del alba se despierta Ádega[1]. El rocío brilla sobre el oro de sus cabellos. Ha dormido al borde de un sendero, después de vagar perdida por el campo, y sus ojos, donde aún queda el miedo de la noche, miran en torno reconociendo el paraje y las casas distantes de la aldea. Una vieja camina con su nieto de la mano, por el sendero. Ádega, viéndola llegar, se incorpora entumecida de frío:

—¿Van para la villa?

—Para allá vamos.

—Yo también tengo de ir[2].

La vieja y el niño siguen andando. Ádega sacude sobre una piedra los zuecos llenos de arena, y se los calza. Después da una carrera para alcanzar a la vieja que camina encorvada, exhortando al niño que llora en silencio, balanceando la cabeza[3]:

—Agora que comienzas a ganarlo, has de ser humildoso, que es la[4] ley de Dios.

—Sí, señora, sí...

---

[1] 1904: "Ádega se despierta al rayar el sol: el rocío...".

[2] *tengo de ir*, arcaísmo: "he de ir" o "tengo que ir".

[3] Desde "balanceando..." fue añadido en 1920.

[4] Artículo añadido en 1920.

—Has de rezar por quien te hiciere bien y por el alma de sus difuntos.

—Sí, señora, sí...

—En la feria de San Gundián[5], si logras reunir para ello, has de comprarte una capa de juncos, que las lluvias son muchas.

—Sí, señora, sí...

—Para caminar por las veredas has de descalzarte los zuecos.

—Sí, señora, sí...

La soledad del camino hace más triste aquella salmodia infantil, que parece un voto de humildad, de resignación y de pobreza hecho al comenzar la vida. La vieja arrastra penosamente las madreñas, que choclean en las piedras del camino, y suspira bajo el mantelo que lleva echado por la cabeza. El nieto llora y tiembla de frío. Va vestido de harapos. Es un zagal albino, con las mejillas asoleadas y pecosas. Lleva trasquilada sobre la frente, como un siervo de otra edad, la guedeja lacia y pálida, que recuerda las barbas del maíz. La abuela y el nieto siguen siempre una orilla del sendero, y por la otra orilla, caminando a su par, va la pastora. Después de algún tiempo, la vieja le habla así:

—Tú, ¿por qué no buscas un amo y dejas de andar por los caminos, rapaza?

Ádega baja los ojos. Aquel consejo de la vieja lo escucha[6] en todas partes, lo mismo en las puertas donde se detiene a pedir limosna, que en las majadas donde es acogida por la noche, y siempre responde igual, con las pestañas de oro temblando sobre la flor triste de sus pupilas:

—Ya lo busco, mas no lo topo.

La vieja murmura sentenciosa:

—Los amos no se topan andando por los caminos. Así, tópanse solamente moras en los zarzales.

---

5 En 1904 se lee "Gudián"; parece ser errata.
6 1904: "escuchaba".

Y sigue en silencio, con su nieto de la mano. Óyese distante el ladrido de los perros y el canto de los gallos. Lentamente el sol comienza a dorar la cumbre de los montes. Brilla el rocío sobre la yerba, revolotean en torno de los árboles con tímido aleteo los pájaros nuevos, ríen los arroyos, murmuran las arboledas, y aquel camino de verdes orillas, triste y desierto, se despierta como viejo camino de sementeras y de vendimias. Rebaños de ovejas suben por la falda del monte, y mujeres cantando van para el molino con maíz y con centeno. Por medio del sendero cabalga lentamente el Señor Arcipreste, que se dirige a predicar en una fiesta de aldea. A su paso salmodian la vieja, la pastora y el nieto:

—¡Santos y buenos días nos dé Dios!

El Señor Arcipreste refrena la yegua de andadura mansa y doctoral:

—¿Vais de feria?

La vieja responde:

—¡Los pobres no tenemos que hacer en la feria! Vamos a la villa buscando amo para el rapaz.

—¿Sabe la doctrina?

—Sabe, sí, señor. La pobreza no quita el ser cristiano.

—Y la rapaza, ¿qué hace?

—La rapaza no es sangre mía. A la cuitada dale por veces un ramo cativo.

Ádega escucha con los ojos bajos. El Señor Arcipreste la interroga con indulgente gravedad:

—¿No tienes padres?

—No, señor.

—¿Y qué haces?

—Ando a pedir...

—¿Por qué no buscas un amo?

—No lo topo...

—¡Válate Dios! Pues hay que sacarse de[7] correr por los caminos.

---

[7] *Sacarse de* por "quitarse de", "retirarse de" o "dejar de + inf." es un típico uso dialectal del castellano hablado en Galicia; por ejemplo, son frecuentes frases como "¡sácate de ahí!" o "sácate de beber", etc.

El Señor Arcipreste deja caer una lenta bendición y se aleja al paso majestuoso de su yegua. La vieja insiste aconsejadora:

—Ya has oído... Hoy júntase en la villa el mercado de los sirvientes. Allí voy[8] con mi nieto, y allí tienes tú de encontrar amo, aun cuando solamente sea por el yantar.

Ádega murmura resignada:

—En la venta también servía por el yantar.

Y todavía, al recuerdo, estremécese de miedo bajo sus harapos y, milagrera, sueña[9].

CAPÍTULO II

En la villa[10], descansando a la sombra de un palacio hidalgo, la pastora miraba la procesión de gentes[11], con ojos maravillados, mientras la vieja, sentada a su lado con las manos debajo del mantelo, murmuraba siempre aconsejadora:

—Estarás aquí sin dar voces ni decir cosa ninguna.

—Estaré, sí, señora.

—¡Sin dar voces!

—Como me manden.

—¡Repara la compostura que guarda mi nieto!

—Sí, señora, sí.

También descansaban a la sombra viejas parletanas[12] vestidas con dengue[13] y cofia como para una boda, y za-

---

[8] 1904 añade "yo".

[9] 1904: "Y todavía se estremece de miedo recordando..."; 1913: "Y todavía, al recuerdo, estremécese de miedo bajo sus harapos"; "y, milagrera, sueña" fue añadido en 1920.

[10] 1904 comienza: "Allá en la villa...".

[11] 1904: "...miraba pasar la gente"; el inf. fue suprimido en 1913 y se añadió: "la procesión de gentes".

[12] *parletanas:* parlanchinas o parloteadoras; derivación valleinclaniana de "parleta": charla o conversación fútil e intrascendente.

[13] *dengue:* prenda de vestir femenina semejante a un pequeño mantón cuyas puntas se cruzan por el pecho y se sujetan a la espalda; es propio del traje tradicional gallego.

galas que nunca habían servido y ocultaban vergonzosas los pies descalzos bajo los refajos amarillos, y mozos bizarros de los que campan y aturujan[14] en las romerías, y mozas que habían bajado de la montaña y suspiraban por su tierra, y rapaces humildes que llevaban los zuecos en la mano y la guedeja trasquilada sobre la frente como los siervos antiguos. Por medio de la calle, golpeando las losas con el cueto herrado del palo, iba y venía el ciego de la montera parda y los picarescos decires. La abertura de su alforja dejaba asomar las rubias espigas de maíz que había recogido de limosna a su paso por las aldeas. Una de aquellas viejas parletanas le llamó:

—¡Escucha una fabla!

El ciego se detuvo, reconociendo la voz:

—¿Eres Sabela la Galana?

—La misma. ¿Has estado en el Pazo de Brandeso?

—Hace dos días pasé por allí.

—¿Preguntaste si necesitaban una criada?

—Por sabido que pregunté.

—¿Y qué te han dicho?

—Que te llegues por aquella banda y hablarás con el mayordomo. Yo en todo he respondido por ti.

—¡Dios te lo premie!

La abuela también llamó al ciego:

—¡Oye!... Para un nieto mío, ¿no podrás darme razón de alguna casa donde me lo traten con blandura, pues nunca ha servido?

—¿Qué tiempo tiene?

—El tiempo de ganarlo. Nueve años hizo por el mes de Santiago.

—Como él sea despierto, amo que lo[15] mire bien no faltará.

---

[14] *aturujan*, castellanización de "aturuxar", éste a su vez de "aturuxo": grito de júbilo que lanzan los mozos en las fiestas acompañando las canciones.

[15] 1913: "le"; en 1920 Valle corrigió el leísmo.

—Pobre soy, mas en aquello que pudiese habría de corresponder contigo[16].

—Espérame aquí con el rapaz, que acaso os traiga luego una razón.

—También tengo de hablarte por una pobre cuitada.

—Cuando retorne[17].

Y se alejaba golpeando las losas con el cueto del palo. Tres zagales le llamaban desde lejos:

—Una fabla, Electus. Dijéronnos que se despedía[18] el criado del señor Abade de Cela.

—Nada he oído.

—¿No te dieron encargo de que buscases otros[19]?

—De esta vez ninguna cosa me han dicho.

—Será entonces mentira.

—Puede que lo sea.

—¿Y tú no sabes de ningún acomodo?

—Tal que pueda conveniros a vosotros, solamente sé de uno.

—¿Dónde?

—Aquí en la villa. Las tres nietas del Señor mi Conde. Tres rosas frescas y galanas. ¡Para cada uno de vosotros la suya!

Los zagales reían al oírle:

—Estas rosas están guarnidas de muy luengas espinas. Solamente tú puédeslas coger[20].

Y volvieron a estallar las risas con alegre e ingenua mocedad. Ádega, temerosa de no encontrar amo a quien servir, ponía en todo una atención llena de zozobra.

---

16 Esta forma pronominal se añade en 1913.
17 1904: "Cuando torne".
18 1904: "se salía".
19 1913: "otro".
20 1904: "puedes cogerlas" —construcción correcta en castellano—; la posposición del pronombre complemento al verbo auxiliar "puedes" (1913) es un caso más del distanciamiento lingüístico del que Valle-Inclán quiso dotar a esta obra suya; nótense, además, los dos arcaísmos de la primera frase: "guarnidas" por "guarnecidas" y "luengas" por "largas".

Cuando alguien cruzaba por su lado, las tristes violetas de sus ojos se alzaban como implorando, pero nadie reparaba en ella. Pasaban los hidalgos llevando del diestro sus rocines enjaezados con antiguas sillas jinetas; pasaban viejos labradores arrastrando lucientes capas de paño sedán[21], y molineros blancos de harina, y trajinantes que ostentaban botones de plata en el calzón de pana, y clérigos de aldea cetrinos y varoniles, con grandes paraguas bajo el brazo. Cuantos iban en busca de criado, desfilaban deteniéndose e interrogando:

—¿Qué años tienes, rapaz?

—No le podré decir, pero paréceme que han de ser doce.

—¿Sabes segar yerba?

—Sé, sí, señor.

—¿Y cuánto ganas?

—Eso será aquello que tenga voluntad de darme. Hasta agora solamente serví por los bocados.

Y un poco más adelante:

—Tú, ¿de qué banda eres, moza?

—Una legua desviado de Cela.

—¿Dónde servías?

—Nunca tuve amo.

Y todavía más lejos:

—¿Tú serviste aquí en la villa?

—Serví, sí, señor.

—¿Muchos años?

—Pasan de siete.

—¿Cuántos amos tuviste?

—Tuve dos.

—¿Cuánto ganabas?

—Según. ¿Cuánto acostumbra de dar?

—Agora yo también te digo, según.

—Y dice bien. Conforme el servicio del criado, conforme ha de corresponder el amo. No es alabanza, pero si nos arreglamos paréceme no quedará quejoso.

---

[21] *paño sedán:* paño fino de seda o asedado.

Se hacían corros y nunca faltaban viejas comadres que se acercasen, entrometidas y conqueridoras:

—¡Buenos días nos dé Dios!... Sus padres sonle[22] muy honrados. Por la soldada no se desarreglen. Verá qué pronto toma ley a la casa. Mire que tan bueno encontrará; mejor, mía fe, que no[23].

E iban así de corro en corro, pero no gozaban de aquel favor popular que gozaba el ciego de la montera parda. Cuando reapareció en el confín de la calle golpeando las losas con el cueto herrado del bordón, nuevamente comenzaron a llamarle de uno y[24] otro lado. Él respondía sacudiendo las alforjas de piel de cordero[25], ya escuetas:

—¡Considerad que bajo este peso me doblo!... Dejad que llegue donde pueda reposarme.

Viejos y mozos reían al oírle. La abuela también le gritó festera:

—Aquí estamos esperándote con un dosel.

El ciego repuso gravemente:

—Agora iré a sentarme debajo para decirte lo que hay... Paréceme que hallé acomodo para los dos rapaces.

Y entró en el palacio solariego con una de aquellas viejas parletanas, muy nombrada porque hacía la compota de guindas y la trepezada de membrillo como las señoras monjas de San Payo[26]. A todo esto la gente se agrupaba para ver a un hombre que llevaban preso.

---

[22] *sonle:* el dativo de interés es uso típicamente gallego (—¿De dónde es usted? —Le soy de Lugo) y, además, aquí pospuesto.

[23] "Mía fe, que" fue añadido en 1920.

[24] 1904 añade: "de".

[25] "De piel de cordero" fue añadido en 1913.

[26] *trepezada,* aféresis de "entrepezada" o "entropezada", del ant. verbo "entropezar" (del lat. vg. *"intropediare", por "intropedire"): compota o dulce hecho con trozos —tropezones— de fruta; *las señoras monjas de San Payo:* alusión a las Madres Benedictinas del monasterio de San Payo o San Pelayo, frontero a la catedral en Santiago de Compostela, famosas en toda Galicia por sus dulces.

188

Ádega se acercó también, y al verle sus pestañas de oro temblaron[27]. Aquel hombre, a quien conducían con los brazos atados, era el hijo de la ventera.

CAPÍTULO III

Por la puerta del Deán[28] que aún quedaba en pie de la antigua muralla, salían a la media tarde la vieja, la pastora y el niño. La vieja iba diciéndoles:

—Ya habéis encontrado acomodo. Agora vos cumple ser honrados[29] y trabajadores.

Los tres caminan acezando, temerosos de que la noche les coja en despoblado. Ya lejos de la villa, en una encrucijada del camino, la vieja se detiene irresoluta:

—¡Oye, Ádega!... Si nos pasamos por el Pazo de Brandeso, no tendremos día para llegar a San Clodio.

Ádega murmura tristemente:

—Si no puede acompañarme, yo iré sola... El camino lo sé. Con todo, sería gustante[30] que hablase por mí a tan gran señora.

La vieja se siente compadecida:

—Iremos primero donde esperan al rapaz, y luego, con la luna, nos llegaremos al Pazo, que es poco arrodeo[31].

Bajo aquel sol amable, que luce sobre los montes, cruza por los caminos la gente de las aldeas. En una lejanía de niebla azul se divisan los cipreses de San Clodio, oscuros y pensativos, con las cimas ungidas por un

---

[27] "Al verle" fue añadido en 1920; 1904 añade al final de la frase: "asustadas".

[28] *la puerta del Deán:* probablemente, alusión indirecta a La Puebla del Deán, colindante con El Caramiñal. La expansión y unión de ambas poblaciones ha dado la moderna denominación a La Puebla del Caramiñal.

[29] 1904: "humildes".

[30] *sería gustante:* expresión arcaica por "me gustaría".

[31] *arrodeo:* forma arcaica y rústica de "rodeo".

reflejo dorado y crepuscular. Los rebaños vuelven hacia la aldea, y el humo indeciso y blanco que sube de los hogares se disipa en la luz como salutación de paz. Sentado en la puerta del atrio, un ciego pide limosna y levanta al cielo los ojos, que parecen dos ágatas blanquecinas:

—¡Santa Lucía bendita vos conserve la amable vista y salud en el mundo para ganarlo!... ¡Dios vos otorgue qué dar y qué tener!... ¡Salud y vista en el mundo para ganarlo!... ¡Tantas buenas almas del Señor como pasan, no dejarán al pobre un bien de caridad!...[32]

Y el ciego tiende la palma seca y amarillenta. La vieja, dejando a la pastora en el camino, se acerca con su nieto de la mano y murmura tristemente:

—¡Somos otros pobres!... Dijéronme que buscabas un criado...

—Dijéronte verdad. Al que tenía enantes abriéronle la cabeza en la romería de San Amaro. ¡Está que loquea[33]!

—A mí mándame Electus.

—¡Ése no necesita criado! Sabe los caminos mejor que muchos que tienen vista.

—Vengo con mi nieto.

—Vienes bien.

El ciego extiende sus brazos palpando en el aire.

—Llégate, rapaz.

La vieja empuja al niño, que tiembla como un cordero acobardado y manso[34] ante aquel hombre hosco,

---

[32] Obsérvese que un párrafo de súplica muy semejante a éste, pero puesto en boca del peregrino plañendo ante la venta, aparece en *Ádega (Historia mileniaria)*, III (*Revista Nueva*, 25-IV-1899) y en *Ádega (historia milenaria)*, II (*Electra*, 13-IV-1901); e igual a éste y también en boca de un ciego, pero en el atrio de San Amedio, en *¡Malpocado!* (*El Liberal*, 30-XI-1902).

[33] *San Amaro:* en castellano, San Mauro; *que loquea,* por "enloquecido". "Loquear", poco frecuente en el castellano moderno, es frecuente en el uso dialectal de Galicia como traducción del gallego "tolear".

[34] En 1904 y 1913 se lee: "...como una oveja acobardada y mansa".

envuelto en un roto capote de soldado. La mano amarillenta y pedigüeña del ciego se posa sobre los hombros del niño, ándale a tientas por la espalda, corre a lo largo de las piernas:

—¿No te cansarás de caminar con las alforjas?[35]

—No, señor; estoy hecho a eso.

—Para llenarlas hay que correr muchas puertas. ¿Tú conoces bien los caminos de las aldeas?

—Donde no conozca, pregunto.

—En las romerías, cuando yo eche una copla, tú tienes que responderme con otra. ¿Sabrás?

—En deprendiendo[36], sí, señor.

—Ser criado de ciego es acomodo que muchos quisieran.

—Sí, señor, sí.

—Puesto que has venido, vamos hasta la rectoral. ¡Allí hay caridad! En este paraje no se recoge una triste limosna.

El ciego se incorpora entumecido, y apoya la mano en el hombro del niño, que contempla tristemente el largo camino, y la campiña verde y húmeda, que sonríe en la paz de la tarde, con el caserío de las aldeas disperso y los molinos lejanos desapareciendo bajo el emparramado de las puertas, y las montañas azules, y la nieve en las cumbres. A lo largo del camino un zagal anda encorvado segando yerba, y la vaca de trémulas y rosadas ubres pace mansamente arrastrando el ronzal. Mozos y mozas vuelven a la aldea cantando por los caminos, y el humo blanco parece salir de entre las higueras. El ciego y el niño se alejan lentamente, y la abuela suspira, enjugándose los ojos al mismo tiempo que se junta con Ádega:

---

[35] 1904 añade: "a cuestas".

[36] 1904: "En aprendiendo"; "en + gerundio" es construcción arcaica y rústica; en 1913, Valle-Inclán refuerza el arcaísmo de la frase cambiando "aprendiendo" por "deprendiendo", de "deprender" y éste, a su vez, del antiguo "deprehender": aprender.

—¡Malpocado, nueve años y gana el pan que come!... ¡Alabado sea Dios!...

Ádega, sintiendo pasar sobre su rostro el aliento encendido del milagro, murmura:

—Ese ciego es un santo del Cielo, que anda por el mundo para saber dónde hay caridad y luego darle cuenta a Nuestro Señor.

La vieja responde:

—Nuestro Señor, para saber dónde se esconden las buenas almas, no necesita experimentarlo.

Y callaron porque ya iban acezando, en su afán de llegar con día al Pazo de Brandeso.

CAPÍTULO IV

Pasaba el camino entre dos lomas redondas e iguales como los senos de una giganta, y la pastora se detuvo mostrándole a la vieja una sombra lejana, que allá en lo más alto parecía leer atentamente, alumbrándose con un cirio que oscilaba misterioso bajo la brisa crepuscular. La vieja miró largo tiempo, y luego advirtió:

—A ese hombre yo lo vide en otros parajes. ¿Sabes cómo se llama el libro donde lee? El libro de San Cidrián. ¡También un curmano[37] de mi padre lo tenía!...

Ádega bajó la voz misteriosa y crédula:

—Con él descúbrense los tesoros ocultos.

La vieja negaba moviendo la cabeza, porque tenía la enseñanza de sus muchos años:

—Aquel curmano de mi padre vendió las tierras, vendió las vacas, vendió hasta el cuenco del caldo y nunca descubrió cosa ninguna.

—Mas otros han hallado muy grandes riquezas...

—Yo a ninguno conocí. Cuando era rapaza, tengo

---

[37] *vide:* forma gallega y castellana antigua del indef. "vi"; *curmano, curmán o curmao*, galleguismo: primo hermano o carnal.

oído que entre estas dos lomas hay oculto dinero para siete reinados, pero dígote que son cuentos.

Ádega, con las violetas de sus ojos resplandecientes de fe, murmuró como si repitiese una oración aprendida en un tiempo lejano:

—Entre los penedos y el camino que va por bajo, hay dinero para siete reinados, y días de un rey habrán de llegar en que las ovejas, escarbando, los descubrirán[38].

La vieja suspiró desengañada:

—Ya te digo que son cuentos.

—Cuentos serán, pero sinfín[39] de veces lo escuché en el monte, a un viejo de San Pedro de Cela.

—¡Si fuese verdad todo lo que se escucha, rapaza! A ese que lee, yo le conozco. Vino poco hace de la montaña, y anda por todos estos parajes leyendo en ese gran libro luego que se pone el sol. Tiene los ojos lucientes como un can adolecido[40], y la color más amarilla que la cera.

Y dijo Ádega:

—Yo también lo conozco. En la venta se reposó muchas veces. Allí, contó un día que los alarbios guardadores de los tesoros solamente se muestran en esta hora, y que habrán de leerse las palabras escritas a la luz de un cirio bendito[41].

Susurraron largamente los maizales, levantóse la brisa crepuscular removiendo las viejas hojas del infolio, y la luz del cirio se apagó ante los ojos de las dos mujeres. Habíase puesto el sol, y el viento de la tarde pasaba como una última alegría sobre los maizales verdes y rumorosos. El agua de los riegos corría en silencio por un cauce limoso, y era tan mansa, tan cristalina, tan humil-

---

[38] V. Introd., nota 68.

[39] 1913: "sin fin".

[40] *can adolecido,* castellanización de la expresión gallega "can adoecido": perro rabioso o hidrofóbico.

[41] Adjetivo añadido en 1913.

de, que parecía tener alma como las criaturas del Señor. Aquellas viejas campanas de San Gundián y de San Clodio, de Santa Baya de Brandeso y de San Berísimo de Céltigos dejaban oír sus voces en la paz de la tarde, y el canto del[42] ruiseñor parecía responderlas desde muy lejos. Se levantaba sobre la copa oscura de un árbol, al salir la luna, ondulante, dominador y gentil como airón de plata en la cimera de un arcángel guerrero. Y las dos mujeres iban siempre camino adelante, acezando en su afán de llegar. Al cabo la vieja murmuró haciendo un alto[43]:

—¡Ya poco falta, rapaza!

Y Ádega repuso:

—¡Ya poco falta, sí, señora!

Continuaron en silencio. El camino estaba lleno de charcos nebulosos, donde se reflejaba la luna, y las ranas que bajo la luz de plata cantaban en la orilla su solo monótono y senil, saltaban al agua apenas los pasos se acercaban. A lo lejos, sobre el cielo azul y constelado de luceros, destacábase una torre almenada, como en el campo de un blasón. Era la torre del Pazo de Brandeso. Estaba en el fondo de un gran jardín antiguo, que esparcía en la noche la fragancia de sus flores. Tras la cancela de hierro, los cipreses asomaban muy altas sus cimas negras, y los cuatro escudos del fundador, que coronaban el arco de la puerta, aparecían iluminados por la luna. Ádega murmuró en voz baja cuando llegaron:

—¡Todas las veces que vine a esta puerta, todas me han socorrido!

Y la vieja repuso:

—¡Es casa de mucha caridad!

Acercáronse las dos juntas, llenas de respeto, y miraron por el enrejado de la cancela:

—No se ve a nadie, rapaza.

---

42 1913: "de un".
43 La proposición de gerundio fue añadida en 1913.

194

—¡Acaso sea muy tarde!

—Tarde, no, pues hállase abierto... Entraremos hasta la cocina.

—¿Y si están sueltos los perros?...

—¿Tienen perros?

—Tienen dos, y un lobicán[44] muy fiero.

En esto vieron una sombra que se acercaba, y esperaron. Poco después reconocían al que llegaba, aun cuando encubríale por entero la parda anguarina[45]. Los ojos calenturientos fulguraban bajo el capuz, y las manos, que salían del holgado ropaje como las de un espectro, estrechaban un infolio encuadernado en pergamino. Llegó hasta la cancela hablando a solas, musitando concordancias extrañas, fórmulas oscuras y litúrgicas para conjurar brujas y trasgos. Iba a entrar, y la vieja le interrogó con una cadencia de salmodia[46]:

—¿No andarán sueltos los perros?

—Nunca los sueltan hasta después de cerrar.

Era su voz lenta y adormecida, como si el alma estuviese ausente. Empujó la cancela, que tuvo un prolongado gemir, y siempre musitando aquellas oraciones de una liturgia oscura, penetró en el jardín señorial. Las dos mujeres, cubiertas las cabezas con los manteles[47], como sombras humildes, entraron detrás.

CAPÍTULO V

Los criados están reunidos en la gran cocina del Pazo. Arde una hoguera de sarmientos, y las chispas y el humo suben retozando por la negra campana de la chi-

---

[44] *lobicán*, galleguismo: perro lobo.

[45] *anguarina*: gabán de paño burdo y sin mangas, semejante al tabardo, que usan los labradores de algunas comarcas en tiempo de agua y frío.

[46] El complemento modal fue añadido en 1913.

[47] "Las cabezas" falta en 1913 y, como en 1904, se lee "sus" en lugar de "los".

menea que cobija el hogar y los escaños donde los criados se sientan. Es una chimenea de piedra que pregona la generosidad y la abundancia, con sus largos varales de donde cuelga la cecina puesta al humo. La sombra del buscador de tesoros se desliza a lo largo del muro, con el infolio apretado sobre el pecho, y desaparece en un rincón murmurando sus oraciones cabalísticas. Los criados le tienen por loco. Presentóse hace tiempo como nieto de un antiguo mayordomo, y allí está[48] recogido, que todo es tradicional en el Pazo. La vieja y la zagala, que han entrado detrás, murmuran humildes:

—¡Santas y buenas noches!

Algunas voces responden:

—¡Santas y buenas!

Una moza encendida como manzana sanjuanera, con el cabello de cobre luciente y la nuca más blanca que la leche, está en pie llenando los cuencos del caldo, arremangada hasta el codo la camisa de estopa. Con el rostro iluminado por la llama, se vuelve hacia las dos mujeres:

—¿Qué deseaban?

La vieja se acerca al fuego, estremeciéndose de frío:

—Venimos por ver si esta rapaza halla aquí acomodo.

Un criado antiguo murmura:

—Somos ya diez para holgar.

La vieja vuelve a estremecerse, y toda encorvada sigue acercándose al hogar:

—¡Asús!... Parece mismo como que da vida esta lumbre. ¿Por qué te quedas ahí, rapaza?

Ádega responde con los ojos bajos:

—Deje, que el frío no me hace mal.

La moza de la cara bermeja se vuelve compasiva:

—Anda, que tomarás un cuenco de caldo.

Ádega murmura:

—¡Nuestro Señor se lo premie!

---

[48] En 1904 el adverbio está pospuesto: "está allí".

La vieja sigue estremeciéndose:

—En todo el santo día no hemos probado cosa caliente.

El criado de las vacas, al mismo tiempo que sumerge en el caldo la cuchara de boj, mueve gravemente la cabeza:

—¡Lo que pasan los pobres!

La vieja suspira:

—¡Sólo ellos lo saben, mi fijo!

Hay algo de patriarcal en aquella lumbre de sarmientos que arde en el hogar y en aquella cena de los criados, nacidos muchos de ellos bajo el techo del Pazo. La vieja y la zagala sostienen en ambas manos los cuencos humeantes, sin osar catarlos mientras las interroga una dueña de cabellos blancos que llevó en brazos[49] a la señora:

—¿Quién os encaminó aquí?

—Electus.

—¿El ciego?

—Sí, señora, el ciego. Díjonos que necesitaban una rapaza para el ganado y que tenía a su cargo buscarla...

El criado de las vacas murmura:

—¡Condenado Electus!

La dueña se encrespa de pronto:

—¡Luego querrá que la señora le recompense por haberle traído una boca más!...

Otros criados repiten por lo bajo con cierto regocijo:

—¡Cuántas mañas sabe!

—¡Qué gran raposo!

—¡Conoce[50] el buen corazón de la señora!

La vieja, decidiéndose a catar el caldo, murmura componedora y de buen talante:

—No se apure, mi ama. La rapaza servirá por los bocados.

---

49 1904: "que vio nacer".
50 1904: "¡Cómo conoce...!"

Ádega murmura tímidamente:

—Yo sabré ganarlo[51].

La dueña se yergue, sintiendo el orgullo de la casa, cristiana e hidalga[52]:

—Oye, moza, aquí todos ganan su soldada, y todos reciben un vestido cada año[53].

Los criados con las cabezas inclinadas, sorbiendo las berzas en las cucharas de boj, musitan alabanzas de aquel fuero generoso que viene desde el tiempo de los bisabuelos. Después, la dueña de los cabellos blancos se aleja sonando el manojo de sus llaves, y al desaparecer por una puerta oscura va diciendo, como si hablase sola:

—Esta noche dormirán en el pajar. Mañana que disponga la señora.

Cuando desaparece[54], la moza de la cara bermeja se acerca a la pastora, y le dice risueña:

—¿Cómo te llamas?

—Ádega.

—Pues no tengas temor, Ádega. Tú quedarás aquí, como quedan todos. Aquí a nadie se cierra la puerta.

Y allá en el fondo de la cocina se eleva la voz religiosa y delirante del buscador de tesoros, mientras su sombra se acerca lentamente:

—¡Rapaza, puerta de tanta caridad no la hay en todo el mundo!... ¡Los palacios del rey todavía no son de esta noble conformidad!...

---

[51] 1904: "ganarlos", refiriéndose, lógicamente, a los bocados.

[52] Los dos últimos adjetivos fueron añadidos en 1913.

[53] El vocativo "moza" fue añadido en 1913; en 1904 se lee "reciben" en lugar de "ganan" y "tienen" en el de "reciben".

[54] 1904: "Apenas desaparece, cuando la moza...".

Quinta Estancia

CAPÍTULO I[1]

Los criados velaron en la cocina, donde toda la noche ardió el fuego. Una cacería de lobos está[2] dispuesta para el amanecer. De tiempo en tiempo, mientras se recuerdan los lances de otras batidas, los más viejos descabezan un sueño en los escaños. Cuando alguien llama en la puerta de la cocina, se despiertan sobresaltados. La moza de la cara bermeja, que está siempre dispuesta para abrir, descorre los cerrojos, y entra, murmurando las santas noches, algún galán de la aldea, celebrado cazador de lobos. Deja su escopeta en un rincón y toma asiento al pie del fuego. La dueña de los cabellos blancos aparece y manda que le sirvan un vaso de vino nuevo. El cazador, antes de apurarlo, salmodia la vieja fórmula:

—¡De hoy en mil años y en esta honrada compaña!

La moza de la cara bermeja vuelve al lado de Ádega:

—A mí paréceme que te conozco. ¿Tú no eres de San Clodio?

—De allí soy, y allí tengo todos mis difuntos.

—Yo soy poco desviado... En San Clodio viven casadas dos hermanas de mi padre, pero nosotros somos de

---

[1] En 1904 este capítulo es el VI de la Cuarta Estancia.
[2] 1904: "estaba".

Andrade. Yo me llamo Rosalva. La señora es mi madrina.

Ádega levanta las violetas de sus ojos y sonríe, humilde y devota.

—¡Rosalva! ¡Qué linda pudo ser la Santa que tuvo ese nombre, que mismo parece cogido en los jardines del Cielo!

Y queda silenciosa, contemplando el fuego que se abate y se agiganta bajo la negra campana de la chimenea, mientras el criado de las vacas, al otro lado del hogar, endurece en las lenguas de la llama una vara de roble, para calzar en ella el hocino[3]. Armado de esta suerte irá en la cacería, y entraráse con los perros por los tojares donde los lobos tienen su cubil. En el fondo de la cocina, otro de los criados afila la hoz, y produce crispamiento aquel penetrante chirrido que va y viene, al pasar del filo por el asperón[4]. Poco a poco, Ádega se duerme en el escaño, arrullada por el murmullo de las voces, que apagadas y soñolientas hablan de las sementeras, de las lluvias, y del servicio en los Ejércitos del Rey. A lo largo del corredor resuenan las llaves y las toses de la dueña, que un momento después asoma preguntando:

—¿Cuántos os juntáis?

Cesan de pronto las conversaciones, y, sin embargo, una ráfaga de vida pasa sobre aquellas cabezas amodorradas, anímanse los ojos, y se oye, como rumor de marea, el ras de los zuecos en las losas. La moza de la cara bermeja, puesta en pie, comienza a contar:

—Uno, dos, tres...

Y la dueña espera allá en el fondo oscuro. En tanto sus ojos compasivos se fijan en la pastora:

—¡Divino Señor!... Duerme como un serafín. Tengan cuidado, que puede caerse al[5] fuego.

---

[3] 1904: "la hoz".

[4] En 1904, en lugar de "crispamiento" y "al pasar..." se lee: "escalofríos" y "como pasa el filo..."; *asperón:* arenisca de cemento silíceo o arcilloso, que se emplea en los usos generales de construcción y también, cuando es de grano fino y uniforme, en piedras de amolar.

[5] 1904 y 1913: "en el".

La vieja toca el hombro de Ádega:

—¡Eh!... ¡Álzate, rapaza!

Ádega abre los ojos y vuelve a cerrarlos. La dueña murmura:

—No la despierten... Pónganle algo bajo la sien, que descansará más a gusto.

La vieja dobla el mantelo, y con una mano suspende aquella cabeza melada por el sol como las espigas. La pastora abre de nuevo los ojos y al sentir la blandura del cabezal suspira. La vieja vuélvese hacia la dueña con una sonrisa de humildad y de astucia:

—¡Pobre rapaza sin padres!

—¿No es hija suya?

—No, señora... A nadie tiene en el mundo. Yo la acompaño por compasión que me da. A la cuitada éntrale por veces un ramo cativo, y mete dolor de corazón verla correr por los caminos cubierta de polvo, con los pies sangrando. ¡Crea que es una gran desgracia!

—¿Y por qué no la llevan a Santa Baya de Cristamilde?

—Ya le digo que no tiene quien mire por ella...

El nombre de la Santa ha dejado tras sí un largo y fervoroso murmullo que flota en torno del hogar, como la estela de sus milagros. En el mundo no hay Santa como Santa Baya de Cristamilde. Cuantos llegan a visitar su ermita sienten un rocío del Cielo. Santa Baya de Cristamilde protege las vendimias y cura las mordeduras de los canes rabiosos; pero sus mayores prodigios son aquellos que obra en su fiesta sacando del cuerpo[6] los malos espíritus. Muchos de los que velan al amor de aquel fuego de sarmientos han visto cómo las enfermas del ramo cativo los escupían[7] en forma de lagartos con alas. Un aire de superstición pasa por la vasta cocina del Pazo. Los sarmientos estallan en el hogar acompañando

---

[6] 1904 añade: "a las endemoniadas".
[7] 1904 añade: "por la boca".

la historia de una endemoniada. La cuenta[8] con los ojos extraviados y poseído de un miedo devoto, el buscador de tesoros. Fuera los canes, espeluznados de frío, ladran a la luna. Resuenan[9] otra vez las llaves de la dueña. Desde la puerta hace señas con la mano. La moza de la cara bermeja se acerca:

—¿Mandaba alguna cosa?

—¿Cuántos has contado?

—Conté veinte, y todavía vendrán más.

—Está bien. Baja a la bodega y sube del vino de la Arnela[10].

—¿Cuánto subo?

—Sube el odre mediano. Si tú no puedes, que baje uno contigo... Dejarás bien cerrado.

—Descuide.

La dueña, al entregarle el manojo de sus llaves, destaca una:

—Ésta es la que abre.

—Ya la conozco.

Vase la dueña de los cabellos blancos, y la moza de la cara bermeja enciende un candil para bajar a la bodega. Ulula el viento atorbellinado en la gran campana de la chimenea, y las llamas se tienden y se agachan poniendo un reflejo más vivo en todos los rostros. De tarde en tarde llaman en la puerta, y un cazador aparece en la oscuridad con los alanos atraillados y una vara al hombro. Los que vienen de muy lejos llegan ya cerca del amanecer, y al abrirles, una claridad triste penetra en la vasta y cuadrada[11] cocina donde la hoguera de sarmientos, después de haber ardido toda la noche, muere en

---

8 1904: "...una endemoniada, que cuenta..."

9 1904: "Se oyen".

10 *Arnela:* en varias obras de Valle-Inclán aparece este topónimo en relación con los buenos caldos de la tierra; sin duda, es creación de nuestro autor, probablemente, sobre el topónimo *Arnoya,* pueblo orensano de la comarca viti-vinícola del Ribeiro d'Avia.

11 Estos dos adjetivos fueron añadidos en 1920.

un gran rescoldo. La roja pupila parpadea en el hogar lleno de ceniza, y como en una bocana marina, en la negra chimenea ruge el viento[12].

CAPÍTULO II

Ádega fue admitida en la servidumbre de la señora, y aquel mismo día llegaron las mozas de la aldea, que todos los años espadaban el lino en el generoso Pazo de Brandeso. Comenzaron su tarea cantando y cantando la[13] dieron fin. Ádega las ayudó. Espadaban en la solana, y desde el fondo de un balcón oía sus cantos la señora, que hilaba en su rueca de palo santo, olorosa y noble. A la señora, como a todas las mayorazgas campesinas, le gustaban las telas de lino y las guardaba en los arcones de nogal, con las manzanas tabardillas[14] y los membrillos olorosos. Después de hilar todo el invierno, había juntado cien madejas, y la moza de la cara bermeja, y la dueña de los cabellos blancos, pasaron muchas tardes devanándolas en el fondo de una gran sala desierta. La señora pensaba hacer con ellas una sola tela, tan rica como no tenía otra[15].

Las espadadoras trabajaban por tarea, y habiendo dado fin el primer día poco después de la media tarde, se esparcieron por el jardín, alegrándolo con sus voces.

---

[12] En 1904 y 1913 el cap. termina con la frase: "El hogar está lleno de ceniza".

[13] Laísmo: "la" (falso COI fem.) por "le" (forma correcta, igual para masc. y fem.).

[14] *manzana(s) tabardilla(s):* variedad muy apreciada por su aroma y su sabor.

[15] Algo semejante se dice de la vieja abuela protagonista del cuento *Geórgicas* (1904), pero allí las madejas hiladas son sólo doce y la han ayudado a devanarlas sus siete nietas. También hemos visto hilando a Ádega (I, 2 y III, 1 y 2) y a la ventera (I, 4), y ésta hace referencia, en su charla con la rapaza de Cela (II, 1), a las más de, también, doce madejas que tiene hiladas

Ádega bajó con ellas. Sentada al pie de una fuente atendía sus cantos y sus juegos con triste sonrisa. Las vio alejarse y se sintió feliz. Sus ojos se alzaron al cielo como dos suspiros de luz. Aquella zagala de cándida garganta y cejas de oro, volvía a vivir en perpetuo ensueño. Sentada en el jardín señorial bajo las sombras seculares, suspiraba viendo morir la tarde, breve tarde azul llena de santidad y de fragancia. Sentía pasar sobre su rostro el aliento encendido del milagro, y el milagro acaeció. Al inclinarse para beber en la fuente, que corría escondida por el laberinto de arrayanes, las violetas de sus ojos vieron en el cristal del agua, donde temblaba el sol poniente, aparecerse el rostro de un niño que sonreía. Era aquella aparición un santo presagio. Ádega sintió correr la leche por sus senos, y sintió la voz saludadora del que era hijo de Dios Nuestro Señor. Después sus ojos dejaron de ver. Desvanecida al pie de la fuente, sólo oyó un rumor de ángeles que volaban. Recobróse pasado mucho tiempo, y sentada sobre la yerba, haciendo memoria del cándido y celeste suceso, lloró sobrecogida y venturosa. Sentía que en la soledad del jardín, su alma volaba como los pájaros que se perdían cantando en la altura.

Tras los cristales del balcón, todavía hilaba la señora[16], con las últimas luces del crepúsculo. Y aquella sombra encorvada, hilando en la oscuridad, estaba llena de misterio. En torno suyo todas las cosas parecían adquirir el sentido de una profecía. El huso de palo santo temblaba en el hilo que torcían sus dedos, como temblaban sus viejos días en el hilo de la vida. La mayorazga del Pazo era una evocación de otra edad, de otro sentido familiar y cristiano, de otra relación con los cuidados del mundo[17]. Había salido la luna, y su luz bañaba el jardín, consoladora y blanca como un don eucarístico. Las

---

16 En 1904 y 1913 se lee: "la señora hilaba todavía".
17 Desde "La mayorazga..." fue añadido en 1913.

voces de las espadadoras se juntaban en una palpitación armónica con el rumor de las fuentes y de las arboledas. Era como una oración de todas las criaturas en la gran pauta del Universo[18].

Capítulo III

Los criados, viéndola absorta como si viviese en la niebla blanca de un ensueño, la instaban para que contase sus visiones. Atentos al relato se miraban, unos incrédulos y otros supersticiosos. Ádega hablaba con extravío, trémulos los labios y las palabras ardientes. Como óleo santo, derramábase sobre sus facciones mística ventura. Encendida por la ola de la Gracia, besaba el polvo con besos apasionados y crepitantes, como las llamas besaban los sarmientos del[19] hogar. A veces las violetas de sus ojos fosforescían[20] con extraña lumbre en el cerco dorado de las pestañas, y la dueña de los cabellos blancos, que juzgaba ver en ellos la locura, santiguábase y advertía a los otros criados:

—¡Tiene el ramo cativo!

Ádega clamaba al oírla:

—Anciana sois, mas aún así habéis de ver al hijo mío[21]... Conoceréisle porque tendrá un sol en la frente. ¡Hijo será de Dios Nuestro Señor!

La dueña levantaba los brazos, como una abuela benévola y doctoral:

—¡Considera, rapaza, que quieres igualarte con la Virgen María!

Ádega, con el rostro resplandeciente de fervor, suspiraba humilde:

---

[18] 1904: "...del mundo".
[19] 1904 y 1913: "en el".
[20] 1904 y 1913: "fosforecían".
[21] 1904: "...al mi fijo"; y, más adelante: "¡Fijo será...!"; obsérvese que Ádega da a la dueña el trato arcaico de "vos".

—¡Nunca tal suceda!... Bien se me alcanza que soy una triste pastora, y que es una dama muy hermosa la Virgen María. Mas a todas vos digo que en las aguas de la fuente he visto la faz de un infante que al mismo tiempo hablaba dentro de mí... ¡Agora mismo oigo su voz, y siento que me llama, batiendo blandamente, no con la mano, sino con el talón del pie, menudo y encendido como una rosa de mayo!...

Algunas voces murmuraban supersticiosas:

—¡Con verdad es el ramo cativo!

Y la dueña de los cabellos blancos, haciendo sonar el manojo de sus llaves, advertía:

—Es el Demonio, que con ese engaño metióse en ella, y tiénela cautiva y habla por sus labios para hacernos pecar a todos.

El rumor embrujado de aquellas conversaciones sostenidas al amor del fuego, bajo la gran campana de la chimenea, corrió ululante por el Pazo. Lo llevaba el viento nocturno que batía las puertas en el fondo de los corredores, y llenaba de ruidos las salas desiertas, donde los relojes marcaban una hora quimérica.

La señora tuvo noticia y ordenó que viniese el Abad para decidir si la zagala estaba poseída de los malos espíritus. El Abad llegó haciendo retemblar el piso bajo su grave andar eclesiástico. Dábanle escolta dos galgos viejos. Ádega compareció y fue interrogada. El Abad quedó meditabundo, halagando el cuello de un galgo. Al cabo resolvió que aquella rapaza tenía el mal cativo. La señora se santiguó devota, y los criados, que se agrupaban en la puerta, la imitaron con un sordo murmullo. Después el Abad calábase los anteojos de recia armazón dorada, y hojeando familiar el breviario, comenzaba a leer los exorcismos, alumbrado por llorosa vela de cera que sostenía un criado, en candelero de plata.

Ádega se arrodilló. Aquel latín litúrgico le infundía[22]

---

[22] 1904 y 1913 añaden: "un".

pavor religioso. Lo escuchó llorando, y llorando pasó la velada. Cuando la dueña encendió el candil para subir a la torre donde dormían, siguió tras ella en silencio. Se acostó estremecida, acordándose de sus difuntos. En la sombra vio fulgurar unos ojos, y temiendo que fuesen los ojos del Diablo, hizo la señal de la cruz. Llena de miedo intentó recogerse y rezar; pero los ojos apagados un momento, volvieron a encenderse sobre los suyos. Viéndolos tan cerca extendía los brazos en la oscuridad, queriendo alejarlos. Se defendía llena de angustia gritando:

—¡Arreniégote! ¡Arreniégote!...

La dueña acudió[23]. Ádega, incorporada en el lecho, batallaba contra una sombra:

—¡Mirad allí el Demonio!... ¡Mirad cómo ríe! Queríase acostar conmigo y llegó a oscuras. ¡Nadie lo pudiera sentir! Sus manos velludas anduviéronme por el cuerpo y estrujaron mis pechos. Peleaba por poner en ellos la boca, como si fuese una criatura. ¡Oh! ¡Mirad dónde asoma!...

Ádega se retorcía[24], con los ojos extraviados y los labios blancos. Estaba desnuda, descubierta en su lecho. El cabello de oro, agitado y revuelto en torno de los hombros, parecía una llama siniestra. Sus gritos despertaban a los pájaros que tenían el nido en la torre:

—¡Oh!... ¡Mirad dónde asoma el enemigo! ¡Mirad cómo ríe! ¡Su boca negra quería beber en mis pechos!... No son para ti, Demonio Cativo[25], son para el hijo de Dios Nuestro Señor. ¡Arrenegado seas, Demonio! ¡Arrenegado![26]

A su vez[27] la dueña repetía amedrentada:

—¡Arrenegado por siempre jamás, amén![28]

---

[23] 1904 añade: "medrosa".
[24] 1904 añade: "convulsa".
[25] El adjetivo fue añadido en 1920.
[26] 1904 añade: "seas".
[27] Locución adverbial añadida en 1920.
[28] En 1904 y 1913 se lee: "¡Arrenegado sea! ¡Arrenegado sea una y mil veces!".

Con las primeras luces del alba, que temblaban en los cristales de la torre, huyó el Malo[29] batiendo sus alas de murciélago. La señora, al saber aquello, decidió que la zagala fuese en romería a Santa Baya de Cristamilde. Debían acompañarla la dueña y un criado.

CAPÍTULO IV

Santa Baya de Cristamilde está al otro lado del monte, allá en los arenales donde el mar brama. Todos los años acuden a su fiesta muchos devotos. La ermita, situada en lo alto, tiene un esquilón que se toca con una cadena. El tejado es de losas[30], y bien pudiera ser de oro si la santa quisiera[31]. Ádega, la dueña y un[32] criado han salido a la media tarde para llegar a la media noche, que es cuando se celebra la Misa de las Endemoniadas. Caminan en silencio, oyendo el canto de los romeros que van por otros atajos. A veces, a lo largo de la vereda, topan con algún[33] mendigo que anda arrastrándose, con las canillas echadas a la espalda. Se ha puesto el sol, y dos bueyes cobrizos beben al borde de una charca. En la lejanía se levanta el ladrido de los perros, vigilantes en los pajares. Sale la luna, y el mochuelo canta escondido en un castañar.

Cuando comienzan a subir el monte, es noche cerrada, y el criado, para arredrar a[34] los lobos, enciende el farol que lleva colgado del palo. Delante va una caravana de mendigos. Se oyen sus voces burlonas y descreídas. Como cordón de orugas se arrastran a lo largo del

---

[29] "El Malo" fue añadido en 1920.

[30] 1904: "pizarra".

[31] Paráfrasis sintetizada de la copla popular dedicada a Nuestra Señora de la Barca, de Muxía (La Coruña): "Nosa Señora da Barca / ten o tellado de pedra; / ben o poidera ter d'ouro / miña Virxe, si quisera".

[32] 1904 y 1913: "el".

[33] 1904: "hallan un...".

[34] La preposición fue añadida en 1913.

camino. Unos son ciegos, otros tullidos, otros lazara-dos[35]. Todos ellos comen del pan ajeno, y vagan por el mundo sacudiendo vengativos su miseria, y rascando su podre a la puerta del rico avariento. Una mujer da el pecho a su niño cubierto de lepra, otra empuja el carro de un paralítico. En las alforjas de un asno viejo y lleno de mataduras, van dos monstruos. Las cabezas son deformes, las manos palmípedas. Ádega reconoce al ciego de San Clodio y al lazarillo, que le sonríe picaresco:

—¿Estás en el Pazo, Ádega?

—Allí estoy. ¿Y a ti, cómo te va en esta vida de andar con la alforja?

—No me va mal.

—¿Y tu abuela?

—Agora también anda a pedir.

Al descender del monte, el camino se convierte en un vasto páramo[36] de áspera y crujiente arena. El mar se estrella en las restingas[37], y de tiempo en tiempo, una ola gigante pasa sobre el lomo deforme de los peñascos que la resaca deja en seco. El mar vuelve a retirarse broando[38], y allá en el confín, vuelve a erguirse negro y apocalíptico, crestado de vellones blancos. Guarda en su flujo el ritmo potente y misterioso del mundo. La caravana de mendigos descansa a lo largo del arenal. Las endemoniadas lanzan gritos estridentes, al subir la loma donde está la ermita, y cuajan espuma sus bocas blasfemas. Los devotos aldeanos que las conducen, tienen que arrastrarlas. Bajo el cielo anubarrado y sin luna, graznan las gaviotas. Son las doce de la noche y comienza la misa. Las endemoniadas gritan retorciéndose:

---

[35] *lazarados:* que tienen el mal de San Lázaro, o sea, leprosos.

[36] 1904: "arenal".

[37] *restinga:* punta o lengua de arena o piedra debajo del agua y a poca profundidad.

[38] *broando* o "bruando", de "bruar" (y éste a su vez de "bruído" y "brúo": bramido, ruido fuerte del mar o el viento): producir el viento un sonido semejante al bramido del buey.

—¡Santa tiñosa, arráncale los ojos al frade[39]!

Y con el cabello desmadejado y los ojos saltantes, pugnan por ir hacia el altar. A los aldeanos más fornidos les cuesta trabajo sujetarlas. Las endemoniadas jadean roncas, con los corpiños rasgados, mostrando la carne lívida de los hombros y de los senos. Entre sus dedos quedan enredados manojos de cabellos. Los gritos sacrílegos no cesan durante[40] la misa:

—¡Santa Baya, tienes un can rabioso que te visita en la cama!

Ádega, arrodillada entre la dueña y el criado, reza llena de terror. Terminada la misa, todas las posesas del mal espíritu son despojadas de sus ropas y conducidas al mar, envueltas en lienzos blancos. Ádega llora vergonzosa, pero acata humilde cuanto la dueña dispone. Las endemoniadas, enfrente de las olas, aúllan y se resisten enterrando los pies en la arena. El lienzo que las cubre cae, y su lívida desnudez surge como un gran pecado legendario, calenturiento y triste. La ola negra y bordeada de espumas se levanta para tragarlas y sube por la playa, y se despeña sobre aquellas cabezas greñudas y aquellos hombros tiritantes. El pálido pecado de la carne se estremece, y las bocas sacrílegas escupen el agua salada del mar. La ola se retira dejando en seco las peñas, y allá en el confín vuelve a encresparse cavernosa y rugiente. Son sus embates como las tentaciones de Satanás contra los Santos. Sobre la capilla vuelan graznando las gaviotas y un niño, agarrado a la cadena, hace sonar el esquilón. La Santa sale en sus andas procesionales, y el manto bordado de oro, y la corona de reina, y las ajorcas de muradana[41] resplandecen bajo las estrellas. Prestes y monagos recitan[42] sus latines, y las ende-

---

[39] 1904: "abad"; *frade:* fraile.

[40] 1904 añade: "toda".

[41] *muradana,* gentilicio fem.: natural de Muros de San Pedro (La Coruña); es proverbial en Galicia la riqueza y belleza del vestido y los adornos de las muradanas.

[42] *preste:* sacerdote que celebra la misa cantada asistido del diáco-

moniadas, entre las espumas de una ola, claman, blasfemas:

—¡Santa, tiñosa!

—¡Santa, rabuda!

—¡Santa, salida!

—¡Santa, preñada!

Los aldeanos, arrodillados[43], cuentan las olas. Son siete las que habrá de recibir cada poseída para verse libre de los malos espíritus y salvar su alma de la cárcel oscura del Infierno. ¡Son siete como los pecados del mundo!

Capítulo V

Tornábanse al Pazo de Brandeso la zagala, la dueña y el criado. El clarín de los gallos se alzaba sobre el sueño de las aldeas, y en la oscuridad fragante de los caminos hondos, cantaban los romeros y ululaban las endemoniadas:

—¡Santa, salida!

—¡Santa, rabuda!

—¡Santa, preñada!

Comenzó a rayar el día, y el viento llevó por sotos y castañares la voz de los viejos campanarios, como salutación de una vida aldeana, devota y feliz que parecía ungirse con el rocío y los aromas de las eras[44]. A la espalda quedaba el mar, negro y tormentoso en su confín,

no y subdiácono, o el que con capa pluvial preside en función pública de oficios divinos; presbítero; *monago:* familiarmente, "monaguillo"; 1904 añade: "gravemente" detrás de "recitan".

[43] 1904 añade: "en la playa".

[44] En 1904 el cap. comienza: "Ádega, la dueña y el criado se volvían al Pazo de Brandeso"; a continuación: "Les amaneció en lo alto del monte. El viento trajo a sus oídos, como salutación de una vida aldeana, devota y feliz, la voz de los viejos campanarios, que parecía bañarse en el rocío y en los aromas de las eras" y falta desde "El clarín..." hasta "preñada"; la versión definitiva es de 1913.

blanco de espuma en la playa. Su voz ululante y fiera parecía una blasfemia bajo la gloria del amanecer. En el valle flotaba ligera neblina, el cuco cantaba en un castañar, y el criado interrogábale burlonamente de cara al soto[45]:

—¡Buen cuco-rey, dime los años que viviré![46]

El pájaro callaba como si atendiese, y luego oculto en las ramas dejaba oír su voz. El aldeano iba contando:

—Uno, dos, tres... ¡Pocos años son! ¡Mira si te has engañado, buen cuco-rey!

El pájaro callaba de nuevo, y después de largo silencio, cantaba muchas veces. El aldeano hablábale:

—¡Ves cómo te habías engañado!...

Y mientras atravesaron el castañar, siguió la plática con el pájaro. Ádega caminaba suspirante. Las violetas de sus pupilas estaban llenas de rocío como las flores del campo, y la luz de la mañana, que temblaba en ellas, parecía una oración. La dueña, viéndola absorta, murmuró en voz baja al oído del criado:

—¿Tú reparaste?

El criado abrió los ojos sin comprender. La dueña puso todavía más misterio en su voz:

—¿No has reparado cosa ninguna cuando sacamos del mar a la rapaza? La verdad, odiaría condenarme por una calumnia, mas paréceme que la rapaza está preñada...

Y, velozmente, con escrúpulos de beata, trazó una cruz sobre su boca sin dientes. En el fondo del valle seguía sonando el repique alegre, bautismal, campesino de aquellas viejas campanas que de noche, a la luz de la luna, contemplan el vuelo de brujas y trasgos. ¡Las viejas campanas que cantan de día[47], a la luz del sol, las glorias

---

[45] "De cara al soto" fue añadido en 1913.

[46] Cantinela tradicional para interpelar al cuco; según creencia popular gallega, quien pregunta vivirá tantos años cuantas veces cante el pájaro.

[47] 1904: "...que miran volar a las brujas y cantan de día...".

celestiales! ¡Campanas de San Berísimo y[48] de Céltigos! ¡Campanas de San Gundián y de Brandeso! ¡Campanas de Gondomar y de Lestrove!...[49].

LAUS DEO

[48] Esta conjunción fue añadida en 1920.

[49] 1904 añade "¡Adiós!", recuerdo, sin duda, del famoso estribillo de Rosalía Castro: "¡Padrón!... ¡Padrón!... / Santa María... Lestrove... / ¡Adiós! ¡Adiós!" (v. Introd., n. 137). En líneas aparte se añade "Agosto 1904 / Real Sitio de Aranjuez / FIN". En 1913 y 1920 no hay fecha ni localización, sólo "LAUS DEO".

Apéndice

Cuentos publicados en la prensa
e incorporados a la novela Flor de santidad

Escena de la película *Flor de santidad* (1972)
de Adolfo Marsillach

Lluvia[1]

Llueve queda, muy quedamente.

Empezaron los días ateridos del invierno, los días sin sol; las montañas blancas por la nieve; las tardes que huyen arrebujadas en los pliegues de la ventisca. ¡Llueve!... Desde mi balcón distingo un grupo de álamos sin hojas y sin nidos; cabecean tristemente; parecen viejos paralíticos abandonados al borde del camino, patriarcas sin prole, desnudos y olvidados; sus brazos secos sacuden el agua con estremecimientos llenos de frío: sollozan, se lamentan, suspiran por la primavera, la gentil enamorada que con sus mimos hacía reverdecer el añoso tronco; aquella que cantaba en las ramas y dormía en los nidos; que se bañaba en las fuentes con risas de alborada, y dejaba en los zarzales su carne de flores: mariposa blanca, alondra cantora, juvenilia de luz, alma de aromas...

¡Ahora muy quedamente, llueve!

* * *

Ha pasado mucho tiempo desde entonces, y todavía siento la angustia de un invierno en la montaña gallega.

---

[1] En *Almanaque de Don Quijote para 1897,* Madrid, Impr. de A. Marzo, 1896, págs. 10-12.

¡Fue aquel malhadado año del hambre, en que los antes alegres y picarescos molinos del Sil y del Miño, parecían haber enmudecido para siempre! Conservo viva la impresión del paraje lo más adusto; lo más anacorético, verdadera tierra de lobos. Es un recuerdo duro, frío y cortante como la nieve que coronaba la cresta de los montes... ¡Qué invierno aquél! El atrio de la iglesia se cubrió de sepulturas nuevas; el lobo bajaba todas las noches a la aldea, y se le oía ahullar [sic] desesperado; al amanecer no turbaba la paz de los corrales ningún cantar madruguero, ni el sol calentaba los ateridos campos. Los días se sucedían monótonos, amortajados en el sudario ceniciento de la llovizna; el viento soplaba áspero y frío, no traía caricias, no llevaba aromas, marchitaba la yerba, era un aliento embrujado: algunas veces, al caer la tarde, se le oía escondido en los pinares quejarse con voces del otro mundo. Los establos hallábanse vacíos, el hogar sin fuego, en la chimenea el trasgo moría de tedio. Por los resquicios del tejado, filtrábase la lluvia maligna y terca, empapando la negra tierra del suelo y la paja de los lechos.

Aterida, mojada, tísica y temblona, velaba el hambre acurrucada a la puerta del horno, sin que consiguiese ahuyentarla, la herradura de siete clavos que la mano arrugada de la superstición popular clavara en el umbral de la choza: la vieja tirana de la aldea entrechocaba, muerta de frío, las desdentadas mandíbulas, y tosía llamando al muerto eco del rincón calcinado, negro y frío... ¡La lluvia caía sin descanso un día y otro día, queda, quedamente, como cae ahora!...

* * *

Desde mi balcón veo cómo desfilan legiones de nubes obscuras y lechosas. El cierzo que sopla en ráfagas, azota los cristales con furias epilépticas; las nubes van a congregarse en el horizonte, un horizonte de agua. El brasero brilla en el fondo apenas esclarecido de la estancia. Allá fuera, las campanas de un convento voltean, anunciando el final de la novena; se oye el rumor de las devotas que salen de la iglesia en negros pelotones, y echan presurosas por la vetusta calle: la lluvia, redoblando en los paraguas, contrasta con la nota tibia y sensual de las enaguas blancas, que asoman bordeando los vestidos negros, como espumas que bordean sombrío oleaje de tempestad. La noche se avecina. Encantando la obscuridad con vaga nota de poesía y misterio, llegan desde un balcón vecino los arrullos de dos tórtolas, que cuida una viejecilla enlutada, una silueta de bruja encorvada y burlona a la cual presta cierto relieve macabro, el ocaso anubarrado y con luna. La vieja está detrás de los cristales, mira llover y se sonríe...

¡La lluvia cae queda, quedamente!...

R. DEL VALLE-INCLÁN

Ádega
(Cuento bizantino)

I[1]

Rostro a la venta adelantaba uno de esos pordioseros que van en romería a todos los santuarios y recorren los caminos salmodiando una historia sombría forjada con reminiscencias de otras cien, y a propósito para conmover el alma del pueblo, sencilla, milagrera y trágica... Aquel mendicante desgreñado y bizantino, con su esclavina adornada de conchas y el bordón de los caminantes en la diestra, parecía resucitar la devoción penitente del tiempo antiguo. ¡El hermoso tiempo en que toda la cristiandad creyó ver dibujado con estrellas en la celeste altura el camino de Santiago, la ruta poblada de riesgos y trabajos, que la sandalia del peregrino iba labrando lentamente en el polvo!...

No estaba la venta situada sobre la carretera, sino en mitad de un descampado donde sólo se erguían algunos pinos desmedrados y secos. El paisaje, de montaña, en toda sazón austero y silencioso, parecíalo mucho más bajo el cielo encapotado de aquella tarde invernal. Ladraban los perros de la aldea vecina, y, como eco simbólico de las borrascas del mundo, se oía el zumbar ciclópeo y opaco de mares muy lejanos. Era nueva la venta, y en medio de la eterna tristeza gris de la sierra,

---

[1] En *Germinal*, Madrid, 1897, año I, núm. 5 (4-VI).

aquel tejadillo rojo, aquel portalón a medio pintar, aquellos frisos azules y amarillos de la fachada, borrosos por la perenne lluvia del invierno, lejos de clarear el paisaje, producían indefinible sensación de antipatía y de terror. La carcomida venta de antaño, incendiada una noche por cierto famoso bandido, impresionaba menos tétricamente. Anochecía y la luz del crepúsculo daba al yermo y riscoso paraje entonaciones anacoréticas, que destacaban con sombría idealidad la negra figura del romero. Ráfagas heladas de la sierra, que imitan el aullido del lobo, sacudíanle implacables la negra y sucia guedeja, y arrebataban, llevándola del uno al otro hombro, la ola de la barba que, al amainar el viento, caía estremecida y revuelta sobre el pecho, donde se zarandeaban cruces y rosarios... Se detuvo en lo alto de una cuesta blanquecina, y apoyado a dos manos en el bordón contempló la aldea, que sobresale entre la masa fosca del pinar, allá lejos, lejos, en la falda de un monte. Sin ánimo para llegar al caserío, cerró los ojos nublados por la fatiga, cobró aliento en un suspiro y siguió adelante.

Sentada al abrigo de unas piedras célticas, doradas por líquenes milenarios, hilaba una pastorcilla. Las ovejas rebullían en torno; sobre el lindero del camino pacían las vacas de trémulas y rosadas ubres; el mastín, a modo de viejo adusto, ladraba al recental, que le importunaba con infantiles retozos. Inmóvil en medio del hato, la rueca afirmada en la cintura y los picos del capotillo mariñán vueltos sobre los hombros; rubia y ensimismada, Ádega servía para tipo de la zagala idílica; su tostada cabeza tenía la expresión casta y el perfil hierático de las antiguas madonas pintadas sobre fondo de oro; su boca, la sonrisa pálida de los corazones tristes; las cejas eran rubias y delicadas; los ojos, en cuyo fondo lucía una violeta azul, místicos y ardientes como preces. Silenciosa siempre, con la vista baja, y lentos y acompasados los movimientos, que apenas hacían ondear el dengue de grana, parecía una figura desprendida de bizantino tríptico. Era muy devota, con devoción sombría, montañesa y arcaica; llevaba en el justillo cruces y medallas, amuletos de azabache y saquillos de velludo que contenían ramas de olivo y hojas de misal. Aquella pastorcilla prerrafaelesca, de formas indecisas, de seno desmedrado, de busto sin sexos [sic], de rostro bruñido y melado por el sol, ostentaba la pureza ideal que la tradición litúrgica del arte cristiano ha simbolizado con el lirio blanco. Movida por la presencia del peregrino, se levantó del suelo, y echando el rebaño por delante, tomó a su vez el camino de la venta, un senderillo entre tojos trillado por los zuecos de los pastores y las patas del ganado. A muy poco juntóse con el mendicante, que se había detenido a orilla del camino, y dejaba caer bendiciones sobre el rebaño.

La pastora y el peregrino se saludan con cristiana humildad:

—¡Bendito y alabado sea el Santísimo Sacramento!

—¡Bendito y alabado él sea, hermano!

El hombre clavó en Ádega la mirada, que era negra y magnética, y al tiempo de volverla al suelo, preguntó a la zagala con la plañidera solemnidad de los pordioseros si por acaso servía en la venta. Ella, con harta proligidad [sic], pero sin alzar la cabeza, contestó que era la rapaza del ganado, y que servía allí por el yantar y el vestido. No llevaba cuenta del tiempo, mas cuidaba que en el mes de San Juan se remataban tres años. La voz de la sierva era monótona y cantarina; hablaba el gallego arcaico, casi visigodo de la montaña. El romero parecía de luengas tierras: tras una pausa renovó el pregunteo: ¿Podría decirle aquella buena alma, si los venteros eran gente cristiana, capaz de dar hospedaje a un triste pecador que iba en peregrinación a Santiago de Galicia? Ádega, sin aventurarse a darle una respuesta, torcía entre sus dedos una punta del capotillo mariñán. Dio una voz al hato, y murmuró levantando la voz:[2]

---

[2] A pesar del número de orden al principio del cuento, de la portadilla que se incluye al lado —como era costumbre, para poder coleccionar el folletón— y, sobre todo, de estos dos puntos que dejan en el aire la expectativa del lector, no hubo continuación.

Ádega
(Historia milenaria)

I[1]

Rostro a la venta adelantaba uno de esos pordioseros que van en romería a todos los santuarios y recorren los caminos salmodiando una historia sombría forjada con reminiscencias de otras cien, y a propósito para conmover el alma del pueblo, sencilla, milagrera y trágica. Aquel mendicante desgreñado y bizantino, con su esclavina adornada de conchas y el bordón de los caminantes en la diestra, parecía resucitar la devoción penitente del tiempo antiguo. ¡El hermoso tiempo en que toda la cristiandad creyó ver dibujado con estrellas en la celeste altura el camino de Santiago, la ruta poblada de riesgos y trabajos, que la sandalia del peregrino iba labrando lentamente en el polvo!...

No estaba la venta situada sobre la carretera, sino en mitad de un descampado donde sólo se erguían algunos pinos desmedrados y secos. El paisaje, de montaña, en toda sazón austero y silencioso, parecíalo mucho más bajo el cielo encapotado de aquella tarde invernal. Ladraban los perros de la aldea vecina, y, como eco simbólico de las borrascas del mundo, se oía el zumbar ciclópeo y opaco de un mar costeño muy lejano. Era

---

[1] En *Revista Nueva,* Madrid, 1899, núm. 6 (5-IV), págs. 255-259.

nueva la venta, y en medio de la eterna tristeza gris de la sierra, aquellas rejas, aquel portalón a medio pintar, aquellos frisos azules y amarillos de la fachada, borrosos por la perenne lluvia del invierno, lejos de clarear el paisaje, producían indefinible sensación de antipatía y de terror. La carcomida venta de antaño, incendiada una noche por cierto famoso bandido, impresionaba menos tétricamente. Anochecía, y la luz del crepúsculo daba al yermo y riscoso paraje entonaciones anacoréticas, que destacaban con sombría idealidad la negra figura del romero. Ráfagas heladas de la sierra, que imitan el aullido del lobo, sacudíanle implacables la negra y sucia guedeja, y arrebataban, llevándola del uno al otro hombro, la ola de la barba que, al amainar el viento, caía estremecida y revuelta sobre el pecho, donde se zarandeaban cruces y rosarios... Se detuvo en lo alto de una cuesta blanquecina, y apoyado a dos manos en el bordón, contempló la aldea, que sobresale entre la masa fosca del pinar, allá lejos, lejos, en la falda de un monte. Sin ánimo para llegar al caserío, cerró los ojos nublados por la fatiga, cobró aliento en un suspiro y siguió adelante.

Sentada al abrigo de unas piedras célticas, doradas por líquenes milenarios, hilaba una pastorcilla. Las ovejas rebullían en torno; sobre el lindero del camino pacían las vacas de trémulas y rosadas ubres; el mastín, a modo de viejo adusto, ladraba al recental, que le importunaba con infantiles retozos. Inmóvil en medio de la mancha movediza del hato, la rueca afirmada en la cintura y el capotillo mariñán vuelto sobre los hombros, rubia y ensimismada, Ádega era la zagala de las leyendas piadosas; su frente, dorada como la miel, tenía la expresión casta; su boca, la sonrisa pálida de los corazones tristes; las cejas eran rubias y delicadas; los ojos, en cuyo fondo lucía una violeta azul, místicos y ardientes como preces. Silenciosa siempre, con la vista baja y lentos y acompasados los movimientos, que apenas hacían ondear el dengue de grana, parecía una santa de aquellas que los monjes de otros tiempos pintaban sobre fondo de oro. Era muy devota, con devoción sombría, montañesa y arcaica; llevaba en el justillo cruces y medallas, amuletos de azabache y saquillos de velludo que contenían ramas de olivo y hojas de misal. Aquella pastorcilla de rostro bruñido y melado por el sol, de seno indeciso y cándida garganta, ostentaba la pureza ideal que la tradición litúrgica del arte cristiano ha simbolizado con el lirio blanco. Movida por la presencia del peregrino, se levantó del suelo, y echando el rebaño por delante, tomó a su vez el camino de la venta, un senderillo entre tojos trillado por los zuecos de los pastores y las patas del ganado. A muy poco juntóse con el mendicante, que se había detenido a la orilla del camino, y dejaba caer bendiciones sobre el rebaño. La pastora y el peregrino se saludaron con cristiana humildad:

—¡Bendito y alabado sea el Santísimo Sacramento!

—¡Bendito y alabado él sea, hermano!

El hombre clavó en Ádega la mirada, y al tiempo de volverla al suelo, preguntó a la zagala con la plañidera solemnidad de los pordioseros si por acaso servía en la venta. Ella con harta prolijidad, pero sin alzar la cabeza, contestó que era la rapaza del ganado, y que servía allí por el yantar y el vestido. No llevaba cuenta del tiempo, mas cuidaba que en el mes de San Juan se remataban tres años. La voz de la sierva era monótona y cantarina; hablaba el gallego arcaico, casi visigodo, de la montaña. El romero parecía de luengas tierras; tras una pausa renovó el pregunteo: ¿Quería saber de aquella buena alma, si los venteros eran gente cristiana, capaz de dar hospedaje a un triste pecador que iba en peregrinación a Santiago de Galicia? Ádega, sin aventurarse a darle una respuesta, torcía entre sus dedos una punta del capotillo mariñán. Dio una voz al hato, y murmuró levantando los ojos:

—¡Asús! ¡como cristianos, sonlo, sí señor!...

Se interrumpió de intento para acuciar las vacas que, paradas de través en el sendero, alargaban el yugo sobre los tojos buscando brotes nuevos. No anudó ninguno de los dos la interrumpida plática, y en silencio continuaron hasta las puertas de la venta. Mientras la zagala encierra el ganado y previene en los pesebres recado de húmeda y olorosa hierba, el romero salmodia padrenuestros ante el umbral del hospedaje. Ádega, cada vez que entra o sale en los establos, se para un momento a contemplarle. El sayal andrajoso del peregrino encendía en su corazón la llama de cristianos sentimientos. Sin presumirlo gustaba las inefables dulzuras de un ensueño bíblico; se bañaba en la claridad ideal que irradia del Evangelio. Aquella pastorcilla de cejas de oro, hubiera lavado gustosa los empolvados pies del caminante; desceñiríase el cabello para enjugarlos; cederíale su pan y su lecho, y tras esto le seguiría por el mundo. Cristiana, llena de fe ingenua, sentíase embargada por piadoso recogimiento, la soledad profunda del paraje, el resplandor fantástico del ocaso anubarrado y con luna; la negra, desmelenada y penitente sombra del romero, le infundía aquella devoción que se experimenta en la paz de la iglesia, ante los retablos poblados de efigies ahumadas y vetustas, bultos sin contorno ni faz, que a la luz temblona de las lámparas se columbran en el dorado misterio de las hornacinas, justicieros, solemnes, sibilinos...

RAMÓN DEL VALLE-INCLÁN

II[2]

Ádega era huérfana: sus padres habían muerto de pesar y de fiebre aquel malhadado año del hambre en que los antes alegres y picarescos molinos del Sil y del Miño parecían haber enmudecido para siempre. La pastora aún reza muchas noches, recordando con estremecimientos de amor y de miedo la agonía de dos espectros, amarillos y calenturientos, sobre unas briznas de paja. Con el fantástico relieve que el silencio de las altas horas presta a este linaje de memorias, veía otra vez aquellos pobres cuerpos que tiritaban: volvía a encontrarse con la mirada de la madre que a todas partes la seguía; adivinaba en la sombra la faz afilada del padre que se contraía con una mueca fúnebre, el reír mudo y burlón de la fiebre que lentamente le cavaba la hoya. ¡Qué invierno aquél! El atrio de la iglesia se cubrió de sepulturas nuevas; el lobo rabioso bajaba todas las noches a la aldea, y se le oía aullar desesperado: al amanecer no turbaba la paz de los corrales ningún cantar madruguero, ni el sol calentaba los ateridos campos. Los días se sucedían monótonos, amortajados en el sudario ceniciento de la llovizna; el viento soplaba áspero y frío, no traía caricias, no llevaba aromas, marchitaba la hier-

[2] Con el subtítulo "(Historia milenaria)", en *Revista Nueva*, Madrid, 1899, núm. 7 (15-IV), págs. 305-310.

ba, era un aliento embrujado: algunas veces, al caer la tarde, se le oía escondido en los pinares quejarse con voces del otro mundo. Los establos hallábanse vacíos, el hogar sin fuego, en la chimenea el trasgo moría de tedio. Por los resquicios del tejado filtrábase la lluvia maligna y terca, empapando la negra tierra del suelo y la paja de los lechos. ¡Qué invierno aquél! Aterida, mojada, tísica y temblona, velaba el hambre acurrucada a la puerta del horno, sin que consiguiese ahuyentarla, la herradura de siete clavos que la mano arrugada de la superstición popular clavara en el umbral de la choza. La bruja tirana de la aldea entrechocaba, muerta de frío, las desdentadas mandíbulas, y tosía llamando al muerto eco del rincón calcinado, negro y frío...

Al quedar huérfana, la niña hubo de pedir limosna por los caminos hasta que la recogieron en la venta. La caridad no fue grande porque era Ádega una zagala de doce años que ya cargaba mediano haz de hierba e iba al monte con las ovejas y con grano al molino. Los venteros no la trataron como hija, sino como esclava; marido y mujer eran blasfemos y crueles. Ádega no se rebelaba nunca contra los malos tratamientos; las mujerucas del lugar encontrábanla mansa como una paloma y humilde como la tierra; cuando la veían tornar de la villa chorreando agua, descalza y cargada más de la cuenta, la compadecían en alta voz.

—¡Pobre rapaza sin padres!...

Ádega se conmovía mucho oyendo esto. A sus pesadumbres de niña desvalida aunaba la milenaria saudade de las almas montañesas. Cuando los amos la golpeaban, acudíala tan vivo el recuerdo de su orfandad que no sabía de entrambos dolores cuál le arrasaba los ojos. Pasó la infancia suspirando por la muerte. Si iba al monte con las ovejas, se tendía sobre el césped a la sombra de grandes peñascales, y pasaba así horas enteras, la mirada sumida en las nubes, y en infantiles éxtasis el ánima... Esperaba llena de fe ingenua que la azul inmensidad se rasgase dejándole entrever la gloria; sin conciencia del tiempo, perdida en la niebla blanca de este ensueño, sentía pasar sobre su rostro el aliento encendido del milagro... ¡y el milagro acaeció! Un anochecer de verano Ádega llegó a la venta jadeante, transfigurada la faz, misteriosa llama temblaba en el fondo violeta de sus pupilas, su boca de niña melancólica se entreabría sonriente; sobre aquellas facciones de madona derramábase, como óleo santo, alegría mística. No acertaba con las palabras, el corazón batía en el pecho cual azorada paloma. ¡San Berísimo glorioso! las nubes habíanse desgarrado y el cielo apareciera ante sus ojos, ¡sus indignos ojos que la tierra había de comer! Hablaba postrada en tierra con trémulo labio y frases ardientes; por sus mejillas corría el llanto. ¡Ella tan humilde había gozado favor tan extremado! Ahora todas las miserias de su vida parecíanle amable[3]; abrasada por la ola voluptuosa de la gracia, besaba el polvo con besos apasionados y crepitantes, como esposa enamorada que besa al esposo. Era pura, fervorosa e ingenua como una cristiana de la iglesia primitiva; como aquellas santas de trece años que morían en el Circo rodeadas de gloria.

La visión de la zagala puso pasmo en todos los corazones y fue caso de edificación en el lugar. Solamente el ventero, que en sus años mozos había andado por luengas tierras, osó negar el milagro. Las mujerucas de la aldea augurábanle un castigo ejemplar. Ádega, cada vez más silenciosa, parecía vivir en perpetuo ensueño. Por momentos sus miradas cobraban el inspirado llamear de las pupilas de los iluminados. Eran muchos los que la tenían en olor de saludadora. Al verla desde lejos, cuando iba por hierba al prado, o con grano al molino, las gentes que trabajaban los campos dejaban la labor, y

---

[3] "Amable" podría ser una errata, puesto que este atributivo debería concordar con "miserias", pero como "las miserias de su vida" constituyen toda la vida de la pastora, quizá, en un *lapsus calami*, Valle-Inclán hace concordar *ad sensum* el adjetivo con el complemento "vida".

pausadamente venían a esperarla en el lindar del sendero. Las preguntas que le dirigían eran de un candor medioeval. Con los rostros resplandecientes de fe, enmedio [sic] de murmullos piadosos, los aldeanos pedían nuevas de sus difuntos; parecíales natural que si gozaban de la bienaventuranza, se hubiesen mostrado a la pastora, que al cabo era de la misma feligresía. Ádega bajaba los ojos confundida: ella tan sólo había visto a Dios Nuestro Señor, con aquella su barba nevada y solemne, los ojos de dulcísimo mirar y la frente circundada de luz. Oyendo a la pastora, las mujeres se hacían cruces; los abuelos de blancas guedejas la bendecían con amor...

Andando el tiempo, la niña volvió a tener nuevas visiones. Tras aquellas nubes de fuego que las primeras veces deslumbraran sus ojos, acabó por distinguir tan claramente la gloria, que hasta el rostro de los santos reconocía; eran innumerables: patriarcas de luenga barba, vírgenes de estática sonrisa, doctores de calva sien, mártires de resplandeciente faz, monjes, prelados y confesores. Vivían en capillas de plata cincelada, bordadas de pedrería como la corona de un rey. Las procesiones se sucedían unas a otras, envueltas en la bruma luminosa de la otra vida; precedidas del tamboril y de la gaita, entre pendones carmesí y cruces relampagueantes, desfilaban por fragantes senderos dibujados con los pétalos de las rosas litúrgicas que ante el trono del Altísimo deshojan día y noche los serafines. Mil y mil campanas prorrumpían en repique alegre, bautismal, campesino; un repique de amanecer abrileño, cuando el gallo canta y balan en el establo las ovejas; cuando los almendros cuajan la flor y trinan los ruiseñores. Y desde lo alto de sus andas de marfil, Santa Baya de Cristamilde, San Berísimo de Céltigos, San Cidrán, Santa Minia, San Clodio, San Electus, tornaban hacia la pastora, el rostro pulido, sonrosado, riente. ¡También ellos, los viejos tutelares de las iglesias y santuarios de la montaña, reconocían a su sierva! Oíase el murmullo solemne, misterioso y grave de las letanías, de los salmos, de las jaculatorias; una agonía de rezos ardientes, sobre la cual revoloteaba el áureo golpear de las llaves de San Pedro. Zagales que tenían por bordones floridas varas, guardaban en campos de lirios ovejas de nevado virginal vellón, que acudían a beber el agua de fuentes milagrosas, cuyo murmullo semejaba rezos informes. Los zagales tocaban dulcísimamente pífanos y flautas de plata, las zagalas bailaban al son, agitando los panderos de sonajas de oro. ¡En aquellas regiones azules no había lobos; los que allí pacían eran los rebaños del Niño Dios!... Y tras montañas de fantástica cumbre, que marcaban el límite de la otra vida, el sol, la luna y las estrellas se ponían en un ocaso que dura eternidades. Blancos y luengos rosarios de ánimas en pena giraban en torno por los siglos de los siglos. Cuando el Señor se dignaba mirarlas, purificadas, felices, triunfantes, ascendían a la gloria por misteriosos rayos de luminoso, viviente polvo.

Después de estas visiones, la pastora sentía el alma fortalecida y resignada; se aplicaba al trabajo con ahínco, abrazábase enternecida al cuello de las vacas, y hacía cuanto los amos la ordenaban, sin levantar los ojos, temblando de miedo bajo sus harapos.

R. del Valle-Inclán

III[4]

El mendicante salmodiaba ante el portalón de la venta.

—¡Buenas almas del Señor, haced al pobre peregrino un bien de caridad! La Santísima Virgen María, y el Apóstol Bendito os conserven la amable vida y salud en el mundo para ganarlo. Dios os dé qué dar y qué tener: salud y suerte en el mundo para ganarlo. ¡Buenas almas del Señor, haced al pobre peregrino un bien de caridad!

Apoyó la frente en el bordón, y la guedeja negra, polvorienta y sombría, cayó sobre su faz. Una vieja asomó en la puerta:

—¡Vaya con Dios, hermano!

La vieja traía la rueca en la cintura, y sus dedos de momia daban vueltas al huso. El peregrino levantó la frente voluntariosa y ceñuda como la de un profeta:

—¿Y a dónde quiere que vaya perdido en el monte?

—A donde le guíe Dios, hermano.

—A que me coman los lobos.

—¡Asús! no hay lobos.

Y la vieja, hilando su copo, entróse nuevamente en la casa. Una ráfaga de viento cerró la puerta. El peregrino alejóse musitando: golpeaba las piedras con el cueto

---

[4] Con el mismo subtítulo anterior, en *Revista Nueva*, Madrid, 1899, núm. 8 (25-IV), págs. 343-347.

de su bordón. De pronto volvióse, y rastreando un puñado de tierra lo arrojó a la venta. Erguido en medio del sendero, con la voz apasionada y sorda de los anatemas clamó:

—¡Permita Dios que una peste cierre para siempre esa casa sin caridad! ¡Que los brazados de hortigas [sic] crezcan en la puerta! ¡Que los lagartos anden por las ventanas a tomar el sol!...

Sobre la esclavina del peregrino temblaban las cruces, las medallas, los rosarios de Jerusalén; sus palabras ululaban en el viento; las greñas lacias y tristes le azotaban las mejillas... Por el camino real venían nubes de polvo. En lo alto de los peñascales balaba una cabra negra. Las nubes iban a congregarse sobre el horizonte, un horizonte de agua. Volvían las ovejas al establo. Apenas interrumpían el reposo del campo, aterido por el invierno, las esquilas lentas y soñolientas. En el fondo de una hondonada verde y umbrosa, se veía el santuario de San Clodio, Mártir, rodeado de nogales centenarios: cabeceaban tristemente; sus brazos secos sacudían el agua con extremecimientos [sic] llenos de frío: semejaban viejos paralíticos abandonados al borde del camino, patriarcas sin prole, desnudos y olvidados.

Ádega le llamó en voz baja al mendicante desde la cancela del aprisco.

—¡Oiga, hermano!... ¡oiga!...

Como el peregrino no la escuchaba, se acercó tímidamente.

—¿Quiere dormir en el establo, señor?

El romero la miró con dureza. Ádega, cada vez más temerosa y humilde, ensortijaba a sus dedos bermejos, una hoja de juncia olorosa.

—No vaya de noche por el monte, señor. Mire el establo de las vacas, lo tenemos lleno de lino, y podría descansar a gusto.

Sus ojos de violeta alzábanse en amoroso ruego, y sus labios trémulos permanecían entreabiertos con anhelo infinito. El mendicante, sin responder una sola palabra, sonrió. Después volvióse avizorado [sic] hacia la venta, que permanecía cerrada, y fue a guarecerse en el establo, andando con paso de lobo. Ádega le siguió. El mastín, como en una historia de santos, vino silencioso a lamer las manos del peregrino y la pastora. Apenas se veía dentro del establo. El aire era tibio y aldeano: sentíase el aliento de las vacas. El recental andaba suelto, se revolvía juguetón, entre las patas de la yunta, hocicaba en las ubres y erguía el picaresco testuz dando balidos. La Marela y la Bermella, graves como dos viejos arciprestes, rumiaban la yerba [sic] fresca y olorosa cabeceando sobre los pesebres. En el fondo del establo había una montaña de lino. Ádega condujo al romero de la mano. Los dos caminaban a tientas. El mendicante dejóse caer sobre el lino y sin soltar la mano de Ádega pronunció a media voz:

—¡Ahora falta que vengan los amos!...

—Nunca vienen.

—¿Eres tú quien acomoda el ganado?

—Sí, señor.

—¿Duermes en el establo?

—Sí, señor.

El mendicante rodeóle los brazos a la cintura, y Ádega cayó sobre el lino. No hizo el más leve intento por huir: temblaba agradecida al verse cerca de aquel santo que la estrechaba con amor. Suspirando cruzó las manos sobre el cándido seno como para cobijarlo, y rezar. El mastín vino a posar la cabeza en su regazo. Ádega, con apagada y religiosa voz, preguntó al romero:

—Ya traerá mucho andado por el mundo, ¿verdad?

—Desde la misma Jerusalén.

—Eso deberá ser muy desviado, muy desviado de aquí?...

—¡Más de cien leguas!

—¡Glorioso San Berísimo! ¿Y todo por monte?

—Todo por monte y malos caminos.

—¡Ay Santo! Bien ganado tiene el cielo...

Los rosarios del peregrino habíanse enredado a los

cabellos de la zagala: Ádega para mejor desprenderlos se puso de rodillas; las manos le temblaban como las rosas de un altar, y hubo de arrancárselos: llena de santo respeto besó las cruces y las medallas que desbordaban entre sus dedos.

—Diga, ¿están tocados estos rosarios en el sepulcro de Nuestro Señor?

—En el sepulcro de Nuestro Señor, y además en el sepulcro de los Doce Apóstoles.

Ádega volvió a besarlos. Entonces el peregrino, con ademán pontifical, le colgó un rosario al cuello.

—Guárdalo aquí, rapaza.

Y apartábale suavemente los brazos que la pastora tenía aferrados en cruz sobre el pecho. La niña murmuraba con anhelo:

—¡Déjeme señor! ¡déjeme!

El mendicante sonreía y procuraba desabrocharle el justillo. Sobre sus manos velludas revoloteaban las manos de la pastora como dos palomas asustadas.

—Déjeme señor, yo lo guardaré.

El peregrino la amenazó:

—Voy a quitártelo.

—¡Ay! señor, no haga eso... Guárdemelo aquí, donde quiera...

Y se desabrochaba el corpiño, y descubría la garganta como una virgen mártir que se dispusiese a morir decapitada.

RAMÓN DEL VALLE-INCLÁN

237

IV[5]

En el cielo lívido del amanecer aún brillaban algunas estrellas mortecinas. Cantaban los gallos de la aldea, y por el camino real cruzaba un rebaño de cabras, conducido por dos rabadanes a caballo. Llovía queda, quedamente, y en los montes lejanos, en los montes color de amatista, blanqueaba la nieve. Ádega jemía [sic] sentada en el umbral del establo, y se enjugaba los ojos llenos de lágrimas, para mejor contemplar al peregrino que subía alejándose por aquel sendero entre tojos, trillado por el ganado y los zuecos de los pastores. Un raposo con la cola pegada a las patas, saltó una cancela y atravesó corriendo el camino: venía huido de la aldea. El mastín enderezó las orejas y prorrumpió en ladridos: después salió a la carrera, olfateando, con el hocico al viento. Al peregrino ya no se le veía...

La ventera llamó desde el corral:

—¡Ádega! ¡Ádega!

Ádega besó el rosario que llevaba al cuello, y se puso en pie.

—¿Mande usted, mi ama?

La ventera asomó por encima de la cerca su cabeza de bruja.

---

[5] En *Revista Nueva,* Madrid, 1899, núm. 9 (5-V), págs. 425-428.

—Saca las ovejas y llévalas al monte.

—Bien está; sí, señora.

—Al pasar pregunta en el molino si anda la piedra del centeno.

—Bien está, sí, señora.

Abrió el aprisco, y entró a buscar el cayado. Las ovejas iban saliendo una a una, y la ventera las contaba en voz baja. La última, cayó muerta en el umbral. Era blanca: tenía el vellón intonso, el albo y virginal vellón de una oveja eucarística: era blanca y nacida aquel año. Viéndola muerta la ventera clamó:

—¡Ay! de por fuerza hiciéronle mal de ojo al ganado. ¡San Antonio Bendito! ¡San Antonio Bendito!

Las ovejas acompañaban aquellos clamores, balando tristemente. Ádega respondió:

—Es la maldición del peregrino, señora ama. Aquel Santo era Nuestro Señor. ¡Algún día se sabrá! Era Nuestro Señor que andaba pidiendo por las puertas para conocer dónde había caridad.

Las ovejas agrupábanse amorosas en torno suyo. Tenía en los ojos lumbre de bienaventuranza, cándido reflejar de estrellas. Su voz estaba ungida de santidad: cantaba profética:

—¡Algún día se sabrá! ¡Algún día se sabrá!

Parecía una iluminada llena de gracia saludadora.

Sobre los montes color de amatista temblaba el rosado vapor del alba como gloria angélica. La campiña se despertaba, bajo la púrpura y el oro del amanecer que la vestía con una capa pluvial; la capa pluvial de San Cristóbal, caída de sus hombros solemnes... Los aromas de las eras verdes esparcíanse en el aire como alabanzas de una vida remota, aldeana y feliz. En el fondo de las praderas, el agua detenida en remansos esmaltaba flores de plata; rosas y lises de la heráldica celestial que sabe la leyenda de los reyes magos, y los amores ideales de las santas princesas!...

Los cipreses de Nuestra Señora del Pazo se dibujaban en una lejanía de niebla azul, rodeando el Santuario. Obscuros y pensativos en medio de la alegría del amanecer; las cimas mustias circundadas por el ámbar luminoso de la luz...

La ventera con las secas manos enlazadas sobre la frente, contemplaba llorosa su oveja muerta, su oveja blanca preferida entre cien. Lentamente volvióse a la pastora y la preguntó con desmayo:

—¿Pero tú estás cierta, rapaza?... Aquel caminante venía solo, y tengo oído en todos los Ejemplos, que Nuestro Señor, cuando andaba por el mundo llevaba siempre al Señor San Pedro en su compaña.

Ádega repuso con piadoso candor:

—No le hace, señora ama. El Señor San Pedro, como es muy anciano, quedaríase sentado en el camino, descansando.

Convencida la ventera, alzó al cielo sus brazos de momia:

—¡Bendito San Antonio, guárdame el rebaño y tengo de donarte la mejor oveja el día de la fiesta! ¡La mejor oveja, Bendito San Antonio, que solamente el verla meterá gloria! ¡La mejor oveja, Santo Bendito, que habrán de envidiártela en el cielo!

Y la vieja andaba entre el rebaño como loca rezadora y suspirante, platicando a media voz con los santos del paraíso, halagando el cuello de las ovejas, trazándoles en el testuz signos de conjuro con sus toscos[6] dedos de labriega trémulos y zozobrantes. Cuando alguna oveja se escapaba, Ádega la perseguía hasta darle alcance. Jadeando, jadeando, correteaba tras ella por todo el descampado; con las manos enredadas al vellón dejábase caer sobre la hierba cubierta de rocío. Y la vieja desde lejos, inmóvil, en medio del rebaño, la miraba con ojos llenos de brujería.

—¡Levántate, rapaza!... No dejes escapar la oveja...

---

6 En el original se lee: "tostos", que parece errata.

240

Hazle en la testa el círculo del Rey Salomón que deshace el mal de ojo... ¡Con la mano izquierda, rapaza!...

Ádega obedecía, y dejaba en libertad a la oveja, que
se quedaba a su lado mordisqueando la yerba.

RAMÓN DEL VALLE-INCLÁN

Ádega
(historia milenaria)[1]

I

Rostro a la venta adelantaba uno de esos pordioseros que van en romería a todos los santuarios y recorren los caminos salmodiando una historia sombría forjada con reminiscencias de otras cien, y a propósito para conmover el alma del pueblo, sencilla, milagrera y trágica. Aquel mendicante desgreñado y bizantino, con su esclavina adornada de conchas y el bordón de los caminantes en la diestra, parecía resucitar la devoción penitente del tiempo antiguo. ¡El hermoso tiempo en que toda la cristiandad creyó ver dibujado con estrellas en la celeste altura el Camino de Santiago, la ruta poblada de riesgos y trabajos, que la sandalia del peregrino iba labrando lentamente en el polvo de la tierra!

No estaba la venta situada sobre el camino real, sino en mitad de un descampado donde sólo se erguían algunos pinos desmedrados y secos. El paraje, de montaña, en toda sazón austero y silencioso, parecíalo más bajo el cielo encapotado de aquella tarde invernal. Ladraban los perros de la aldea vecina, y, como eco simbólico de las borrascas del mundo, se oía el tumbar ci-

[1] En *Electra,* Madrid, 1901, año I, núm. 5 (13-IV).

clópeo y opaco de un mar costeño muy lejano. Era nueva la venta, y en medio de la eterna tristeza gris de la sierra, aquel portalón a medio pintar y aquellos azules y amarillos de la fachada, borrosos por la perenne lluvia del invierno, lejos de clarear el paisaje, producían indefinible sensación de antipatía y de terror. La carcomida venta de antaño, incendiada una noche por cierto famoso bandido, impresionaba menos tétricamente. Anochecía, y la luz del crepúsculo daba al yermo y riscoso paraje entonaciones anacoréticas, que destacaban con sombría idealidad la negra figura del romero. Ráfagas heladas de la sierra, que imitan el aullido del lobo, sacudíanle implacables la negra y sucia guedeja, y arrebataban, llevándola del uno al otro hombro, la ola de la barba que, al amainar el viento, caía estremecida y revuelta sobre el pecho, donde se zarandeaban cruces y rosarios...

Se detuvo en lo alto de una cuesta blanquecina, y apoyado a dos manos en el bordón, contempló la aldea, que sobresale[2] entre la falda de un monte. Sin ánimo para llegar[3] al caserío, cerró los ojos nublados por la fatiga, cobró aliento en un suspiro y siguió adelante.

Sentada al abrigo de unas piedras célticas, doradas por líquenes milenarios, hilaba una pastorcilla. Las ovejas rebullían en torno; sobre el lindero del camino pacían las vacas de trémulas y rosadas ubres; el mastín, a modo de viejo adusto, ladraba al recental, que le importunaba con infantiles retozos. Inmóvil en medio de la mancha movediza del hato, la rueca afirmada en la cintura y el capotillo mariñán vuelto sobre los hombros, rubia y ensimismada. Ádega era la zagala de las leyendas piadosas: su frente dorada como la miel, tenía la expresión casta; su boca, la sonrisa cálida de los corazones tristes; las cejas eran rubias y delicadas; los ojos, en cuyo fondo lucía una violeta azul, místicos y ardientes como

---

2 En la revista se lee: "sobre sale".
3 En la revista se lee: "llagar"; sin duda, errata.

preces. Silenciosa siempre, con la vista baja y lentos y acompasados los movimientos, que apenas hacían ondear el dengue de grana, parecía una santa de aquellas que los monjes de otros tiempos pintaban sobre fondo de oro en los misales. Era muy devota, con devoción sombría, montañesa y arcaica; llevaba en el justillo cruces y medallas, amuletos de azabache y saquillos de velludo que contenían ramas de olivo y hojas de misal. Aquella pastorcilla de rostro bruñido y melado por el sol, de seno indeciso y cándida garganta, ostentaba la pureza ideal que la tradición litúrgica ha simbolizado con el lirio blanco. Movida por la presencia del peregrino, se levantó del suelo, y echando el rebaño por delante, tomó a su vez el camino de la venta, un senderillo entre tojos trillado por los zuecos de los pastores y las patas del ganado. A muy poco juntóse con el mendicante, que se había detenido en la orilla del camino, y dejaba caer bendiciones sobre el rebaño. La pastora y el peregrino se saludaron con cristiana humildad:

—¡Bendito y alabado sea el Santísimo Sacramento!

—¡Bendito y alabado él sea, hermano!

El hombre clavó en Ádega la mirada, y al tiempo de volverla al suelo preguntó a la zagala con la plañidera solemnidad de los pordioseros si por acaso servía en la venta. Ella con harta prolijidad, pero sin alzar la cabeza, contestó que era la rapaza del ganado, y que servía allí por el yantar y el vestido. No llevaba cuenta del tiempo, mas cuidaba que en el mes de San Juan se remataban tres años. La voz de la sierva era monótona y cantarina; hablaba el gallego arcaico, casi visigodo, de la montaña. El romero parecía de luengas tierras; tras una pausa renovó el pregunteo:

—¡Paloma del Señor! ¿quería saber si los venteros son gente cristiana, capaz de dar hospedaje a un triste pecador que va en peregrinación a Santiago de Galicia?

Ádega, sin aventurarse a darle una respuesta, torcía entre sus dedos una punta del capotillo mariñán. Dio una voz al hato, y murmuró levantando los ojos:

—¡Asús! ¡como cristianos, sonlo, sí, señor!...

Se interrumpió de intento para acuciar las vacas que, paradas de través en el sendero, alargaban el yugo sobre los tojos buscando brotes nuevos. No reanudó ninguno de los dos la interrumpida plática, y en silencio continuaron hasta las puertas de la venta. Mientras la zagala encierra el ganado y previene en los pesebres recado de húmeda y olorosa hierba, el romero salmodia padrenuestros ante el umbral del hospedaje. Ádega, cada vez que entra o sale en los establos, se para un momento a contemplarle. El sayal andrajoso del peregrino encendía en su corazón la llama de cristianos sentimientos. Sin presumirlo gustaba las inefables dulzuras de un ensueño bíblico; se bañaba en la claridad ideal del Evangelio. Aquella pastorcilla de cejas de oro, hubiera lavado gustosa los empolvados pies del caminante; desceñiríase el cabello para enjugarles; cederíale su pan y su lecho, y tras esto le seguiría por el mundo. Cristiana, llena de fe ingenua, sentíase embargada por piadoso recogimiento. La soledad profunda del paraje, el resplandor fantástico del ocaso anubarrado y con luna, la negra, desmelenada y penitente sombra del romero, le infundían aquella devoción que se experimenta en la paz de la iglesia, ante los retablos poblados de efigies ahumadas y vetustas, bultos sin contorno ni faz, que a la luz temblona de las lámparas se columbran en el dorado misterio de las hornacinas, tétricos, justicieros, solemnes...

II

El mendicante salmodiaba ante el portalón de la venta.

—¡Buenas almas del Señor, haced haced [sic] al pobre peregrino un bien de caridad! La Santísima Virgen María y el Apóstol Bendito os conserven la amable vida y salud en el mundo para ganarlo. Dios os dé qué dar y qué tener: salud y suerte en el mundo para ganarlo.

¡Buenas almas del Señor, haced al pobre peregrino un bien de caridad!

Apoyó la frente en el bordón, y la guedeja negra, polvorienta y sombría, cayó sobre su faz. Una vieja asomó en la puerta:

—¡Vaya con Dios, hermano!

La vieja traía la rueca en la cintura, y sus dedos de momia daban vueltas al huso. El peregrino levantó la frente voluntariosa y ceñuda como la de un profeta:

—¿Y a dónde quiere que vaya perdido en el monte?

—A dónde le guíe Dios, hermano.

—A que me coman los lobos.

—¡Asús! no hay lobos.

Y la vieja, hilando su copo, entróse nuevamente en la casa. Una ráfaga de viento cerró la puerta, y el peregrino alejóse musitando: golpeaba las piedras con el cueto de su bordón. De pronto volvióse, y rastreando un puñado de tierra lo arrojó a la venta. Erguido en medio del sendero, con la voz apasionada y sorda de los anatemas, clamó:

—¡Permita Dios que una peste cierre para siempre esa casa sin caridad! ¡Que los brazados de hortigas [sic] crezcan en la puerta! ¡Que los lagartos anden por las ventanas a tomar el sol!...

Sobre la esclavina del peregrino temblaban las cruces, las medallas, los rosarios de Jerusalén; sus palabras ululaban en el viento; las greñas lacias y tristes le azotaban las mejillas; y por el camino real venían nubes de polvo, y en lo alto de los peñascales balaba una cabra negra. Las nubes iban a congregarse sobre el horizonte, un horizonte de agua. Volvían las ovejas al establo, y apenas turbaban el reposo del campo, aterido por el invierno, las esquilas lentas y soñolientas. En el fondo de una hondonada verde y umbrosa, se veía el santuario de San Clodio Mártir, rodeado de cipreses centenarios que cabeceaban tristemente; sus brazos secos sacudían el agua con estremecimientos llenos de frío: semejaban viejos paralíticos abandonados al borde del camino, patriarcas sin prole, desnudos y olvidados.

Ádega le llamó en voz baja al[4] mendicante desde la cancela del aprisco.

—¡Oiga, hermano!... ¡oiga!...

Como el peregrino no la escuchaba, se acercó tímidamente.

—¿Quiere dormir en el establo, señor?

El romero la miró con dureza. Ádega, cada vez más temerosa y humilde, ensortijaba a sus dedos bermejos una hoja de juncia olorosa.

—No vaya de noche por el monte, señor. Mire, el establo de las vacas lo tenemos lleno de lino, y podría descansar a gusto.

Sus ojos de violeta alzábanse en amoroso ruego, y sus labios trémulos permanecían entreabiertos con anhelo infinito. El mendicante, sin responder una sola palabra, sonrió. Después volvióse avizorado [sic] hacia la venta, que permanecía cerrada, y fue a guarecerse en el establo, andando con paso de lobo. Ádega le siguió. El mastín, como en una historia de santos, vino silencioso a lamer las manos del peregrino y la pastora. Apenas se veía dentro del establo: el aire era tibio y aldeano: sentíase el aliento de las vacas. El recental que andaba suelto, se revolvía juguetón entre las patas de la yunta, hocicaba en las ubres, y erguía el picaresco testuz dando balidos. La Marela y la Bermella, graves como dos viejas abadesas, rumiaban el trébol fresco y oloroso cabeceando sobre los pesebres. En el fondo del establo había una montaña de lino y Ádega condujo al romero de la mano.

R. VALLE-INCLÁN

(Continuará)[5]

---

[4] En la revista se lee: "el"; sin duda, errata.
[5] A pesar de esta indicación, esta versión del cuento *Ádega* no se continuó.

Flor de santidad[1]

Por Ramón del VALLE-INCLÁN

Sentada en el atrio de San Clodio a la sombra de los viejos cipreses, una pastora hilaba en su rueca, copo tras copo, el lino del último espadar. Aquella pastora se llamaba Minia, como la santa de su aldea, y tenía, como la santa, las cejas de oro y los ojos azules, el seno indeciso y cándido el cuello. En torno suyo pacían y escarbaban las ovejas, y el mastín echado a sus pies se adormecía bajo el tibio halago del sol poniente que empezaba a dorar las cumbres de los montes. Avizorado de pronto, espeluznó las mutiladas orejas, incorporóse y ladró. La pastora, sujetándole del cuello, miró hacia el camino en confusa espera de una ideal ventura: miró, y las violetas de sus ojos sonrieron y aquella sonrisa de inocente arrobo tembló en sus labios y como óleo santo derramóse por su faz. Un peregrino subía hacia el atrio: era de esos mendicantes que con la esclavina adornada de conchas y el bordón en la diestra parecen resucitar aquel hermoso tiempo en que la cristiandad creyó ver en la celeste altura el Camino de Santiago. La morena calabaza oscilaba al extremo de su bordón; las conchas de su esclavina

---

[1] En la sección *Los Lunes* de *El Imparcial,* Madrid, 1901, año XXXV, núm. 12.264 (3-VI).

tenían el resplandor piadoso de antiguas oraciones. Subía despacio y con fatiga; al andar la guedeja penitente oscurecíale el rostro, y las cruces y las medallas de los rosarios que llevaba al cuello, sonaban con un pregón misionero. La pastora llegó corriendo y se arrodilló para besarle las manos. Quedándose hinojada sobre la yerba, murmuró:

—¡Alabado sea Dios!... ¡Cómo viene de los tojos y las zarzas!... ¡Alabado sea Dios, cuántos trabajos pasará por los caminos!...

El mendicante inclinó la cabeza asoleada y polvorienta:

—En esta tierra no hay caridad... Los canes y los rapaces me persiguen a lo largo de los senderos. Los hombres y las mujeres asoman tras de las cercas y de los valladares para decirme denuestos... ¿Podré tan siquiera descansar a la sombra de estos árboles?

—¡Ay, señor, fueran el dosel de un rey!...

El alma de la pastora sumergíase en la fuente de la gracia, tibia como la leche de las ovejas, dulce como la miel de las colmenas, fragante como el heno de los establos. Sobre su frente batía como una paloma de blancas alas la oración ardiente de la vieja cristiandad, cuando los peregrinos iban en los amaneceres cantando por los senderos floridos de la montaña. El mendicante, con la diestra tendida hacia el caserío, ululó rencoroso y profético:

—¡Ay de esta tierra!... ¡Ay de esta gente, que no tiene caridad!

Cobró aliento en largo suspiro, y apoyada la frente en el bordón otra vez clamó:

—¡Ay de esta gente!... ¡Dios la castigará!

La pastora juntó las manos candorosa y humilde:

—Ya los castiga, señor. Mire cómo secan los castañares... Mire cómo perecen las vides... ¡Esas plagas vienen de muy alto!

—Otras peores tienen de venir. Se morirán los rebaños sin quedar una triste oveja, y su carne se volverá ponzoña... ¡Tanta ponzoña, que habrá para envenenar siete reinos!...

—¿Y no se arrepentirán?

—No se arrepentirán. Son muchos los hijos del pecado. La mujer yace con el Rey de los Infiernos, con el Gran Satanás, que toma la apariencia de un galán muy cumplido. ¡No se arrepentirán! ¡No se arrepentirán!

El peregrino descubrióse la cabeza, echó el sombrero encima de la yerba y se acercó a la fuente del atrio, con ánimo de apagar la sed. La pastora le detuvo tímidamente:

—Escuche, señor; ¿no quiere que le ordeñe una oveja? Repare aquélla de los dos corderos qué ricas ubres tiene. ¡La leche que da es tal como manteca!

El peregrino se detuvo y miró con avaricia el rebaño, que se apretaba sobre una mancha de césped en medio del atrio:

—¿Cuál dices, rapaza?

—Aquella virriata de los dos corderos.

—¿Y podrás ordeñarla?

—¡Asús, señor!

Y la pastora, al mismo tiempo que se acercaba a la oveja, iba llamándola amorosamente:

—¡*Hurtada!*... ¡Ven, *Hurtada!*...

La oveja acudió dando balidos, y la pastora, para sujetarla, enredóle una mano al vellón del cuello. Los ojos del peregrino estaban atentos a la pastora y a la oveja. Hallábase detenido en medio del atrio, apoyado en el lustroso bordón, descubierta la cabeza polvorienta y greñuda. La pastora seguía repitiendo por veces:

—¡Quieta, *Hurtada!*

El mendicante preguntó con algún recelo:

—Oye, rapaza, ¿por ventura no era tuya la res?

—¡Mía no es ninguna! Son todas del amo, señor. ¿No sabe que yo soy la pastora?

Y bajó los ojos, acariciando el hocico de la oveja, que alargaba la lengua y le lamía las manos. Después, para ordeñarla, se arrodilló sobre la yerba. Los dos corderos retozaban unidos junto al ijar de la madre. La pastora les requería:

—¡Os estáis quedos!... ¡Ay, *Hurtados!*...

—¿Por qué les dices tal nombre de *Hurtados?*

La pastora levantó hasta el peregrino las tímidas violetas de sus ojos:

—No piense mal, señor...

—¿Mas de quién era antaño la oveja?

—Antaño fue de un pastor... El pastor que la vendió al amo con aquellas otras cuatro... Llámase él Hurtado y vive al otro lado del monte.

—¡Buenas reses!... Parecen todas ellas de tierra castellana.

—De tierra castellana son, mi señor. ¡San Clodio las guarde!

Piadosa y humilde se puso a ordeñar la leche en el cuenco de corcho, labrado por un boyero muy viejo que había en el caserío de Cela, y que era nombrado en todo el contorno. Mientras el corcho se iba llenando con la leche tibia y espumosa, decía la pastora:

—Ve aquellas siete ovejas tan lanares... A todas las llamamos *Dormidas,* porque siendo corderas vendióselas al amo un rabadán que cuando vuelve de la feria en su buena mula siempre acontece que se queda traspuesto, y ya todos lo saben...

Se levantó, y con los ojos bajos y las mejillas vergonzosas, presentó al mendicante aquel don de su oveja. Bebió el peregrino con solaz, y como hacía reposorios para alentar, murmuraba:

—¡Qué regalía, rapaza!... ¡Qué regalía!

Cuando terminó, la pastora apresuróse a tomarle el cuenco de las manos:

—Diga, mi señor: ¿quiere que le ordeñe otra oveja?

—No es menester. ¡El Apóstol Santiago te lo pague!

La pastora sonreía. Después llegóse a la fuente del atrio, cercada por viejos laureles; llenó de agua el corcho que el peregrino santificara y bebió feliz y humilde, oyendo al ruiseñor que cantaba escondido. El peregrino siguió adelante por el camino que trajera, un camino llano y polvoriento entre maizales. Los ojos de la pastora fueron tras él, hasta que desapareció en la revuelta.

—¡El Santo Apóstol le acompañe!

Suspirosa llamó al mastín, y acudió a reunir el rebaño esparcido por todo el campo de San Clodio. Un cordero balaba encaramado sobre el muro del[2] atrio sin atreverse a descender. La pastora le tomó en brazos, y acariciándole fue a sentarse un momento bajo los cipreses. El cordero, con movimientos llenos de gracia, ofrecía a los dedos de la pastora el picaresco testuz marcado con una estrella blanca: cuando perdió toda zozobra, huyó haciendo corcobos [sic]. Allá en la lejanía, por la falda del monte, bajaban esparcidos algunos rebaños que tenían el aprisco distante y se recogían los primeros. Oíase en la quietud apacible de la tarde el tañido de las esquilas y las voces con que los zagales guiaban. La pastora arreó sus ovejas, y antes de salir al camino las llevó a que bebiesen en la fuente del atrio. Bajo los húmedos laureles, la tarde era azul y triste como el alma de una santa princesa. Las palomas familiares venían a posarse en los cipreses venerables, y el estremecimiento del negro follaje al recibirlas uníase al murmullo de la fuente milagrosa cercada de laureles, donde una mendiga, sabia y curandera, ponía a serenar el hinojo tierno y la malva de olor mientras el sonoro cántaro desbordaba con alegría campestre bajo la verdeante teja de corcho que aprisionaba y conducía el agua. Las ovejas bebían con las cabezas juntas, apretándose en torno del brocal cubierto de musgo. Al terminar, se alejaban hilando agua del hocico y haciendo sonar las esquilas. Solamente una oveja no se acercó a la fuente: arrodillada al pie de los laureles, quejábase con moribundo balido, y la pastora, con los ojos fijos en el sendero por donde se alejó el peregrino, lloraba. Lloraba porque veía cómo las culpas de los amos eran castigadas en el rebaño por Dios Nuestro Señor.

---

[2] En el diario se lee: "de".

Égloga[1]

La madre y la hija han cruzado los "Agros del Prior", llevando las ovejas por delante. Las dos mujeres caminan juntas, con los mantelos doblados sobre la cabeza como si fuesen a una romería. Dora los campos la mañana, y el camino, fragante con sus setos ya verdes y florecidos, se despierta bajo el campanilleo de las esquilas y pasan apretándose las ovejas. El camino es húmedo, tortuoso y rústico, como viejo camino de sementeras y de vendimias. Bajo la pezuña de las ovejas quédase doblada la hierba, y lentamente, cuando ha pasado el rebaño, vuelve a levantarse, esparciendo en el aire santos aromas matinales de rocío fresco... En la paz de una hondonada umbría, dos zagales andan encorvados, segando el trébol oloroso y húmedo, y entre el verde de la hierba las hoces brillan con extraña ferocidad. Un asno viejo, de rucio pelo y luengas orejas, pace lentamente arrastrando el ronzal, y otro asno infantil, con la frente aborregada y lanosa y las orejas inquietas y burlonas, mira hacia la vereda erguido, alegre y picaresco, moviendo la cabeza como el bufón de un buen rey. Uno de los zagales grita hacia el camino:

—¿Van para la feria de Brandeso?

[1] En *Los Lunes de El Imparcial*, Madrid, 1902, año XXXVI, número 12.515 (10-II).

—Vamos más cerca.

—¡Un ganado lucido!

—¡Lucido estaba!... ¡Agora le han echado una plaga y vamos al molino de Cela!...

—¿Van adonde el saludador?... ¡A mi amo le sanó una vaca! Sabe palabras para deshacer toda clase de brujerías.

—¡San Berísimo te oiga!

—¡Vayan muy dichosas!

La madre y la hija siguen adelante: Buscan la sombra de los valladares y desdeñan el ladrido de los perros, que asoman feroces, con la cabeza erguida, arregañados los dientes. Las ovejas llenan el camino y pasan temerosas, con un dulce balido como en las viejas églogas. Los pardales revolotean a lo largo y se posan en bandadas sobre los valladares de saúco y de laurel, deshojando con el pico la nieve de las flores... Ya quedan atrás los "agros del Prior". En la orilla del río, bajo el ramaje de los álamos que parecen de plata antigua, sonríe un molino. El agua salta en la presa, y la rueda, fatigada y caduca, canta el salmo patriarcal del trigo y la abundancia. Su vieja voz geórgica se oye por las eras y por los caminos. La molinera, en lo alto del patín, desgrana mazorcas con la falda recogida en la cintura y llena de maíz. Grita desde la puerta al mismo tiempo que desgrana:

—¡Suras!... ¡Suras!...

Y arroja al viento un puñado de fruto que cae con el rumor de lluvia veraniega sobre secos follajes. Las gallinas acuden presurosas picoteando la tierra. El gallo canta. Las dos aldeanas salmodian en la cancela del molino:

—¡Santos y buenos días!

La molinera responde desde el patín:

—¡Santos y buenos nos los dé Dios!

A las salutaciones siguen las preguntas lentas y cantarinas: las tres aldeanas hablan con una mano puesta sobre los ojos para resguardarlos del sol.

—¿Hay mucho fruto?

—¡Así hubiera gracia de Dios!

—¿Cuántas piedras muelen?

—Muelen todas tres: la del trigo, la del maíz y la del centeno.

—¡Conócese que trae agua la presa!

—¡En lo de ahora no falta!

—¡Por algo decían los viejos que el hambre a esta tierra llega nadando!

La molinera baja a franquearles la cancela; pero la madre y la hija quedan en el camino hasta que una a una pasan las ovejas.

Después, cuando el rebaño se extiende por la era, entran suspirando. La molinera hundía sus toscos dedos de aldeana en el vellón de los corderos.

—¡Lucido ganado!

—¡Lucido estaba!...

—¿Por acaso hiciéronle mal de ojo?...

—¡Todos los días se nos muere una oveja!

—¿Entonces, buscáis al abuelo?... Por ahí andaba... ¡Abuelo! ¡Abuelo!

Y las tres mujeres atraviesan la era para guarecerse del sol, bajo el emparrado de la puerta. El gallo canta subido al patín. Las gallinas aún siguen picoteando en la hierba, y la molinera acaba de aventarles el maíz que lleva en la falda. Por el fondo del huerto, bajo la sombra de los manzanos, aparece el abuelo: un viejo risueño y doctoral, con las guedejas blancas, con las arrugas hondas y bruñidas, semejante a los santos de un antiguo retablo: conduce lentamente, como en procesión, a la vaca y al asno que tienen en sus ojos la tristeza del crepúsculo campesino. Tras ellos camina el perro que, cauteloso, va acercándose al rebaño, y le ronda con las orejas gachas y la cola entre piernas. El viejo se detiene y levanta los brazos sereno y profético:

—¡Claramente se me alcanza que a este ganado vuestro le han hecho mal de ojo!...

La madre y la hija responden a una voz:

—¡Ay!... ¡Por eso hemos venido!

El viejo inclina la cabeza. Las ovejas balan en torno suyo y las acaricia plácido y evangélico. Después murmura lentamente:

—¡No puedo valeros!... ¡No puedo valeros!...

Las dos aldeanas suspiran consternadas:

—¿No sabe un ensalmo para romper el embrujo?

—Sé un ensalmo, pero no puedo decirlo... El Señor Abade estuvo aquí y me amenazó con la paulina... ¡No puedo decirlo!...

—¡Y hemos de ver cómo las ovejas se nos mueren una a una!... ¡Un ganado que daba gloria!

—¡Sí que está lucido! ¿Aquel virriato es todavía cordero?

—¡Todavía cordero, sí señor!

—¿Y la blanca de los dos lechazos parece cancina?

—¡Cancina, sí señor!

El viejo movía gravemente la cabeza:

—¡Sí que está lucido! ¡Un ganado de regalía!

Entonces la madre, triste y resignada, volvióse a la hija:

—Alcanza el virriato, rapaza...

La aldeana corrió asustando al perro, y trajo en brazos un cordero blanco con manchas negras, que movía las orejas y balaba. Al acercarse, en los ojos cobrizos de la madre, donde temblaba la avaricia, vio como un grito de angustia el mandato de ofrecérselo al viejo. El saludador lo recibió sonriendo:

—¡Alabado sea Dios!

—¡Alabado Él sea!

Por el camino pasan hacia la feria de Brandeso cabalgando en jacos de áspero pelaje y enmarañada crin: chalanes y vaqueros recios y voceadores, armados con luengas picas; sobre el pecho ronzales y rendajes; los sombreros sostenidos por rojos pañuelos a guisa de barbuquejos [sic]. Pasan en tropel, espoleando los jacos pequeños y trotinantes, con alegre son de espuelas y bocados. Algunos labradores de Cela y de San Clodio, pasan también guiando sus yuntas lentas y majestuosas; y mujeres asoleadas y rozagantes pasan con gallinas, con cabras, con centeno...

La vieja, arreglándose la cofia, dijo con malicia de aldeana:

—Suyo es el cordero... ¡Mas tendrá que hacerle el ensalmo para que no se muera como los míos!

El saludador sonreía pasando su mano temblorosa y senil por el vellón de la res.

—Le haremos el ensalmo sin que lo sepa el señor abad.

Y sentándose bajo su viña, quitóse lentamente la montera, y con el cordero en brazos, benigno y feliz como un abuelo de los tiempos patriarcales, dejó caer una larga bendición sobre el rebaño que se juntaba en el centro de la era, yerma y silenciosa, dorada por el sol.

—¡Habéis de saber que son tres las condenaciones que se hacen al ganado!... ¡Una en las hierbas, otra en las aguas, otra en el aire!... ¡Este rebaño vuestro tiene la condenación en las aguas!

La madre y la hija escuchaban al saludador con las manos juntas, los ojos húmedos de religiosa emoción. Sentían pasar sobre su rostro el aliento del milagro. Hacía tiempo que las piedras del molino giraban sin grano, y la molinera entró. Un rayo de sol, atravesando los follajes de la parra, ponía un nimbo de oro sobre la cabeza plateada del viejo. Alzó proféticamente los brazos dejando suelto el cordero, que permaneció echado en sus rodillas:

—La condenación en las aguas solamente se rompe con la primera luna, a las doce de la noche.

—...Para ello es menester llevar el ganado a que beba en una fuente que tenga un roble y esté en una encrucijada...

Dejó de hablar el saludador, y el cordero saltó de sus rodillas. En aquel momento la molinera asomaba en la puerta, y corrió tras él. La madre y la hija, con los rostros resplandecientes de fe, recordaban dónde había una fuente que estuviese en una encrucijada y tuviese un roble. Entonces el saludador les dijo:

—La fuente que buscáis está cerca de San Pedro de Cela, yendo por el camino viejo... Hace años había otras dos: Una en los Agros de Brandeso; otra en el Atrio de San Gundián; pero una bruja secó los robles...

Después la madre aún seguía hablando con el saludador, mientras la hija cantaba arreando las ovejas que, afanosas por salir al camino, se apretaban estrujándose entre los quicios de la cancela...

R. DEL VALLE-INCLÁN

¡Malpocado![1]

*Esta fue la mía andanza
sin ventura.*

MACÍAS[2]

La vieja más vieja de la aldea camina con su nieto de la mano, por un sendero de verdes orillas triste y desierto, que parece aterido bajo la luz del alba. Camina encorvada y suspirante, dando consejos al niño, que llora en silencio.

—Ahora que comienzas a ganarlo, has de ser humildoso, que es ley de Dios.

—Sí, señora, sí...

_____

[1] En *El Liberal,* Madrid, 1902, año XXIV, núm. 8.452 (30-XI).

[2] "E foi tal a mía andança, / sen ventura" son los dos versos finales del poema que comienza "¡Ay Amor! en remembrança..." del trovador gallego Macías "O Namorado" (Padrón, h. 1340-70), a quien se le ha llamado el *Werther* del siglo XIV, porque, enamorado de una dama casada y a pesar de las reconvenciones y denuncias del marido, porfió en su amor hasta morir a manos de éste; su figura legendaria, prototipo del poeta y amador desgraciado, ha sido llevada varias veces a la ficción literaria; entre otras, en *Sátira de felice e infelice vida* (h. 1453-55) del Condestable de Portugal, *Nobleza de Andalucía* (1588) de Argote de Molina, *Porfiar hasta morir* de Lope de Vega, *El español más amante y desgraciado Macías* de Bances Candamo y en la novela *El doncel de don Enrique el doliente* y en el drama *Macías,* ambas obras de Larra. Sus poemas —algunos, atribuidos— aparecen en el *Cancionero de Baena,* entre otros.

—Has de rezar por quien te hiciere bien y por el alma de sus difuntos.

—Sí, señora, sí...

—En la feria de San Gundián, si logras reunir para ello, has de comprarte una capa de juncos, que las lluvias son muchas.

—Sí, señora, sí...

—Para caminar por las veredas has de descalzarte los zuecos.

—Sí, señora, sí...

Y la abuela y el niño van anda, anda, anda...

La soledad del camino hace más triste aquella salmodia infantil, que parece un voto de humildad, de resignación y de pobreza, hecho al comenzar la vida. La vieja arrastra penosamente las madreñas, que choclean en las piedras del camino, y suspira bajo el mantelo que lleva echado por la cabeza. El nieto llora y tiembla de frío: va vestido de harapos. Es un zagal albino, con las mejillas asoleadas y pecosas: lleva trasquilada sobre la frente, como un siervo de otra edad, la guedeja lacia y pálida, que recuerda las barbas del maíz.

En el cielo lívido del amanecer aún temblaban algunas estrellas mortecinas. Un raposo que viene huido de la aldea atraviesa corriendo el sendero. Oyese lejano el ladrido de los perros y el canto de los gallos... Lentamente el sol comienza a dorar la cumbre de los montes; brilla el rocío sobre la yerba, revolotean en torno de los árboles con tímido aleteo los pájaros nuevos que abandonan el nido por vez primera; ríen los arroyos, murmuran las arboledas, y aquel camino de verdes orillas, triste y desierto, despiértase como viejo camino de geórgicas. Rebaños de ovejas suben por la falda del monte; mujeres cantando vuelven de la fuente; un aldeano de blancas guedejas pica la yunta de sus bueyes, que se detienen mordisqueando en los vallados: es un viejo patriarcal: desde larga distancia deja oír su voz.

—¿Vais para la feria de Barbanzón?

—Vamos para San Amedio, buscando amo para el rapaz.

—¿Qué tiempo tiene?

—El tiempo de ganarlo. Nueve años hizo por el mes de Santiago.

Y la abuela y el nieto van anda, anda, anda...

Bajo aquel sol amable que luce sobre los montes, cruza por los caminos la gente de las aldeas. Un chalán asoleado y brioso trota con alegre fanfarria de espuelas y de herraduras: viejas labradoras de Cela y Lestrove van para la feria con gallinas, con lino, con centeno. Allá, en la hondonada, un zagal alza los brazos para asustar a las cabras, que se gallardean encaramadas en los peñascales. La abuela y el nieto se apartan para dejar paso al señor arcipreste de Lestrove, que se dirige a predicar en una fiesta de aldea.

—¡Santos y buenos días nos dé Dios!

El señor arcipreste refrena su yegua, de andadura mansa y doctoral.

—¿Vais de feria?

—¡Los pobres no tenemos qué hacer en la feria! Vamos a San Amedio buscando amo para el rapaz.

—¿Ya sabe la doctrina?

—Sabe, sí, señor. La pobreza no quita el ser cristiano.

Y la abuela y el nieto van anda, anda, anda...

En una lejanía de niebla azul divisan los cipreses de San Amedio, que se alzan en torno del santuario, obscuros y pensativos, con las cimas mustias ungidas por un reflejo dorado y matinal. En la aldea ya están abiertas todas las puertas, y el humo indeciso y blanco que sube de los hogares, se disipa en la luz, como salutación de paz. La abuela y el nieto llegan al atrio. Sentado en la puerta, un ciego pide limosna y levanta al cielo los ojos que parecen dos ágatas blanquecinas:

—¡Santa Lucía bendita vos conserve la amable vista y salud en el mundo para ganarlo!... ¡Dios vos otorgue qué dar y qué tener!... ¡Salud y suerte en el mundo para ganarlo!... ¡Tantas buenas almas del Señor como pasan, no dejarán al pobre un bien de caridad!...

Y el ciego tiende hacia el camino la palma seca y amarillenta. La vieja, se acerca con su nieto de la mano, y murmura tristemente:

—¡Somos otros pobres, hermano!... Dijéronme que buscabas un criado...

—Dijéronte verdad. Al que tenía enantes abriéronle la cabeza en la romería de Santa Baya de Cela. ¡Está que loquea!

—Yo vengo con mi nieto.

—Vienes bien.

El ciego extiende sus brazos palpando en el aire.

—Llégate, rapaz.

La vieja empuja al niño, que tiembla como una oveja acobardada y mansa ante aquel viejo hosco, envuelto en un roto capote de soldado. La mano amarillenta y pedigüeña del ciego se posa sobre los hombros del niño, anda a tientas por la espalda, corre a lo largo de las piernas:

—¿No te cansarás de andar con las alforjas a cuestas?

—No, señor; estoy hecho a eso.

—Para llenarlas hay que correr muchas puertas. ¿Tú conoces bien los caminos de las aldeas?

—Donde no conozca, pregunto.

—En las romerías, cuando yo eche una copla, tú tienes de responderme con otra. ¿Sabrás?

—En aprendiendo, sí, señor.

—Ser criado de ciego es acomodo que muchos quisieran.

—Sí, señor, sí.

—Puesto que has venido, vamos hasta el Pazo de Cela. Allí hay caridad. En este paraje no se recoge una triste limosna.

El ciego se incorpora entumecido, y apoya la mano en el hombro del niño, que contempla tristemente el largo camino, y la campiña verde y húmeda, que sonríe en la paz de la mañana, con el caserío de las aldeas disperso y los molinos lejanos, desapareciendo bajo el emparrado de las puertas, y las montañas azules, y la nieve en las cumbres. A lo largo del camino, un zagal anda encorvado segando yerba, y la vaca de trémulas y rosadas ubres pace mansamente arrastando el ronzal.

El ciego y el niño se alejan lentamente, y la abuela murmura, enjugándose los ojos:

—¡Malpocado, nueve años y gana el pan que come!... ¡Alabado sea Dios!

RAMÓN DEL VALLE-INCLÁN[3]

---

[3] Este cuento lo presentó Valle al II Concurso de Cuentos convocado por el periódico *El Liberal* y el jurado, formado por José Echegaray, Eugenio Sellés y José Nogales, resolvió dejar desierto el primero y "conceder el segundo premio al trabajo literario número 751 titulado *¡Malpocado!,* atendiendo a la sencillez artística y pureza de estilo que lo avaloran. / Abierto el sobre que contenía el nombre del autor, resultó ser D. Ramón del Valle Inclán". Sigue el cuento. Y a continuación: "Ramón del Valle Inclán. / No necesita presentación el autor del cuento *¡Malpocado!,* que ha obtenido en nuestro Concurso el segundo premio. / Todo Madrid le conoce y es admirado en España por cuantos aman o cultivan la literatura. / Joven por edad, y viejo por las luchas y las peregrinaciones, la indisciplina del pensamiento y la intensidad del color le colocan en primera línea de la gente nueva, mientras que la doración del arte y el culto refinado de la forma le aseguran un puesto de honor entre la legión selecta de los antiguos. / Le ha dado su tierra de Galicia el instinto errático; su arrasado e hidalgo solar campesino, el instinto caballeresco. / Casi niño, pasó de golpe desde las amables marinas pontevedresas a las ardientes llanuras mejicanas. Y se prendó del sol sin dejar de ser un melancólico enamorado de la niebla. / Por eso en su paleta tienen tanta fuerza los colores y tan exquisita variedad los matices. / Fue su primer libro, *Femeninas,* una revelación; su novela *Epitalamio,* un fruto juvenil demasiado maduro en unas partes y sobradamente verde en otras; su *Sonata de Otoño,* fragmento de las *Memorias del marqués de Bradomín,* una consagración definitiva del escritor y del colorista llegado a la plenitud de su desenvolvimiento. / Pocos aciertan hoy como Valle-Inclán a inquirir las cosas recónditas del alma, y a desentrañar y sacar a luz el alma de las cosas. / Los corazones y las moradas en ruinas, los paisajes y las pasiones crepusculares, las tristezas y las amarguras que pasan para los demás inadvertidas, tienen en el autor de *¡Malpocado!* un fidelísimo intérprete. / Mucho nos place que del Concurso de *El Liberal* haya salido laureado su nombre" (sin firma, pero, probablemente, este comentario es de José Nogales).

Año de hambre
(Recuerdo infantil)[1]

Cuando yo era niño, el bálsamo de la resignación cristiana aún servía para endulzar muchas heridas en el alma del pueblo; ¡pobre alma sencilla, milagrera y trágica! Tal vez por esto los desheredados eran más felices que hoy.

Todavía recuerdo un invierno en la montaña gallega. Fue aquel malhadado año del hambre, cuando los antes alegres y picarescos molinos del Sil y del Miño parecían haber enmudecido para siempre. ¡Qué invierno aquél! El atrio de la iglesia se cubrió de sepulturas nuevas; un lobo rabioso bajaba todas las noches al casal y se le oía aullar desesperado. Al amanecer no turbaba la paz de los corrales ningún cantar madruguero ni el sol calentaba los ateridos campos. Los días se sucedían monótonos, amortajados en el sudario ceniciento de la llovizna; el viento soplaba áspero y frío, no traía caricias, no llevaba aromas, marchitaba la yerba; era un aliento embrujado. Algunas veces, al caer la tarde, se le oía escondido en los pinares, quejarse con voces del otro mundo.

Los establos hallábanse vacíos, el hogar sin fuego, en la chimenea el trasgo moría de tedio. Por los resquicios de las tejas filtrábase la lluvia, maligna y terca, en las

[1] En *Heraldo de Madrid,* Madrid, 1903, año XIV, núm. 4.757 (28-XI).

cabañas llenas de humo. ¡Qué invierno aquel! Aterida, mojada, tísica, temblona, velaba el hambre acurrucada a la puerta del horno, sin que consiguiese ahuyentarla la herradura de siete clavos que la mano arrugada de la superstición popular había clavado en todas las puertas. La vieja tirana de la aldea entrechocaba muerta de frío las desdentadas mandíbulas y tosía llamando al muerto eco del rincón calcinado, negro y frío...

La lluvia caía sin descanso un día y otro día, queda, quedamente...

* * *

De remotas aldeas, de olvidados casales, llegaban todos los días a nuestra puerta procesiones de aldeanos hambrientos. Yo era un niño, y apenas sentía el ruido de sus madreñas en las losas de la calle corría a la ventana para verles. Iban llegando lentamente como un rebaño descarriado. Los primeros aparecían cuando aún la mañana estaba blanca por la nieve; los últimos entraban en la aldea cuando ya la tarde huía arrebujada en los pliegues de la ventisca. Yo los veía llegar por un camino orillado de álamos, que cabeceaban tristemente. Las ramas secas, sin hojas, sin nidos, sacudían el agua con estremecimientos llenos de frío. Las procesiones de aldeanos se detenían siempre ante nuestra puerta.

Aquellos abuelos de blancas guedejas; aquellos zagales asoleados; aquellas mujerucas con niños en brazos, levantaban hacia mí los ojos, saludándome con una salmodia humilde y lloraban al recibir la limosna, y besaban la borona, y besaban la mazorca del maíz, y besaban la mano que les ofrecía el bien de caridad, y rezaban a Santiago y a Santa María para que hiciesen de mí un noble y cristiano caballero.

¡Aquellos pobres aldeanos esperaban resignados otros muchos inviernos como aquel, y sólo le pedían a Dios que conservase la caridad sobre la tierra!...

Desde mi ventana veía los campos anegados, y legiones de nubes obscuras que parecían cernerse como un castigo. El cierzo, que soplaba en ráfagas, azotaba los cristales con furias epilépticas. Las nubes iban a congregarse en el horizonte, un horizonte de agua. El brasero, brillaba en el fondo de la estancia, y allá fuera las campanas de un convento volteaban anunciando el final de la novena, que los frailes hacían al seráfico fundador para que salvase los viñedos y los maizales. Se oía el rumor de las devotas, que salían de la iglesia en negros pelotones y echaban presurosas por la vetusta calle. La lluvia, redoblando en los paraguas, y el chapoteo de los pies en la acera, contrastaban con la nota tibia y sensual de las enaguas blancas, que asomaban bordeando los vestidos negros.

Desde un balcón vecino llegaban, con vaguedad de poesía y de misterio, los arrullos de dos tórtolas que cuidaba una vieja enlutada y consumida, que estaba siempre haciendo calceta sentada detrás de los cristales. Su puerta jamás se abrió para los pobres aldeanos hambrientos, y ellos no pensaron en echarla abajo ni en quemar a la vieja...

¡En aquel tiempo tales justicias se dejaban a Dios!...

* * *

Hoy, aquellos siervos que, al ver perdidas las cosechas, abandonaban los campos, y en triste rogativa iban por los pueblos pidiendo limosna, sólo esperan justicia de sí mismos.

Cuando sufren hambre, con voces de rencor y de ira claman ante la puerta del rico avariento, y cuando reciben las migajas del banquete, las bocas lívidas y trágicas, tiemblan de cólera, y los brazos se levantan fieros y estremecidos, como una amenaza de represalias sangrientas. ¡Pobres almas desnudas, pobres almas ingenuas, que han perdido la fe en la justicia divina, sin hallar la justicia aquí en la Tierra! Las viejas supersticiones, las cándidas virtudes, les han sido arrebatadas por crueles apóstoles. El viento de las revoluciones ha pasado sobre ellas como sobre un bosque sagrado; las obscuras tórtolas, las blancas palomas familiares, han huido para siempre... ¡Y era todavía ayer cuando esas pobres almas imploraban, humildes y dolientes, una limosna por amor de Dios!...

RAMÓN DEL VALLE-INCLÁN

Geórgicas[1]

I

La vieja tenía siete nietas mozas, y las siete juntó en su casa para espadar el lino. Lo espadaron en pocos días, sentadas al sol en la era, cantando alegremente. Después se volvieron a casa de sus padres, y la vieja quedó sola con su gata, hilando copo tras copo, y devanando en el sarillo las madejas. Como a todas las abuelas campesinas, le gustaban las telas de lino casero, y las guardaba avariciosa en los arcones de nogal con las manzanas tabardillas y los membrillos olorosos. La vieja, después de hilar todo el invierno, juntó doce grandes madejas, y pensó hacer con ellas una sola tela, tan rica como no tenía otra.

II

Compuesta como una moza que va de romería, sale una mañana de su casa: lleva puesto el dengue de grana y la cofia rizada y el mantelo de paño Sedán. Dora los campos la mañana y la vieja camina por una vereda hú-

---

[1] En *Los Lunes de El Imparcial,* Madrid, 1904: año XXXVIII, número 13.426 (15-VIII).

meda, olorosa y rústica, como vereda de sementeras y de vendimias. Por el fondo de las eras verdes, cruza una zagala pecosa y asoleada con su vaca bermeja del ronzal. Camina hacia la villa, a donde va todos los amaneceres para vender la leche que ordeña ante las puertas. La vieja se acerca a la orilla del camino, y llama dando voces:

—¡Eh, moza!... ¡Tú, rapaza de Cela!...

La moza tira del ronzal a su vaca y se detiene:

—¿Qué mandaba?

—Escucha una fabla...

Mediaba larga distancia, y esforzaban la voz, dándole esa pauta lenta y sostenida que tienen los cantos de la montaña. La vieja desciende algunos pasos pregonando esta prosa:

—¡Mía fe, no hacía cuenta de hallarte en el camino! Cabalmente voy adonde tu abuelo... ¿No eres tú nieta del Texelan de Cela?

—Sí, señora.

—Ya me lo parecías, pero como me va faltando la vista.

—A mí por la vaca se me conoce de bien lejos.

—Vaya, que la tienes reluciente como un sol. ¡San Clodio te la guarde!

—¡Amén!

—¿Tu abuelo demora en Cela?

—Demora en el molino, cabo de mi madre.

—Como mañana es la feria de Brandeso, estaba dudosa. Muy bien pudiera haber salido.

—Tomara el poder salir fuera de nuestro quintero.

—¿Está enfermo?

—Está muy acabado. Los años y los trabajos, que son muchos.

—¡Malpocado!

—¡Quede muy dichosa!

—¡El Señor te acompañe!

272

En la orilla del río, algunos aldeanos esperan la barca sentados sobre la hierba a la sombra de los verdes y retorcidos mimbrales. La vieja busca sitio en el corro. Un ciego mendicante y ladino, que arrastra luenga capa y cubre su cabeza con parda y puntiaguda montera, refiere historias de divertimiento a las mozas, sentadas en torno suyo. Aquel viejo prosero, tiene un grave perfil monástico, pero el pico de su montera parda, y su boca rasurada y aldeana, semejante a una gran sandía abierta, guardan todavía más malicia que sus decires, esos añejos decires de los jocundos arciprestes aficionados al vino, y a las vaqueras y a rimar coplas. Las aldeanas se alborozan, y el ciego sonríe como un fauno viejo entre sus ninfas. Al oír los pasos de la vieja interroga vagamente:

—¿Quién es?

La vieja se vuelve festera:

—Una buena moza.

El ciego sonríe ladino:

—Para el señor abade.

—Para dormir contigo. El señor abade ya está muy acabado.

El ciego pone una atención zagaz[2] procurando reconocer la voz. La vieja se deja caer a su lado sobre la hierba, suspirando con fatiga.

—¡Asús! ¡Cómo están esos caminos!

Un aldeano interroga:

—¿Va para la feria de Brandeso?

—Voy más cerca...

Otro aldeano se lamenta:

---

[2] *zagaz* por "sagaz": ¿es una errata o una jugarreta ortográfica del ceceo de Valle-Inclán?

—¡Válanos Dios, si esta feria es como la pasada!...

Otra vieja murmura:

—Yo entonces vendí la vaca.

—Yo también vendí, pero fue perdiendo...

—¿Mucho dinero?

—Una amarilla redonda.

—¡Fue dinero, mi fijo! ¡Válate San Pedro!

Otro aldeano advierte:

—Entonces estaba un tiempo de aguas, y ahora está un tiempo de regalía.

Algunas voces murmuran:

—¡Verdade!... ¡Verdade!...

Sucede un largo silencio, y el ciego alarga el brazo hacia el lado de la vieja y queriendo alcanzarla, vuelve a interrogar:

—¿Quién es?

—Ya te dije que una buena moza.

—Y yo te dije que fueses adonde el señor abade.

—Déjame reposar primero.

—Vas a perder los colores.

Los aldeanos se alborozan de nuevo. El ciego permanece atento y malicioso, gustando el rumor de las risas como los ecos de un culto, con los ojos abiertos, inmóviles, semejante a un dios primitivo, aldeano y jovial.

IV

La vieja sigue su camino: Busca la sombra de los valladares, y desdeña el ladrido de los perros que asoman feroces, con la cabeza erguida, arregañados los dientes. En una revuelta del río, bajo el ramaje de los álamos que parecen de plata antigua, sonríe un molino.

La vieja salmodia en la cancela:

—¡Santos y buenos días!

El viejo que está sentado al sol responde desde el fondo de la era:

—¡Santos y buenos nos los dé Dios!

Y se levanta para franquear la cancela. La vieja entra murmurando:

—¡Aquí te traigo doce madejas de lino, como doce soles!

El viejo inclina la cabeza con abatimiento:

—Un año hace que no cojo en mis manos la lanzadera... El telar no me daba para comer, y he tenido que venirme al arrimo de mi hija...

La vieja murmura en voz baja:

—¿Por un favor no me tejerás estas doce madejas?...

El viejo la contempla pesaroso:

—Créeme que lo haría; pero los nietos hanme estragado el telar. ¡Juegan con él!

—¿Cómo los has dejado?...

—De nada me servía. ¡Ya no hay en estas aldeas manos que hilen!

La vieja le muestra sus manos arrugadas y temblonas:

—¡Y éstas!... Dí que no hay manos que tejan.

Se miran fijamente: Los dos tienen lágrimas en los ojos, y guardan silencio escuchando el canilleo del telar y las voces de los niños que juegan con él, destrozándolo.

Ramón del VALLE-INCLÁN

Un cuento de pastores[1]

Sentados al abrigo de unas piedras célticas doradas por líquenes milenarios, los pastores merendaban en el monte. El sol se ponía y los buitres que coronaban la cumbre batían en el aire sus alas, abiertas sobre el fondo encendido del ocaso. La hora y el paraje despertaban la cándida fantasía de algún pastor que contaba en el corro milagros y prodigios: historias de ermitaños, de tesoros ocultos, de princesas encantadas, de santas apariciones. Un viejo que llevaba al monte tres cabras negras, sabía tantas, que un día entero, de sol a sol, podía estar contándolas. Tenía cerca de cien años, y muchas de sus historias habían ocurrido siendo él zagal. Contemplando sus tres cabras negras, el viejo suspiraba por aquel tiempo, cuando iba al monte con un largo rebaño que tenían en la casa de sus abuelos. Un coro infantil de pastores escuchaba siempre los relatos del viejo: Había sido en aquel buen tiempo lejano, cuando se le apareciera una dama sentada al pie de un árbol, peinando los largos cabellos con peine de oro. Oyendo al viejo, algunos pastores murmuraban con ingenuo asombro:

—¡Sería una princesa encantada!

[1] En *Los Lunes de El Imparcial,* Madrid, 1904, año XXXVIII, número 13.461 (19-IX).

Y otros pastores que ya se sabían aquella historia, contestaban:

—¡Era la reina mora, que tiene prisionera un gigante alarbio!...

El viejo asentía moviendo gravemente la cabeza, daba una voz a sus tres cabras para que no se alejasen, y proseguía:

—¡Era la reina mora!... A su lado, sobre la yerba, tenía abierto un cofre de plata lleno de ricas joyas que rebrillaban al sol!... El camino iba muy desviado, y la dama, dejándose el peine de oro preso en los cabellos, me llamó con la su mano blanca, que parecía una paloma en el aire. Yo, como era rapaz, dime a fujir a fujir...

Y los pastores interrumpían con candoroso murmullo:

—¡Si a nos quisiera aparecerse!

El viejo respondía con su entonación lenta y religiosa, de narrador milenario:

—¡Cuantos se acercan, cuantos perecen encantados!

Y aquellos pastores que habían oído muchas veces la misma historia, se la explicaban a los otros pastores que nunca la habían oído. El uno decía:

—Vos no sabéis que para encantar a los caminantes, con su gran fermosura los atrae.

Y otro agregaba:

—Con la riqueza de las joyas que les muestra, los engaña.

Y otro más tímidamente advertía:

—Tengo oído que les pregunta cuál de entre todas sus joyas les place más, y que ellos, deslumbrados viendo tantos broches, y cintillos, y ajorcas, y joyeles, pónense a elegir, y así quedan presos en el encanto.

El viejo dejaba que los murmullos se acallasen, y proseguía con su ingenua inventiva, llena de misterio la voz:

—Para desencantar a la reina y casarse con ella, bastaría con decir: "Entre tantas joyas, sólo a vos quiero, señora reina". Muchos saben aquesto, pero cegados por la avaricia se olvidan de decirlo y pónense a elegir entre las joyas...

El murmullo de los zagales volvía a levantarse como un deseo fabuloso y ardiente:

—¡Si a nos quisiese aparecerse!

El viejo los miraba compasivo:

—¡Desgraciados de vos! El que ha de romper ese encanto no ha nacido todavía...

Después, todos los pastores, como si un viento de ensueño removiese el lago azul de sus almas, querían recordar otros prodigios. Eran siempre las viejas historias de los tesoros ocultos en el monte, de los lobos rabiosos, del santo ermitaño por quien al morir habían doblado solas las campanas. ¡Aquellas campanas que se despertaban con el sol, piadosas, madrugadoras, sencillas como dos abadesas centenarias!

RAMÓN DEL VALLE-INCLÁN

Santa Baya de Cristamilde[1]

I

Doña Micaela de Ponte y Andrade, hermana de mi abuelo, tenía los demonios en el cuerpo, y como los exorcismos no bastaban a curarla, decidióse en consejo de familia, que presidió el abad de Brandeso, llevarla a la romería de Santa Baya de Cristamilde. Fuimos dándole escolta yo y un criado viejo. Salimos a la media tarde para llegar a la media noche, que es cuando se celebra la misa de las endemoniadas.

II

Santa Baya de Cristamilde está al otro lado del monte, allá en los arenales donde el mar brama. Todos los años acuden a su fiesta muchos devotos. Por veces a lo largo de la vereda, hállase un mendigo que camina arrastrándose, con las canillas echadas a la espalda. Se ha puesto el sol, y dos bueyes cobrizos beben al borde de una charca. En la lejanía se levanta el ladrido de los

---

[1] En *Los Lunes de El Imparcial,* Madrid, 1904: año XXXVIII, número 13.468 (26-IX).

perros vigilantes en los pajares. Sale la luna y el mochuelo canta escondido en un castañar. Cuando comenzamos a subir el monte es noche cerrada, y el criado, para arredrar los lobos, enciende un farol. Delante va una caravana de mendigos: se oyen sus voces burlonas y descreídas: como cordón de orugas se arrastran a lo largo del camino. Unos son ciegos, otros tullidos, otros lazarados. Todos ellos comen del pan ajeno. Van por el mundo sacudiendo vengativos su miseria y rascando su podre a la puerta del rico avariento: una mujer da el pecho a su niño, cubierto de lepra, otra empuja el carro de un paralítico: en las alforjas de un asno viejo y lleno de mataduras van dos monstruos: las cabezas son deformes, las manos palmípedas.

Al descender del monte, el camino se convierte en un vasto arenal de áspera y crujiente arena. El mar se estrella en las restingas, y de tiempo en tiempo una ola gigante pasa sobre el lomo deforme de los peñascos que la resaca deja en seco: el mar vuelve a retirarse broando, y allá en el confín vuelve a erguirse negro y apocalíptico, crestado de vellones blancos: guarda en su flujo el ritmo potente y misterioso del mundo. La caravana de mendigos descansa a lo largo del arenal. Las endemoniadas lanzan gritos estridentes al subir la loma donde está la ermita y cuajan espuma sus bocas blasfemas: los devotos aldeanos que las conducen tienen que arrastrarlas. Bajo el cielo anubarrado y sin luna, graznan las gaviotas. Son las doce de la noche y comienza la misa. Las endemoniadas gritan retorciéndose:

—¡Santa tiñosa, arráncale los ojos al abad!

Y con el cabello desmadejado y los ojos saltantes, pugnan por ir hacia el altar. A los aldeanos más fornidos les cuesta trabajo sujetarlas: las endemoniadas jadean roncas, con los corpiños rasgados, mostrando la carne lívida de los hombros y de los senos: entre sus dedos quedan enredados manojos de cabellos. Los gritos sacrílegos no cesan durante toda la misa:

—¡Santa Baya, tienes un can rabioso que te visita en la cama!

Terminada la misa, todas las posesas del mal espíritu son despojadas de sus ropas y conducidas al mar, envueltas en lienzos blancos. Las endemoniadas, enfrente de las olas, aúllan y se resisten enterrando los pies en la arena. El lienzo que las cubre cae, y su lívida desnudez surge como un gran pecado legendario, calenturiento y triste. La ola negra y bordeada de espumas se levanta para tragarlas y sube por la playa, y se despeña sobre aquellas cabezas greñudas y aquellos hombros tiritantes. El pálido pecado de la carne se estremece, y las bocas sacrílegas escupen el agua salada del mar. La ola se retira dejando en seco las peñas, y allá en el confín vuelve a encresparse cavernosa y rugiente. Son sus embates como las tentaciones de Satanás contra los santos. Sobre la capilla vuelan graznando las gaviotas, y un niño, agarrado a la cadena, hace sonar el esquilón. La santa sale en sus andas procesionales, y el manto bordado de oro, y la corona de reina, y las ajorcas de muradana resplandecen bajo las estrellas. Prestes y monagos recitan gravemente sus latines, y las endemoniadas, entre las espumas de una ola, claman blasfemas:

—¡Santa tiñosa!

—¡Santa rabuda!

—¡Santa salida!

—¡Santa preñada!

Los aldeanos, arrodillados en la playa, cuentan las olas: son siete las que habrá de recibir cada poseída para verse libre de los malos espíritus y salvar su alma de la cárcel oscura del infierno: ¡son siete como los pecados del mundo!

III

Al amanecer volvimos a tomar el camino ya de retorno. Oíase lejano el canto de otros romeros que iban por los atajos. Mi tía no daba tregua a los suspiros, unos suspiros largos y penetrantes de vieja histérica. Murió a los pocos días tan cristiana, que sus sobrinas todavía recuerdan edificadas el milagro.

Ramón del Valle-Inclán

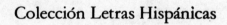
Colección Letras Hispánicas